디딤돌수학 개념기본 중학 1-2

펴낸날 [초판 1쇄] 2022년 1월 1일 [초판 3쇄] 2023년 3월 20일
펴낸이 이기열
펴낸곳 (주)디딤돌 교육
주소 (03972) 서울특별시 마포구 월드컵북로 122 청원선와이즈타워
대표전화 02-3142-9000
구입문의 02-322-8451
내용문의 02-336-7918
팩시밀리 02-335-6038
홈페이지 www.didimdol.co.kr
등록번호 제10-718호
구입한 후에는 철회되지 않으며 잘못 인쇄된 책은 바꾸어 드립니다.
이 책에 실린 모든 삽화 및 편집 형태에 대한 저작권은 (주)디딤돌 교육에 있으므로 무단으로 복사 복제할 수 없습니다.
Copyright ⓒ Didimdol Co.
[2291240]

수학은 개념이다!

디딤돌 수학

개념기본

중 **1**/2 익힘북

중학 수학은 개념의 연결과 확장이다.

디딤돌

차례

1 기본 도형

개념적용익힘

✏️ 교점과 교선 ————
개념북 11쪽

1.●○○

다음 **보기**의 도형 중 교선이 모두 곡선인 도형을 고르시오.

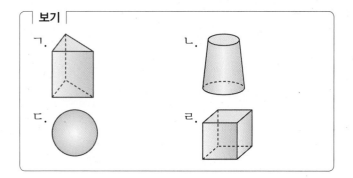

┌ 보기 ┐
ㄱ.　　　　　　　　ㄴ.

ㄷ.　　　　　　　　ㄹ.

2.●●○

오른쪽 그림과 같은 직육면체에서 교점의 개수, 교선의 개수, 면의 개수가 바르게 짝지어진 것은?

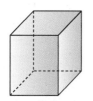

① 교점 : 6, 교선 : 8, 면 : 6
② 교점 : 6, 교선 : 12, 면 : 6
③ 교점 : 8, 교선 : 8, 면 : 8
④ 교점 : 8, 교선 : 12, 면 : 6
⑤ 교점 : 8, 교선 : 12, 면 : 8

3.●●○

오른쪽 그림과 같은 입체도형에서 교점의 개수를 a, 교선의 개수를 b, 면의 개수를 c라 할 때, $a-b+c$의 값은?

① -2　　　② -1　　　③ 0
④ 1　　　　⑤ 2

✏️ 기본 도형의 이해 ————
개념북 11쪽

4.●○○

오른쪽 그림과 같은 사각뿔에 대한 **보기**의 설명 중 옳은 것을 모두 고르시오.

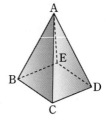

┌ 보기 ┐
ㄱ. 교점은 모두 5개이다.
ㄴ. 교선은 모두 10개이다.
ㄷ. 모서리 BE와 모서리 BC의 교점은 점 B이다.
ㄹ. 면 BCDE와 면 AED가 만나서 생기는 교선은 모서리 AD이다.

5.●●○

다음 설명 중 옳지 <u>않은</u> 것은?

① 도형의 기본 요소는 점, 선, 면이다.
② 선과 선이 만나면 교점이 생긴다.
③ 선이 무수히 많으면 면이 된다.
④ 면과 면이 만나서 생기는 교선은 직선이다.
⑤ 오각뿔에서 면의 개수는 꼭짓점의 개수와 같다.

6.●●○

다음 **보기**에서 기본 도형에 대한 설명 중 옳은 것을 모두 고르시오.

┌ 보기 ┐
ㄱ. 도형은 평면도형과 입체도형이 있다.
ㄴ. 선과 선이 만나면 교점이 생긴다.
ㄷ. 면은 무수히 많은 선으로 이루어져 있다.
ㄹ. 입체도형에서 교점의 개수는 모서리의 개수와 같다.

✏️ 직선, 반직선, 선분 ⑴ ─────

개념북 13쪽

7 ●○○

다음 설명 중 옳은 것은?

① 서로 다른 두 점을 지나는 선분은 오직 하나뿐이다.

② 시작점이 같은 두 반직선은 서로 같다.

③ 서로 다른 두 점을 지나는 직선은 무수히 많다.

④ 반직선의 길이는 직선의 길이의 $\frac{1}{2}$배이다.

⑤ 한 점을 지나는 직선은 오직 하나뿐이다.

8 ●●○

다음 설명 중 옳지 <u>않은</u> 것은?

① 한 점을 지나는 직선은 무수히 많다.

② 시작점과 방향이 같은 두 반직선은 서로 같다.

③ 선분은 양 끝 점을 포함한다.

④ 서로 다른 두 점을 지나는 직선은 오직 하나뿐이다.

⑤ $\overrightarrow{AB}=\overrightarrow{BA}$

9 ●●○

다음 설명 중 옳지 <u>않은</u> 것은?

① 서로 다른 두 점을 지나는 직선은 오직 하나뿐이다.

② 한 점을 지나는 직선은 무수히 많다.

③ 한 직선 위에는 무수히 많은 점이 있다.

④ 두 점을 잇는 선 중에서 가장 짧은 것은 두 점을 잇는 선분이다.

⑤ 방향이 같은 두 반직선은 같다.

✏️ 직선, 반직선, 선분 ⑵ ─────

개념북 13쪽

10 ●○○

오른쪽 그림과 같이 직선 l 위에 세 점 P, Q, R가 있을 때, 다음 중 $\overrightarrow{PQ}$와 같은 것은?

① $\overrightarrow{QP}$　　　　② $\overrightarrow{PR}$

③ $\overrightarrow{RP}$　　　　④ $\overleftarrow{PR}$

⑤ $\overline{PQ}$

11 ●○○

아래 그림에서 세 점 P, Q, R가 한 직선 위의 점일 때, 다음 중 나머지 넷과 다른 하나는?

① $\overleftrightarrow{QR}$　　② $\overleftrightarrow{RP}$　　③ $\overleftrightarrow{PR}$

④ $\overrightarrow{PR}$　　⑤ $\overleftrightarrow{RQ}$

12 ●●○

오른쪽 그림과 같이 직선 l 위에 세 점 A, B, C가 있을 때, 다음 중 서로 같은 것끼리 짝 지으시오.

$$\overleftrightarrow{AB},\ \overrightarrow{BC},\ \overrightarrow{AC},\ \overrightarrow{CA},\ \overrightarrow{CB},\ \overleftrightarrow{AC},\ \overleftrightarrow{BC},\ \overline{CA}$$

13 ●●○

오른쪽 그림과 같이 직선 l 위에 네 점 A, B, C, D가 있을 때, 다음 중 $\overline{BC}$를 포함하는 것이 <u>아닌</u> 것은?

① $\overrightarrow{AB}$　　② $\overrightarrow{AC}$　　③ $\overleftrightarrow{AD}$

④ $\overline{BD}$　　⑤ $\overrightarrow{BA}$

14 ●○○

오른쪽 그림과 같이 한 직선 위에 있지
않은 세 점 A, B, C 중에서 두 점을
이어 만들 수 있는 서로 다른 직선의
개수는?

① 1 　　　② 2 　　　③ 3
④ 4 　　　⑤ 5

15 ●●○

오른쪽 그림과 같이 어느 세 점도 한
직선 위에 있지 않은 네 점 A, B, C,
D가 있다. 이 중 두 점을 지나는 서
로 다른 선분의 개수는?

① 4 　　　② 5 　　　③ 6
④ 7 　　　⑤ 8

16 ●●●

오른쪽 그림과 같이 원 위에 5개의
점 P, Q, R, S, T가 있다. 이 중
두 점을 지나는 직선의 개수를 a, 반
직선의 개수를 b라 할 때, $a+b$의
값을 구하시오.

17 ●○○

오른쪽 그림과 같이 세 점 A, B, C가
직선 l 위에 있을 때, 이 중 두 점으로
결정되는 서로 다른 직선의 개수를 a,
반직선의 개수를 b, 선분의 개수를 c라 하자. 이때 a,
b, c의 값을 각각 구하시오.

18 ●●○

오른쪽 그림과 같이 네 점 A, B, C,
D가 있을 때, 이 중 두 점을 골라 만들
수 있는 서로 다른 직선의 개수는?

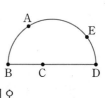

① 2 　　　② 3
③ 4 　　　④ 5
⑤ 6

19 ●●○

오른쪽 그림과 같이 반 원 위의 5개
의 점 A, B, C, D, E가 있다. 이
중 두 점을 골라 만들 수 있는 서로
다른 선분은 모두 몇 개인지를 구하시오.

20 ●●●

오른쪽 그림과 같이 5개의 점
A, B, C, D, E가 있을 때, 이
중 두 점을 골라 만들 수 있는
서로 다른 반직선의 개수를 구
하시오.

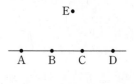

✎ 선분의 중점
개념북 16쪽

21 ●○○

아래 그림에서 $\overline{PQ}=\overline{QR}=\overline{RS}$일 때, 다음 중 옳지 않은 것은?

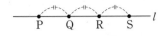

① $\overline{PR}=\overline{QS}$ ② $\overline{RS}=\overline{PQ}$

③ $\overline{QS}=2\overline{PQ}$ ④ $2\overline{PR}=\overline{PQ}$

⑤ $\overline{PR}$의 중점은 점 Q이다.

22 ●●○

아래 그림에서 점 M은 선분 AB의 중점이고, 점 N은 선분 AM의 중점일 때, 다음 □ 안에 알맞은 수를 써넣으시오.

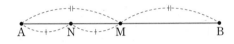

(1) $\overline{BM}=\boxed{}\overline{AB}$ (2) $\overline{MN}=\boxed{}\overline{AM}$

(3) $\overline{AB}=\boxed{}\overline{AN}$ (4) $\overline{BN}=\boxed{}\overline{AB}$

23 ●●●

민혁이는 다음 **조건**을 모두 만족하는 서로 다른 5개의 점 A, B, C, D, E를 위의 그림과 같이 나타내었다.

> **조건**
>
> ㈎ 5개의 점 A, B, C, D, E는 한 직선 위에 있다.
> ㈏ 점 C는 선분 AB의 중점이다.
> ㈐ $\overline{AD}=\dfrac{1}{2}\overline{AC}$
> ㈑ $\overline{AD}=\overline{CE}$
> ㈒ 점 B는 점 A의 오른쪽에 있다.

위의 **조건**을 만족하고, 민혁이가 그린 그림과 다른 위치에 있는 5개의 점 A, B, C, D, E를 그려 보시오.

✎ 두 점 사이의 거리
개념북 16쪽

24 ●○○

다음 그림에서 $\overline{AB}=8$ cm이고 $\overline{AB}$의 중점을 M, $\overline{AM}$의 중점을 N이라 할 때, $\overline{NM}$의 길이는?

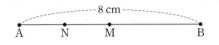

① 1 cm   ② 2 cm   ③ 3 cm

④ 4 cm   ⑤ 5 cm

25 ●○○

다음 그림에서 $\overline{PQ}$의 중점을 M, $\overline{MQ}$의 중점을 N이라 하자. $\overline{MN}=3$ cm일 때, $\overline{PQ}$의 길이는?

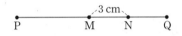

① 9 cm   ② 10 cm   ③ 11 cm

④ 12 cm   ⑤ 13 cm

26 ●○○

다음 그림에서 점 M은 $\overline{AB}$의 중점이고, 점 N은 $\overline{BC}$의 중점이다. $\overline{AM}=3$ cm, $\overline{NC}=5$ cm일 때, $\overline{MN}$의 길이를 구하시오.

27 ●○○

다음 그림에서 두 점 M, N은 각각 $\overline{AC}$, $\overline{BC}$의 중점이다. $\overline{MN}=6$ cm일 때, $\overline{AB}$의 길이는?

① 8 cm   ② 10 cm   ③ 12 cm

④ 14 cm   ⑤ 16 cm

28 ●○○

다음 그림에서 점 B는 $\overline{AC}$의 중점이고, 점 C는 $\overline{BD}$의 중점이다. $\overline{AD}=15\,\text{cm}$일 때, $\overline{AB}$의 길이를 구하시오.

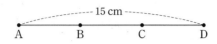

29 ●●○

다음 그림에서 $\overline{AC}=2\overline{CD}$이고 $\overline{AB}=3\overline{BC}$이다. $\overline{AD}=18\,\text{cm}$일 때, $\overline{BC}$의 길이는?

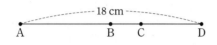

① 2 cm   ② 3 cm   ③ 4 cm
④ 5 cm   ⑤ 6 cm

30 ●●○

다음 그림에서 $\overline{AB}=3\overline{BC}$이고 두 점 M, N은 각각 $\overline{AB}$, $\overline{BC}$의 중점이다. $\overline{AM}=12\,\text{cm}$일 때, $\overline{MN}$의 길이를 구하시오.

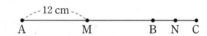

31 ●●○

다음 그림에서 $\overline{AO}:\overline{OB}=2:3$이고, 두 점 M, N은 각각 $\overline{AO}$, $\overline{OB}$의 중점이다. $\overline{AB}=20\,\text{cm}$일 때, $\overline{AM}$의 길이는?

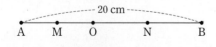

① 2 cm   ② 3 cm   ③ 4 cm
④ 5 cm   ⑤ 6 cm

✏️ 각의 분류

개념북 18쪽

32 ●○○

다음 **보기**에서 주어진 각을 모두 고르시오.

보기		
ㄱ. 25°	ㄴ. 90°	ㄷ. 120°
ㄹ. 180°	ㅁ. 145°	ㅂ. 89°

(1) 예각   (2) 직각
(3) 둔각   (4) 평각

33 ●○○

다음 **보기**의 각들을 크기가 작은 것부터 차례로 나열하면?

보기			
ㄱ. 90°	ㄴ. 예각	ㄷ. 평각	ㄹ. 130°

① ㄱ, ㄴ, ㄷ, ㄹ   ② ㄱ, ㄴ, ㄹ, ㄷ
③ ㄴ, ㄱ, ㄷ, ㄹ   ④ ㄴ, ㄱ, ㄹ, ㄷ
⑤ ㄴ, ㄷ, ㄱ, ㄹ

34 ●●○

다음 **보기**는 시계가 가리키는 시각을 나타낸 것이다. 시침과 분침이 이루는 각 중에서 작은 각의 크기가 가장 큰 것을 고르시오.

보기	
ㄱ. 3시 20분	ㄴ. 9시 55분
ㄷ. 5시 정각	ㄹ. 9시 정각

각의 크기 개념북 **18**쪽

35 ●○○

오른쪽 그림에서 ∠x의 크기는?

① 15°   ② 20°

③ 25°   ④ 30°

⑤ 35°

36 ●○○

오른쪽 그림에서
∠AOC=90°, ∠BOD=90°
이고, ∠AOB=40°일 때, ∠x
의 크기는?

① 35°   ② 40°   ③ 45°

④ 50°   ⑤ 55°

37 ●●○

오른쪽 그림에서 ∠x의 크기를
구하시오.

38 ●●○

오른쪽 그림에서 ∠x의 크기를
구하시오.

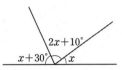

39 ●●○

오른쪽 그림에서 ∠x−∠y의
크기는?

① 35°   ② 40°

③ 45°   ④ 50°

⑤ 55°

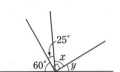

40 ●●○

오른쪽 그림에서
∠AOC=90°, ∠BOD=90°
이고 ∠AOB+∠COD=50°
일 때, ∠BOC의 크기는?

① 45°   ② 50°   ③ 55°

④ 60°   ⑤ 65°

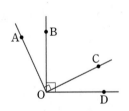

개념북 19쪽

각의 등분

41 ●○○
오른쪽 그림에서
$\angle AOC = 2\angle BOC$,
$\angle COE = 2\angle DOE$일 때,
$\angle BOD$의 크기는?

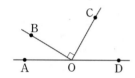

① 75°   ② 80°   ③ 85°

④ 90°   ⑤ 95°

42 ●●○
오른쪽 그림에서
$\angle BOC = 90°$이고
$\angle COD = 2\angle AOB$일 때,
$\angle AOB$의 크기를 구하시오.

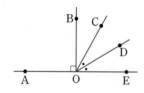

43 ●●○
오른쪽 그림에서
$\angle AOB = 90°$이고
$\angle AOC = 4\angle BOC$,
$\angle COD = \angle DOE$일 때,
$\angle BOD$의 크기를 구하시오.

44 ●●●
오른쪽 그림에서
$\angle AOB = 3\angle BOC$,
$\angle DOE = 3\angle COD$일 때,
$\angle BOD$의 크기는?

① 30°   ② 45°   ③ 70°

④ 90°   ⑤ 100°

각의 크기의 비

개념북 19쪽

45 ●●○
오른쪽 그림에서
$\angle x : \angle y : \angle z = 3 : 2 : 5$
일 때, $\angle y$의 크기는?

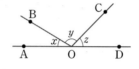

① 30°   ② 36°   ③ 39°

④ 40°   ⑤ 43°

46 ●●○
오른쪽 그림에서
$\angle x : \angle y : \angle z = 2 : 7 : 3$
일 때, $\angle x$의 크기를 구하시오.

47 ●●●
오른쪽 그림에서
$\angle a : \angle b = 2 : 3$,
$\angle a : \angle c = 1 : 2$일 때,
$\angle a$의 크기는?

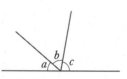

① 35°   ② 40°   ③ 45°

④ 50°   ⑤ 55°

✏️ 맞꼭지각의 성질

개념북 21쪽

48 ●○○

오른쪽 그림과 같이 세 직선이 한 점 O에서 만날 때, 다음 각의 크기를 구하시오.

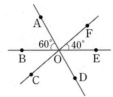

(1) ∠BOC   (2) ∠DOE

(3) ∠AOF   (4) ∠COE

49 ●○○

오른쪽 그림에서 ∠x의 크기를 구하시오.

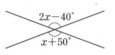

50 ●●○

다음 그림에서 ∠x의 크기를 구하시오.

(1)

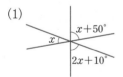

(2)

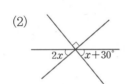

51 ●●○

오른쪽 그림에서
∠a : ∠b : ∠c＝3 : 2 : 1일 때,
∠b의 크기를 구하시오.

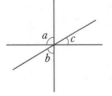

✏️ 맞꼭지각의 쌍의 개수

개념북 21쪽

52 ●○○

오른쪽 그림과 같이 두 직선이 한 점 O에서 만날 때 생기는 맞꼭지각은 모두 몇 쌍인지 구하시오.

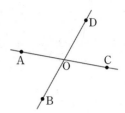

53 ●●○

오른쪽 그림과 같이 세 직선이 한 점 O에서 만날 때 생기는 맞꼭지각은 모두 몇 쌍인가?

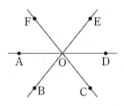

① 3쌍   ② 4쌍

③ 5쌍   ④ 6쌍

⑤ 7쌍

54 ●●○

오른쪽 그림과 같이 4개의 직선이 한 점에서 만날 때 생기는 맞꼭지각은 모두 몇 쌍인가?

① 8쌍   ② 10쌍

③ 12쌍   ④ 14쌍

⑤ 16쌍

55 ●○○

오른쪽 그림에서 점 P와 직선 l
사이의 거리를 나타내는 것은?

① $\overline{PA}$　　② $\overline{PB}$
③ $\overline{PC}$　　④ $\overline{PD}$
⑤ $\overline{PE}$

56 ●○○

오른쪽 그림에 대한 다음 설명 중
옳지 <u>않은</u> 것을 모두 고르면?

(정답 2개)

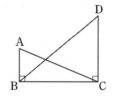

① $\overline{AB}\perp\overline{BC}$
② $\overline{AC}\perp\overline{CD}$
③ $\overline{BC}$의 수선은 $\overline{AB}$, $\overline{CD}$이다.
④ 점 B는 점 C에서 $\overline{AB}$에 내린 수선의 발이다.
⑤ 점 A와 $\overline{CD}$ 사이의 거리를 나타내는 선분은 $\overline{AC}$이다.

57 ●●○

오른쪽 그림과 같은 직각삼각형에서
다음을 구하시오.

(1) 점 A에서 $\overline{BC}$에 내린 수선의 발
(2) 점 C와 $\overline{AB}$ 사이의 거리

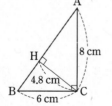

58 ●○○

오른쪽 그림에서 $\overrightarrow{AD}\perp\overrightarrow{BE}$이고
$\angle BOC=30°$일 때, $\angle x-\angle y$
의 크기는?

① $10°$　　② $15°$
③ $20°$　　④ $25°$
⑤ $30°$

59 ●●○

오른쪽 그림에서 $\angle y-\angle x$의 크기는?

① $50°$　　② $60°$
③ $80°$　　④ $90°$
⑤ $105°$

60 ●●○

오른쪽 그림에서 $\overline{AC}\perp\overline{DO}$이고
$\angle DOE=30°$일 때, $\angle y-\angle x$
의 크기는?

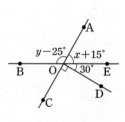

① $80°$　　② $90°$
③ $100°$　　④ $110°$
⑤ $120°$

점과 직선의 위치 관계 ──────── 개념북 **25**쪽

61 ●○○

오른쪽 그림에 대한 다음 설명 중 옳지 <u>않은</u> 것은?

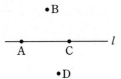

① 점 A는 직선 l 위에 있다.

② 점 B는 직선 l 위에 있지 않다.

③ 직선 l은 점 B를 지나지 않는다.

④ 점 D는 직선 l 위에 있지 않다.

⑤ 직선 l은 세 점 A, B, C를 지난다.

62 ●○○

오른쪽 그림에 대한 다음 설명 중 옳지 <u>않은</u> 것은?

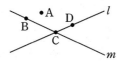

① 점 A는 직선 l 위에 있지 않다.

② 점 C는 두 직선 l, m 위에 있다.

③ 두 점 B, C는 직선 m 위에 있다.

④ 직선 l은 점 B를 지나지 않는다.

⑤ 점 D는 직선 l 위에 있지 않고, 직선 m 위에 있다.

63 ●●○

오른쪽 그림과 같이 직선 l이 평면 P 위에 있을 때 다섯 개의 점 A, B, C, D, E에 대하여 다음 **보기** 중 옳은 것을 모두 고르시오.

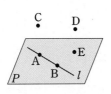

보기
ㄱ. 직선 l 위에 있지 않은 점은 2개이다.
ㄴ. 두 점 A, B만 평면 P 위에 있다.
ㄷ. 평면 P 위에 있지 않은 점은 점 C, 점 D이다.
ㄹ. 점 E는 평면 P 위에 있지만, 직선 l 위에 있지는 않다.

평면에서 두 직선의 위치 관계 ──────── 개념북 **25**쪽

64 ●○○

다음 중 한 평면 위에 있는 두 직선의 위치 관계로 옳지 <u>않은</u> 것은?

① 일치한다. ② 평행하다.

③ 한 점에서 만난다. ④ 서로 직교한다.

⑤ 평행하지도 않고, 만나지도 않는다.

65 ●○○

오른쪽 그림의 평행사변형 ABCD에 대한 다음 설명 중 옳지 <u>않은</u> 것은?

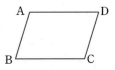

① $\overleftrightarrow{AB} /\!/ \overleftrightarrow{CD}$

② $\overleftrightarrow{AD} /\!/ \overleftrightarrow{BC}$

③ $\overleftrightarrow{CD}$는 점 A를 지난다.

④ 점 B는 $\overleftrightarrow{BC}$ 위에 있다.

⑤ $\overleftrightarrow{AD}$와 $\overleftrightarrow{CD}$의 교점은 점 D이다.

66 ●●○

한 평면 위에 있는 서로 다른 세 직선 l, m, n에 대하여 $l \perp m$, $m \perp n$일 때, 두 직선 l과 n의 위치 관계를 말하시오.

67 ●●○

오른쪽 그림과 같은 정팔각형에서 직선 AB와 한 점에서 만나는 직선은 모두 몇 개인지 구하시오.

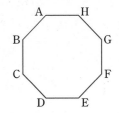

개념북 27쪽

꼬인 위치에 있는 모서리

68 ●○○

오른쪽 그림과 같은 삼각기둥에서 다음 중 모서리 DF와 꼬인 위치에 있는 모서리가 <u>아닌</u> 것을 모두 고르면?

(정답 2개)

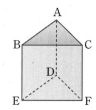

① 모서리 AB   ② 모서리 AC
③ 모서리 AD   ④ 모서리 BC
⑤ 모서리 BE

69 ●●○

오른쪽 그림과 같은 오각기둥에서 모서리 AF와 꼬인 위치에 있는 모서리를 모두 구하시오.

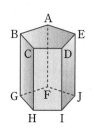

70 ●●●

오른쪽 그림은 직육면체를 세 꼭짓점 B, G, D를 지나는 평면으로 잘라내고 남은 입체도형이다. 이때 모서리 BG와 꼬인 위치에 있는 모서리의 개수는?

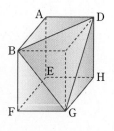

① 1   ② 2   ③ 3
④ 4   ⑤ 5

공간에서 두 직선의 위치 관계 (1)

개념북 27쪽

71 ●○○

오른쪽 그림과 같은 삼각기둥에 대하여 다음 두 모서리 사이의 위치 관계를 말하시오.

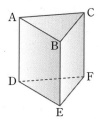

(1) 모서리 AB와 모서리 BE
(2) 모서리 BC와 모서리 EF
(3) 모서리 AC와 모서리 DE

72 ●●○

오른쪽 그림과 같은 정오각기둥에서 모서리 AF와 수직으로 만나는 모서리를 모두 구하시오.

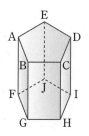

73 ●●○

오른쪽 그림은 정사각뿔을 밑면에 평행한 평면으로 잘라내고 남은 입체도형이다. 이때 모서리 BC와 평행한 모서리는 모두 몇 개인지 구하시오.

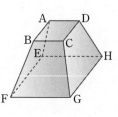

74 ••○

오른쪽 그림과 같은 직육면체에서 $\overline{BD}$와 수직으로 만나는 모서리를 모두 구하시오.

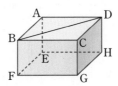

✏️ **전개도에서 두 직선의 위치 관계**

개념북 **28**쪽

77 ••○

오른쪽 그림의 전개도를 접어서 만든 정육면체에 대하여 다음 중 모서리 BC와 꼬인 위치에 있는 모서리는?

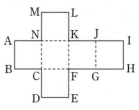

① 모서리 DE   ② 모서리 CF

③ 모서리 HI   ④ 모서리 LK

⑤ 모서리 NK

75 ••○

오른쪽 그림과 같은 직육면체에서 모서리 BC와 한 점에서 만나는 모서리의 개수를 a, 모서리 AD에 평행한 모서리의 개수를 b, 모서리 DH와 꼬인 위치에 있는 모서리의 개수를 c라 할 때, $a+b+c$의 값을 구하시오.

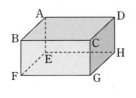

78 ••○

오른쪽 그림과 같은 전개도로 만든 삼각기둥에서 모서리 AB와 평행한 모서리의 개수를 a, 모서리 HE와 꼬인 위치에 있는 모서리의 개수를 b라 할 때, $a+b$의 값을 구하시오.

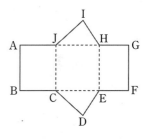

76 •••

오른쪽 그림과 같이 밑면이 사다리꼴인 사각기둥에서 모서리 BC와 평행한 모서리의 개수를 a, 모서리 AB와 꼬인 위치에 있는 모서리의 개수를 b라 할 때, $a-b$의 값을 구하시오.

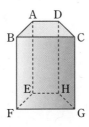

79 •••

다음 그림과 같은 전개도로 정팔면체를 만들었을 때, 모서리 AJ와 꼬인 위치에 있는 모서리가 <u>아닌</u> 것을 모두 고르면? (정답 2개)

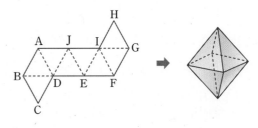

① $\overline{BC}$ ② $\overline{DE}$ ③ $\overline{EI}$

④ $\overline{BD}$ ⑤ $\overline{GI}$

✎ 공간에서 두 직선의 위치 관계(2)
개념북 28쪽

80 ••○
다음 **보기** 중 공간에서 두 직선의 위치 관계에 대한 설명으로 옳은 것을 모두 고르시오.

┌─ **보기** ┐
ㄱ. 한 직선에 평행한 서로 다른 두 직선은 만나지 않는다.
ㄴ. 한 점에서 만나는 서로 다른 두 직선은 한 평면 위에 있다.
ㄷ. 서로 평행한 두 직선은 한 평면 위에 있다.
ㄹ. 만나지 않는 서로 다른 두 직선은 꼬인 위치에 있다.
└────────────┘

81 ••○
다음 중 공간에서 두 직선의 위치 관계에 대한 설명으로 옳은 것은?

① 한 직선에 수직인 서로 다른 두 직선은 서로 평행하다.
② 서로 다른 두 직선은 만나지 않으면 평행하다.
③ 한 직선에 평행한 서로 다른 두 직선은 평행하다.
④ 만나지 않는 두 직선을 포함하는 평면은 항상 존재한다.
⑤ 한 직선과 꼬인 위치에 있는 서로 다른 두 직선은 꼬인 위치에 있다.

82 ••○
공간에서 두 직선의 위치 관계에 대한 다음 설명 중 옳지 <u>않은</u> 것을 모두 고르면? (정답 2개)

① 서로 만나지 않는 두 직선은 항상 평행하다.
② 두 직선이 한 점에서 만나면 한 평면 위에 있다.
③ 서로 평행한 두 직선은 한 평면 위에 있다.
④ 꼬인 위치에 있는 두 직선은 한 평면 위에 있다.
⑤ 꼬인 위치에 있는 두 직선은 서로 만나지 않는다.

✎ 공간에서 직선과 평면의 위치 관계
개념북 30쪽

83 ••○
오른쪽 그림과 같은 오각기둥에서 다음 설명 중 옳은 것을 모두 고르면?

(정답 2개)

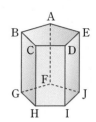

① 모서리 CH에 평행한 면은 2개이다.
② 면 ABCDE에 수직인 모서리는 5개이다.
③ 모서리 CD는 면 CHID와 일치한다.
④ 면 ABCDE에 평행한 모서리는 5개이다.
⑤ 모서리 AE는 면 CHID와 평행하다.

84 ••○
오른쪽 그림과 같은 직육면체에 대한 다음 **보기**의 설명 중 옳은 것을 모두 고르시오.

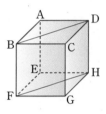

┌─ **보기** ┐
ㄱ. 면 BFGC와 수직인 모서리는 2개이다.
ㄴ. 점 A와 $\overline{EF}$를 포함하는 면은 1개이다.
ㄷ. $\overline{BD}$와 평행한 면은 면 ABCD이다.
ㄹ. $\overline{CG}$와 수직인 면은 2개이다.
└────────────┘

85 ••○
오른쪽 그림과 같은 삼각기둥에서 면 ABC에 포함되는 모서리의 개수를 a, 면 DEF와 수직인 모서리의 개수를 b라 할 때, $a+b$의 값을 구하시오.

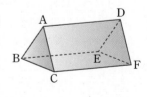

86 ••◦

오른쪽 그림의 전개도로 만든
삼각기둥에서 다음 중
면 CDE와 평행한 모서리가
아닌 것을 모두 고르면?

(정답 2개)

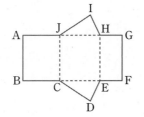

① 모서리 AJ   ② 모서리 BC   ③ 모서리 IH

④ 모서리 HG   ⑤ 모서리 HE

87 ••◦

오른쪽 그림은 직육면체의 일부를
잘라내고 남은 입체도형이다. 면
CGHD와 평행한 모서리는 모두
몇 개인가?

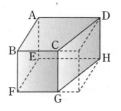

① 2개   ② 3개   ③ 4개

④ 5개   ⑤ 6개

88 •••

오른쪽 그림은 직육면체를 네 꼭짓
점 A, F, G, D를 지나는 평면으
로 잘라내고 남은 입체도형이다.
다음 설명 중 옳지 않은 것은?

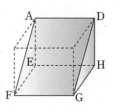

① 면 EFGH와 수직인 면은 3개이다.

② 면 AFGD와 평행한 모서리는 1개이다.

③ 모서리 AF와 꼬인 위치에 있는 모서리는 3개이다.

④ 면 DGH에 포함된 모서리는 3개이다.

⑤ 면 AFE에 수직인 모서리는 4개이다.

89 ••◦

오른쪽 그림의 전개도로 만든 정육
면체에서 면 ABCN과 수직인 면
이 아닌 것은?

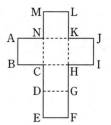

① 면 DEFG   ② 면 CDGH

③ 면 NCHK   ④ 면 MNKL

⑤ 면 KHIJ

90 ••◦

오른쪽 그림은 직육면체의 일부를
잘라내고 남은 입체도형이다. 다음
중 면 DIJE와 수직인 면이 아닌 것
은?

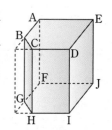

① 면 AFJE   ② 면 BGHC

③ 면 CHID   ④ 면 ABCDE

⑤ 면 FGHIJ

91 ••◦

서로 다른 세 평면 P, Q, R에 대하여 $P /\!/ Q$, $P \perp R$
일 때, 두 평면 Q와 R의 위치 관계는?

① 일치한다.   ② 수직이다.

③ 평행하다.   ④ 꼬인 위치에 있다.

⑤ 포함된다.

92 ●●○
다음 중 공간에서 항상 평행한 것을 모두 고르면?

(정답 2개)

① 한 직선에 수직인 서로 다른 두 평면
② 한 평면에 평행한 서로 다른 두 직선
③ 한 직선에 수직인 서로 다른 두 직선
④ 한 평면에 수직인 서로 다른 두 평면
⑤ 한 평면에 수직인 서로 다른 두 직선

93 ●●○
오른쪽 그림에서 직선 l은 평면 P에 포함되고 두 직선 m, n은 평면 Q에 포함된다. $P \perp Q$, $l \perp \overleftrightarrow{AB}$일 때, 다음 중 옳지 <u>않은</u> 것을 모두 고르면? (정답 2개)

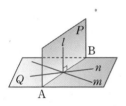

① $l \perp m$ ② $l \perp n$ ③ $l \perp Q$
④ $\overleftrightarrow{AB} \perp m$ ⑤ $\overleftrightarrow{AB} \perp n$

94 ●●●
공간에 서로 다른 두 직선 l, m과 서로 다른 세 평면 P, Q, R가 있다. 다음 중 옳은 것을 모두 고르면?

(정답 2개)

① $l /\!/ P$, $m /\!/ P$이면 $l /\!/ m$이다.
② $l /\!/ P$, $m \perp P$이면 $l \perp m$이다.
③ $l \perp P$, $l \perp Q$이면 $P /\!/ Q$이다.
④ $P \perp Q$, $Q /\!/ R$이면 $P \perp R$이다.
⑤ $P \perp Q$, $Q \perp R$이면 $P \perp R$이다.

✏️ 동위각, 엇각의 크기

개념북 32쪽

95 ●○○
오른쪽 그림에 대하여 다음 중 동위각끼리, 엇각끼리 각각 바르게 짝 지어진 것은?

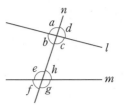

	동위각	엇각
①	$\angle a$와 $\angle c$	$\angle a$와 $\angle h$
②	$\angle a$와 $\angle h$	$\angle d$와 $\angle e$
③	$\angle b$와 $\angle e$	$\angle c$와 $\angle e$
④	$\angle b$와 $\angle f$	$\angle c$와 $\angle e$
⑤	$\angle d$와 $\angle h$	$\angle b$와 $\angle g$

96 ●●○
오른쪽 그림에서 다음을 구하시오.

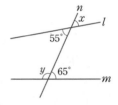

(1) $\angle x$의 동위각의 크기
(2) $\angle y$의 엇각의 크기

97 ●●○
오른쪽 그림에 대하여 다음 중 옳지 <u>않은</u> 것은?

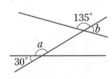

① $\angle b$의 크기는 45°이다.
② $\angle a$의 맞꼭지각의 크기는 150°이다.
③ $\angle a$의 동위각의 크기는 135°이다.
④ $\angle b$의 동위각의 크기는 45°이다.
⑤ $\angle a$의 엇각의 크기는 135°이다.

✏️ **세 직선이 세 점에서 만날 때, 동위각, 엇각의 크기** ───── 개념북 **32**쪽

98 ●●○

다음 중 오른쪽 그림에서 ∠d의
동위각을 모두 고른 것은?

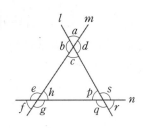

① ∠g, ∠r ② ∠g, ∠s

③ ∠h, ∠r ④ ∠h, ∠s

⑤ ∠e, ∠q

99 ●●○

다음 중 오른쪽 그림에서 ∠f의
엇각을 모두 고른 것은?

① ∠a, ∠b

② ∠a, ∠c

③ ∠a, ∠d

④ ∠b, ∠g

⑤ ∠d, ∠e

100 ●●○

오른쪽 그림에서 ∠a의 모든 동
위각의 크기의 합은?

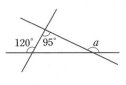

① 145° ② 155°

③ 190° ④ 215°

⑤ 230°

✏️ **평행선에서 동위각, 엇각의 크기** ───── 개념북 **34**쪽

101 ●○○

오른쪽 그림에서 $l /\!/ m$일 때,
∠x+∠y의 크기는?

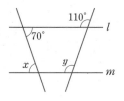

① 170° ② 180°

③ 190° ④ 200°

⑤ 210°

102 ●○○

오른쪽 그림에서 $l /\!/ m$일 때,
∠a+∠b의 크기를 구하시오.

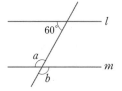

103 ●●○

오른쪽 그림에서 $l /\!/ m$일 때,
∠x+∠y의 크기는?

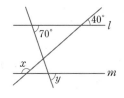

① 110° ② 130°

③ 170° ④ 210°

⑤ 250°

104 ●●○

오른쪽 그림에서 $l /\!/ m$, $n /\!/ k$일
때, ∠a−∠b의 크기는?

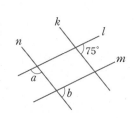

① 20° ② 25°

③ 30° ④ 35°

⑤ 40°

105 ●●○

오른쪽 그림에서 $l /\!/ m$일 때,
$\angle x - \angle y$의 크기를 구하시오.

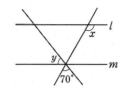

106 ●●○

오른쪽 그림에서 $l /\!/ m /\!/ n$일 때,
$\angle x - \angle y$의 크기는?

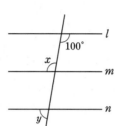

① 20°   ② 30°

③ 40°   ④ 50°

⑤ 60°

107 ●●○

오른쪽 그림에서 $l /\!/ m$, $n /\!/ k$일
때, $\angle x + \angle y$의 크기는?

① 125°   ② 130°

③ 135°   ④ 140°

⑤ 145°

---

108 ●●○

오른쪽 그림에서 $l /\!/ m$일 때,
$\angle x$의 크기를 구하시오.

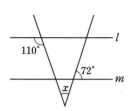

109 ●●○

오른쪽 그림에서 $l /\!/ m$일 때,
$\angle x$의 크기를 구하시오.

110 ●●○

오른쪽 그림에서 $l /\!/ m$일 때,
$\angle x$의 크기를 구하시오.

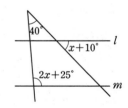

111 ●●●

오른쪽 그림에서 $l /\!/ m$이고,
삼각형 ABC가 정삼각형일 때,
$\angle x - \angle y$의 크기를 구하시오.

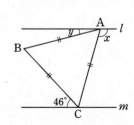

✏️ **평행선이 되기 위한 조건** ────── 개념북 **35**쪽

112 ●○○

다음 중 두 직선 l과 m이 서로 평행하지 <u>않은</u> 것은?

①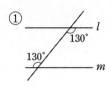

②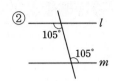

③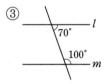

④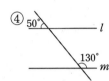

⑤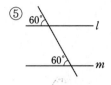

113 ●●○

오른쪽 그림에서 평행한 두 직선
을 모두 찾으면? (정답 2개)

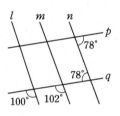

① l, m　　　② l, n
③ m, n　　　④ l, p
⑤ p, q

114 ●●○

다음 중 옳은 것을 모두 고르면? (정답 2개)

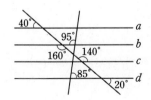

① $a \,/\!/\, c$　　② $a \,/\!/\, d$　　③ $b \,/\!/\, c$
④ $b \,/\!/\, d$　　⑤ $c \,/\!/\, d$

✏️ **평행선에서 보조선을 1개 긋는 경우** ────── 개념북 **35**쪽

115 ●●○

오른쪽 그림에서 $l \,/\!/\, m$일 때,
$\angle x$의 크기는?

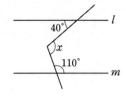

① $100°$　　② $105°$
③ $110°$　　④ $115°$
⑤ $120°$

116 ●●○

오른쪽 그림에서 $l \,/\!/\, m$일 때,
$\angle x$의 크기는?

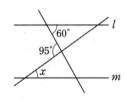

① $20°$　　② $25°$
③ $30°$　　④ $35°$
⑤ $40°$

117 ●●●

오른쪽 그림에서 $l \,/\!/\, m$이고
$\angle BAC = \dfrac{2}{3} \angle BAD$,
$\angle ABC = \dfrac{2}{3} \angle ABE$일 때,
$\angle ACB$의 크기는?

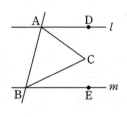

① $50°$　　② $60°$　　③ $70°$
④ $80°$　　⑤ $90°$

✏️ **평행선에서 보조선을 2개 긋는 경우** ──── 개념북 **36**쪽

118 ••○
오른쪽 그림에서 $l /\!/ m$일 때,
$\angle x$의 크기를 구하시오.

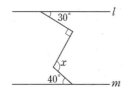

119 ••○
오른쪽 그림에서 $l /\!/ m$일 때,
$\angle x$의 크기를 구하시오.

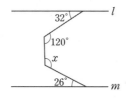

120 ••○
오른쪽 그림에서 $l /\!/ m$일 때,
$\angle x$의 크기를 구하시오.

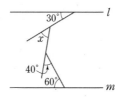

121 •••
오른쪽 그림에서 $l /\!/ m$일 때,
$\angle x + \angle y$의 크기는?

① $240°$ ② $245°$

③ $250°$ ④ $255°$

⑤ $260°$

✏️ **종이 접기** ──── 개념북 **37**쪽

122 ••○
오른쪽 그림과 같이 직사각형
모양의 종이 테이프를 접었다.
$\angle EGC = 130°$일 때, $\angle x$의
크기를 구하시오.

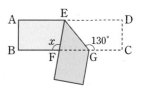

123 ••○
오른쪽 그림과 같이 직사각형
모양의 종이 테이프를 접었다.
$\angle DFG = 115°$일 때, $\angle x$의
크기를 구하시오.

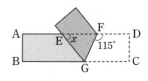

124 ••○
오른쪽 그림과 같이 직사각형 모
양의 종이를 접었을 때, $\angle x$의
크기는?

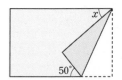

① $30°$ ② $35°$

③ $40°$ ④ $45°$

⑤ $50°$

125 •••
오른쪽 그림과 같이 직사각형
모양의 종이를 접었을 때,
$\angle x + \angle y$의 크기를 구하시오.

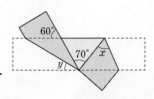

1

오른쪽 그림과 같은 오각뿔에서 교점과
교선의 개수의 합은?

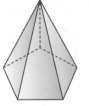

① 13   ② 14

③ 15   ④ 16

⑤ 17

2

오른쪽 그림과 같이 직선 l
위에 네 점 A, B, C, D가
있을 때, 다음 중 옳지 <u>않은</u> 것은?

① $\overrightarrow{AB}=\overrightarrow{BC}$ ② $\overrightarrow{AD}=\overrightarrow{CD}$ ③ $\overrightarrow{AB}=\overrightarrow{AD}$

④ $\overrightarrow{CB}=\overrightarrow{CD}$ ⑤ $\overline{BD}=\overline{DB}$

3 실력UP↗

오른쪽 그림에서
$\angle AOC=2\angle COD$,
$\angle BOE=2\angle DOE$일 때,
$\angle COE$의 크기는?

① 40°   ② 45°   ③ 50°

④ 55°   ⑤ 60°

4

오른쪽 그림에서 $\angle AOC$의 맞꼭
지각의 크기는?

① 30°   ② 40°

③ 70°   ④ 80°

⑤ 100°

5

오른쪽 그림에 대하여 다음 설명
중 옳지 <u>않은</u> 것은?

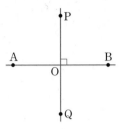

① $\angle AOQ=90°$

② $\overline{PQ}\perp\overline{AB}$

③ $\overline{AO}=\overline{BO}$

④ $\overline{AB}$와 $\overline{PQ}$는 직교한다.

⑤ $\overline{AB}$의 수선은 $\overline{PQ}$이다.

6

오른쪽 그림에 대하여 다음 설명 중
옳지 <u>않은</u> 것은?

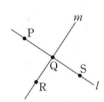

① 점 P는 직선 l 위에 있다.

② 점 R는 직선 l 위에 있지 않다.

③ 두 직선 l, m은 점 Q에서 만난다.

④ 세 점 P, Q, S는 직선 l 위에 있다.

⑤ 두 점 P, S는 직선 m 위에 있다.

7

다음 중 한 평면이 결정되기 위한 조건이 <u>아닌</u> 것을
모두 고르면? (정답 2개)

① 평행한 두 직선이 주어질 때

② 한 점에서 만나는 두 직선이 주어질 때

③ 한 직선과 그 직선 위에 있지 않은 한 점이 주어질 때

④ 꼬인 위치에 있는 두 직선이 주어질 때

⑤ 한 직선 위에 있는 세 점이 주어질 때

8

오른쪽 그림과 같은 직육면체에서 점 D와 면 BFGC 사이의 거리는?

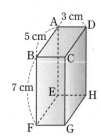

① 3 cm   ② 4 cm
③ 5 cm   ④ 6 cm
⑤ 7 cm

9

오른쪽 그림과 같이 두 직선 l, m이 다른 한 직선 n과 만날 때, 다음 중 옳지 <u>않은</u> 것은?

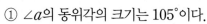

① $\angle a$의 동위각의 크기는 105°이다.
② $\angle e$의 동위각의 크기는 95°이다.
③ $\angle b$의 동위각의 크기는 75°이다.
④ $\angle c$의 엇각의 크기는 105°이다.
⑤ $\angle d$의 엇각의 크기는 95°이다.

10

오른쪽 그림에서 $l /\!/ m$일 때, $\angle x - \angle y$의 크기는?

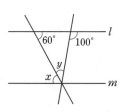

① 10°   ② 15°
③ 20°   ④ 25°
⑤ 30°

11

오른쪽 그림에서 $l /\!/ m$일 때, $\angle x$의 크기는?

① 15°   ② 20°
③ 25°   ④ 30°
⑤ 35°

서술형

12

오른쪽 그림에서 점 M은 $\overline{AB}$의 중점이고, 점 N은 $\overline{AM}$의 중점이다. $\overline{AB}=16$ cm일 때, $\overline{NB}$의 길이를 구하기 위한 풀이 과정을 쓰고 답을 구하시오.

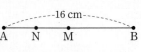

13

오른쪽 그림과 같은 오각기둥에서 모서리 AB와 수직으로 만나는 모서리의 개수를 a, 평행한 모서리의 개수를 b, 꼬인 위치에 있는 모서리의 개수를 c라 할 때, $a+b+c$의 값을 구하기 위한 풀이 과정을 쓰고 답을 구하시오.

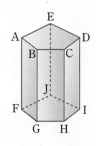

14

오른쪽 그림과 같이 직사각형 모양의 종이를 접었다.
$\angle DEF=70°$일 때, $\angle EGF$의 크기를 구하기 위한 풀이 과정을 쓰고 답을 구하시오.

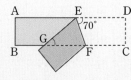

2 작도와 합동

개념적용익힘

✏️ 길이가 같은 선분의 작도
개념북 47쪽

1.○○

다음은 선분 AB와 길이가 같은 선분 PQ를 작도하는 과정이다. 작도 순서를 바르게 나열하시오.

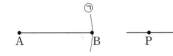

2.●○

오른쪽 그림과 같이 선분 AB 를 점 B의 방향으로 연장하여 그 길이가 선분 AB의 2배가 되는 선분 AC를 작도할 때, 다음 설명 중 옳은 것은?

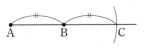

① 주어진 선분 AB의 길이를 자로 정확히 재어 2배로 연장하여 그린다.
② 선분 AC는 컴퍼스만으로도 작도가 가능하다.
③ 선분 AB는 선분 BC의 길이의 2배이다.
④ 컴퍼스를 사용하여 점 B를 중심으로 선분 AB의 길이를 반지름으로 하는 원을 그린다.
⑤ 컴퍼스를 사용하여 점 A를 중심으로 반지름의 길이가 선분 AB의 길이의 2배인 원을 그린다.

✏️ 평행선의 작도
개념북 47쪽

3.●○○

오른쪽 그림은 점 P를 지나고 직선 l에 평행한 직선을 작도한 것이다. 다음 **보기**에서 옳은 것을 고르시오.

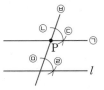

┌─ 보기 ─────────────────────
ㄱ. 두 직선이 한 직선과 만날 때 동위각의 크기가 같으면 두 직선은 평행하다는 성질을 이용한다.
ㄴ. 눈금 없는 자와 각도기가 사용된다.
ㄷ. 작도 순서는 ⑭ → ⑰ → ⓛ → ⓒ → ⓔ → ⑤이다.
└────────────────────────────

4.●●○

오른쪽 그림은 직선 l 밖의 한 점 P를 지나고 직선 l과 평행한 직선을 작도한 것이다. 다음 중 옳지 **않은** 것은?

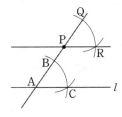

① $\overline{AB} = \overline{AC}$
② $\overline{AC} = \overline{PR}$
③ $\overline{AC} = \overline{QR}$
④ $\overleftrightarrow{PR} \parallel l$
⑤ $\angle QPR = \angle BAC$

5.●●○

오른쪽 그림은 직선 l 밖의 한 점 P를 지나고 직선 l에 평행한 직선 m을 작도한 것이다. 어떤 성질을 이용하여 작도한 것인지 말하시오.

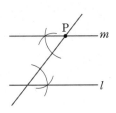

✏️ 삼각형의 대각과 대변
개념북 49쪽

6 ●○○

오른쪽 그림의 △ABC에서 다음을 구하시오.

(1) ∠B의 대변
(2) $\overline{AB}$의 대각

7 ●○○

오른쪽 그림의 △ABC에서 다음을 구하시오.

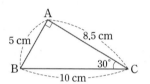

(1) ∠A의 대변의 길이
(2) $\overline{AB}$의 대각의 크기
(3) $\overline{BC}$의 대각의 크기

8 ●●○

오른쪽 그림의 △ABC에 대한 다음 설명 중 옳지 <u>않은</u> 것은?

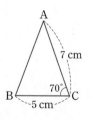

① ∠A의 대변은 $\overline{BC}$이다.
② ∠B의 대변의 길이는 7 cm이다.
③ $\overline{AB}$의 대각의 크기는 70°이다.
④ $\overline{BC}$의 대각은 ∠C이다.
⑤ $\overline{AC}$의 대각은 ∠B이다.

✏️ 삼각형이 될 수 있는 조건
개념북 49쪽

9 ●○○

세 선분의 길이가 다음과 같을 때, 삼각형을 만들 수 있으면 ○표, 만들 수 없으면 ×표를 (   ) 안에 써넣으시오.

(1) 1 cm, 4 cm, 7 cm   (   )
(2) 3 cm, 3 cm, 6 cm   (   )
(3) 6 cm, 8 cm, 9 cm   (   )
(4) 9 cm, 9 cm, 9 cm   (   )
(5) 5 cm, 6 cm, 15 cm   (   )

10 ●●○

세 변의 길이가 다음과 같을 때, 삼각형을 만들 수 <u>없</u>는 것을 모두 고르면? (정답 2개)

① 3 cm, 8 cm, 12 cm
② 2 cm, 3 cm, 4 cm
③ 7 cm, 7 cm, 12 cm
④ 2 cm, 4 cm, 6 cm
⑤ 5 cm, 7 cm, 10 cm

11 ●●●

길이가 각각 1 cm, 2 cm, 3 cm, 4 cm, 5 cm인 다섯 개의 선분이 주어졌을 때, 이 중에서 세 개의 선분을 선택하여 만들 수 있는 삼각형은 모두 몇 개인지 구하시오.

✏️ 삼각형에서 미지수의 범위
개념북 **50**쪽

12 ●●○
삼각형의 세 변의 길이가 각각 3, 4, x일 때, x의 값의 범위는?

① $x>1$ ② $x<7$ ③ $0<x<7$
④ $1<x<7$ ⑤ $3<x<4$

13 ●●○
삼각형의 세 변의 길이가 각각 4, 7, a일 때, 다음 중 자연수 a의 값이 될 수 <u>없는</u> 것은?

① 4 ② 6 ③ 8
④ 10 ⑤ 12

14 ●●●
삼각형의 세 변의 길이가 각각 x, $x+4$, $x+8$일 때, x의 값의 범위는?

① $x>1$ ② $2<x<4$ ③ $3<x<5$
④ $4<x<7$ ⑤ $x>4$

✏️ 삼각형의 작도
개념북 **50**쪽

15 ●●○
다음은 세 변의 길이 a, b, c가 주어질 때, △ABC를 작도하는 과정이다. □ 안에 알맞은 것으로 옳지 <u>않은</u> 것은?

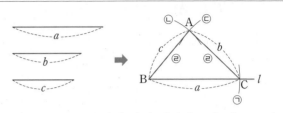

ㄱ 점 B를 지나는 직선 l 위에 길이가 a가 되도록 점 ①를 잡는다.
ㄴ 점 B를 중심으로 반지름의 길이가 ②인 원을 그린다.
ㄷ 점 C를 중심으로 반지름의 길이가 ③인 원을 그린다.
ㄹ 두 점 B, C를 각각 중심으로 하는 두 원의 교점을 점 ④라 하고, $\overline{AB}$, $\overline{AC}$를 이으면 ⑤가 된다.

① C ② b ③ b
④ A ⑤ △ABC

16 ●●○
다음과 같은 변의 길이와 각의 크기가 주어졌을 때, 오른쪽 그림과 같은 삼각형을 하나로 작도할 수 있으면 ○표, 작도할 수 없으면 ×표를 (   ) 안에 써넣으시오.

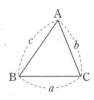

(1) —a— —b— —c— (   )

(2) —a— —c— $_A\diagdown$ (   )

(3) —a— $_B\diagup$ $\diagdown_C$ (   )

(4) —a— —b— $_B\diagup$ (   )

17 ••○

△ABC에서 $\overline{BC}$의 길이가 5 cm이고 다음 조건이 주어질 때, △ABC가 하나로 정해지는 것을 모두 고르면? (정답 2개)

① $\overline{AB}=8$ cm, $\overline{AC}=2$ cm
② $\overline{AB}=6$ cm, $\angle B=50°$
③ $\angle B=90°$
④ $\angle B=45°$, $\angle C=60°$
⑤ $\angle A=30°$, $\angle B=150°$

18 ••○

다음 중 △ABC가 하나로 정해지는 것은?

① $\overline{AB}=4$ cm, $\overline{BC}=5$ cm, $\overline{CA}=10$ cm
② $\angle A=30°$, $\angle B=70°$, $\angle C=80°$
③ $\overline{AB}=6$ cm, $\angle A=30°$, $\angle C=110°$
④ $\overline{BC}=4$ cm, $\angle B=45°$, $\overline{AC}=3$ cm
⑤ $\overline{AB}=6$ cm, $\overline{AC}=4$ cm, $\angle B=50°$

19 ••○

다음 보기에서 $\angle A$의 크기가 주어졌을 때, △ABC가 하나로 정해지기 위해 필요한 조건을 모두 고르시오.

```
┌ 보기 ┐
ㄱ. $\overline{AB}$, $\overline{AC}$        ㄴ. $\overline{BC}$, $\overline{AC}$
ㄷ. $\angle B$, $\angle C$          ㄹ. $\overline{AB}$, $\angle B$
ㅁ. $\overline{AC}$, $\angle C$        ㅂ. $\overline{BC}$, $\overline{AB}$
```

20 ••○

다음 중 △ABC가 하나로 정해지지 <u>않는</u> 것은?

① $\angle A=120°$, $\angle B=90°$, $\overline{AB}=7$ cm
② $\angle A=30°$, $\overline{AB}=7$ cm, $\overline{AC}=8$ cm
③ $\angle A=45°$, $\angle B=60°$, $\overline{AB}=3$ cm
④ $\overline{AB}=4$ cm, $\overline{BC}=5$ cm, $\overline{AC}=8$ cm
⑤ $\overline{AB}=9$ cm, $\angle A=20°$, $\angle C=100°$

21 ••○

한 변의 길이가 7 cm이고 두 각의 크기가 각각 40°, 60°일 때, 이를 변과 각으로 하는 서로 다른 삼각형은 모두 몇 개인지 구하시오.

22 •••

삼각형은 세 변의 길이가 주어진 경우 하나로 정해진다. 그렇다면 네 변의 길이가 주어진 경우 사각형은 하나로 정해지는지 설명하시오.

✏️ 도형의 합동 ─────────
개념북 **54**쪽

23 •○○
다음 중 합동인 두 도형에 대한 설명으로 옳지 <u>않은</u> 것은?

① 합동인 두 도형은 모양이 같다.
② 넓이가 같은 두 삼각형은 합동이다.
③ 넓이가 같은 두 정사각형은 합동이다.
④ 합동인 두 도형에서 대응하는 변의 길이는 같다.
⑤ 합동인 두 도형에서 대응하는 각의 크기는 같다.

24 ••○
다음 중 두 도형이 항상 합동이 <u>아닌</u> 것은?

① 넓이가 같은 두 원
② 넓이가 같은 두 정삼각형
③ 한 변의 길이가 같은 두 정사각형
④ 둘레의 길이가 같은 두 정삼각형
⑤ 중심각의 크기가 같은 두 부채꼴

25 ••○
합동인 두 도형의 넓이는 항상 같다. 그렇다면 두 도형의 넓이가 같으면 항상 서로 합동인지 설명하시오.

✏️ 합동인 도형의 성질 ─────────
개념북 **54**쪽

26 •○○
다음 그림에서 △ABC≡△DFE일 때, ∠D의 크기를 구하시오.

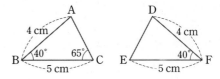

27 •○○
다음 그림에서 △ABC≡△DEF일 때, $\overline{BC}$와 $\overline{DE}$의 길이의 합을 구하시오.

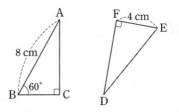

28 ••○
오른쪽 그림에서 △ABC≡△DEF일 때, 다음 중 옳지 <u>않은</u> 것은?

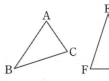

① △ABC와 △DEF의 둘레의 길이는 같다.
② ∠A와 ∠D의 크기는 같다.
③ $\overline{AC}$의 길이와 $\overline{DF}$의 길이는 같다.
④ 점 B의 대응점은 점 F이다.
⑤ △ABC와 △DEF는 완전히 포개어진다.

29 ●●○

다음 중 △ABC와 △PQR가 합동이 <u>아닌</u> 것은?

① $\overline{AB}=\overline{PQ}$, $\overline{AC}=\overline{PR}$, ∠A=∠P
② $\overline{BC}=\overline{QR}$, ∠B=∠Q, ∠C=∠R
③ ∠A=∠P, ∠B=∠Q, ∠C=∠R
④ $\overline{AB}=\overline{PQ}$, ∠A=∠P, ∠B=∠Q
⑤ $\overline{AB}=\overline{PQ}$, $\overline{BC}=\overline{QR}$, $\overline{AC}=\overline{PR}$

30 ●●○

다음 보기에서 △ABC≡△DEF를 만족하는 것을 모두 고르시오.

┌ 보기 ┐
ㄱ. $\overline{AB}=\overline{DE}$, ∠C=∠F, $\overline{AC}=\overline{DF}$
ㄴ. $\overline{AB}=\overline{DE}$, ∠A=∠D, ∠B=∠E
ㄷ. $\overline{AB}=\overline{DE}$, $\overline{BC}=\overline{EF}$, ∠B=∠E
ㄹ. ∠A=∠D, ∠B=∠E, ∠C=∠F
ㅁ. $\overline{BC}=\overline{EF}$, $\overline{AC}=\overline{DF}$, ∠A=∠D

31 ●●○

오른쪽 그림의 △ABC와 △DEF에서 $\overline{AB}=\overline{DE}$, ∠A=∠D일 때, △ABC≡△DEF이기 위한 나머지 조건을 다음 보기에서 모두 고르시오.

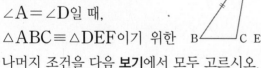

┌ 보기 ┐
ㄱ. $\overline{BC}=\overline{EF}$ ㄴ. $\overline{AC}=\overline{DF}$
ㄷ. ∠B=∠E   ㄹ. ∠C=∠F

32 ●○○

오른쪽 그림에서 합동인 두 삼각형을 찾아 합동 기호를 사용하여 나타내고, 합동 조건을 말하시오.

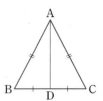

33 ●○○

오른쪽 그림과 같은 사각형 ABCD에서 △ABD≡□ 일 때, □ 안에 알맞은 것은?

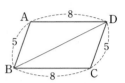

① △BCD   ② △BDC   ③ △CDB
④ △DBC   ⑤ △DCB

34 ●●○

다음은 오른쪽 그림과 같은 사각형 ABCD가 마름모일 때, △ABC≡△ADC임을 설명하는 과정이다. ㉠, ㉡, ㉢에 알맞은 것은?

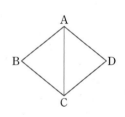

┌─────────────────────────┐
│ △ABC와 △ADC에서
│ 사각형 ABCD가 마름모이므로
│ $\overline{AB}=$ ㉠ , $\overline{BC}=$ ㉡
│ $\overline{AC}$는 공통
│ ∴ △ABC≡△ADC(㉢ 합동)
└─────────────────────────┘

	㉠	㉡	㉢
①	$\overline{AD}$	$\overline{DC}$	SSS
②	$\overline{AD}$	$\overline{DC}$	SAS
③	$\overline{AD}$	$\overline{DC}$	ASA
④	$\overline{DC}$	$\overline{AD}$	SAS
⑤	$\overline{DC}$	$\overline{AD}$	ASA

✏️ 삼각형의 합동 조건(2)—SAS 합동

개념북 **57**쪽

35 ●○○

오른쪽 그림에서
$\overline{AE}=\overline{BE}$, $\overline{CE}=\overline{DE}$일 때,
△AEC≡△BED가 되는 삼각
형의 합동 조건을 말하시오.

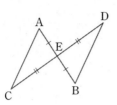

36 ●●○

다음은 오른쪽 그림과 같은 정삼
각형 ABC에 대하여 $\overline{BD}=\overline{CE}$
일 때, △ABD와 △BCE가 서
로 합동임을 설명한 것이다. □ 안
에 알맞은 것을 써넣으시오.

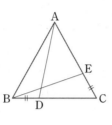

△ABD와 △BCE에서
$\overline{AB}=$□, $\overline{BD}=\overline{CE}$
□=∠BCE=□°이므로
△ABD≡△BCE(□ 합동)

37 ●●○

오른쪽 그림에서 사각형 ABCD
와 사각형 GCEF는 정사각형이
다. 다음 **보기** 중 옳은 것을 모두
고른 것은?

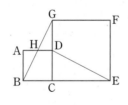

| 보기 |
ㄱ. $\overline{BC}=\overline{DC}$ ㄴ. $\overline{GC}=\overline{EC}$
ㄷ. $\overline{AH}=\overline{HD}$ ㄹ. $\overline{GD}=\overline{HD}$
ㅁ. △GBC≡△EDC

① ㄱ, ㄴ   ② ㄱ, ㄹ   ③ ㄴ, ㅁ
④ ㄱ, ㄴ, ㅁ   ⑤ ㄷ, ㄹ, ㅁ

38 ●●○

오른쪽 그림과 같은 사각형 ABCD
에서 점 O는 두 대각선의 교점이고
$\overline{AO}=\overline{DO}$, $\overline{BO}=\overline{CO}$일 때, 합동
인 삼각형을 모두 찾아 합동 기호를
사용하여 나타내시오.

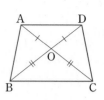

39 ●●●

오른쪽 그림에서 사각형 ABCD는
정사각형이고 대각선 AC 위의 점 E
에 대하여 ∠DEC=65°일 때, ∠x
의 크기는?

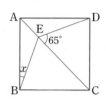

① 10°   ② 15°   ③ 20°
④ 25°   ⑤ 30°

40 ●●●

오른쪽 그림에서 △ABC와
△ECD는 정삼각형이다. 다음
중 옳지 **않은** 것은?

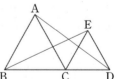

① $\overline{BC}=\overline{AC}$
② $\overline{CE}=\overline{CD}$
③ ∠BCE=∠ACD
④ $\overline{BE}=\overline{AD}$
⑤ △BDA≡△DBE

✏️ **삼각형의 합동 조건⑶ − ASA 합동** ─── 개념북 58쪽

41 ●●○

다음은 오른쪽 그림과 같이 $\overline{AB}=\overline{AC}$인 이등변삼각형 ABC에 대하여 ∠ABE=∠ACD일 때, △EBC와 합동인 삼각형을 찾고 그 이유를 설명하는 과정이다. □ 안에 알맞은 것을 써넣으시오.

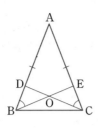

△EBC와 □ 에서

□ 는 공통, ∠ECB=□

∠ABE=∠ACD이므로 ∠EBC=□

∴ △EBC≡□ (□ 합동)

42 ●●○

오른쪽 그림에서 $\overline{AD}\,/\!/\,\overline{CB}$이고 $\overline{AE}=\overline{BE}$이다. △AED와 △BEC가 서로 합동이 되는 조건을 다음 **보기**에서 모두 고르시오.

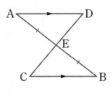

| 보기 |

ㄱ. $\overline{AE}=\overline{BE}$　　　ㄴ. ∠ADE=∠EBC

ㄷ. $\overline{DE}=\overline{CE}$　　　ㄹ. ∠DAE=∠CBE

ㅁ. $\overline{AD}=\overline{BC}$　　　ㅂ. ∠AED=∠BEC

43 ●●○

오른쪽 그림에서 ∠AOP=∠BOP, ∠OAP=∠OBP=90°일 때, △AOP≡△BOP가 되는 조건을 바르게 나열한 것은?

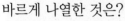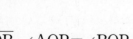

① $\overline{AP}=\overline{BP}$, $\overline{OA}=\overline{OB}$, ∠AOP=∠BOP
② $\overline{AP}=\overline{BP}$, $\overline{OA}=\overline{OB}$, $\overline{OP}$는 공통
③ $\overline{OP}$는 공통, ∠AOP=∠BOP, ∠APO=∠BPO
④ $\overline{OP}$는 공통, $\overline{OA}=\overline{OB}$, ∠AOP=∠BOP
⑤ $\overline{OA}=\overline{OB}$, ∠AOP=∠BOP, ∠OPA=∠OPB

44 ●●○

오른쪽 그림에서 △ABC의 변 BC의 중점을 M, 점 B에서 $\overline{AM}$의 연장선에 내린 수선의 발을 D, 점 C에서 $\overline{AM}$에 내린 수선의 발을 E라 하자. 이때 △BDM과 합동인 삼각형을 찾고, 합동 조건을 말하시오.

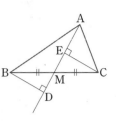

45 ●●○

오른쪽 그림에서 $\overline{AD}\,/\!/\,\overline{BC}$, $\overline{AB}\,/\!/\,\overline{DC}$일 때, △ABC와 △CDA가 합동임을 설명하시오.

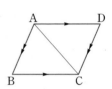

46 ●●●

오른쪽 그림과 같이 ∠BAC=90°, $\overline{AB}=\overline{AC}$인 직각이등변삼각형 ABC의 꼭짓점 A를 지나는 직선 l이 있다. 두 점 B, C에서 직선 l에 내린 수선의 발을 각각 D, E라 하자. $\overline{BD}=3\,cm$, $\overline{CE}=8\,cm$일 때, $\overline{DE}$의 길이는?

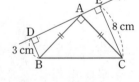

① 8 cm　　② 9 cm　　③ 10 cm
④ 11 cm　　⑤ 12 cm

1

다음 중 작도에 대한 설명으로 옳지 <u>않은</u> 것은?

① 눈금 없는 자와 컴퍼스만을 사용하여 도형을 그리는 것을 작도라 한다.
② 두 점을 연결하는 선분을 그릴 때 눈금 없는 자를 사용한다.
③ 원을 그릴 때 컴퍼스를 사용한다.
④ 선분을 연장할 때 눈금 없는 자를 사용한다.
⑤ 주어진 선분의 길이를 재어 다른 직선 위로 옮길 때 눈금 없는 자를 사용한다.

2

오른쪽 그림은 ∠BAC와 크기가 같은 각을 작도한 것이다. 다음 중 옳지 <u>않은</u> 것은?

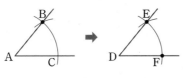

① $\overline{AB}=\overline{DF}$　　② $\overline{CB}=\overline{FE}$　　③ $\overline{DE}=\overline{DF}$
④ $\overline{AC}=\overline{BC}$　　⑤ $\angle BAC=\angle EDF$

3

오른쪽 그림은 점 P를 지나고 직선 l에 평행한 직선을 작도한 것이다. 다음 중 옳지 <u>않은</u> 것을 모두 고르면? (정답 2개)

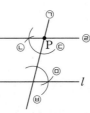

① 길이가 같은 선분의 작도 방법을 이용한다.
② 크기가 같은 각의 작도 방법을 이용한다.
③ 동위각의 크기가 같으면 두 직선은 서로 평행하다는 성질을 이용한다.
④ 엇각의 크기가 같으면 두 직선은 서로 평행하다는 성질을 이용한다.
⑤ 작도 순서는 ㉠ → ㉵ → ㉢ → ㉲ → ㉡ → ㉣이다.

4

세 변의 길이가 다음과 같이 주어졌을 때, 삼각형을 작도할 수 <u>없는</u> 것은?

① 2 cm, 3 cm, 4 cm　　② 3 cm, 5 cm, 5 cm
③ 5 cm, 6 cm, 7 cm　　④ 3 cm, 4 cm, 9 cm
⑤ 5 cm, 6 cm, 9 cm

5

다음 **보기** 중 △ABC가 하나로 정해지는 것을 모두 고른 것은?

> **보기**
>
> ㄱ. $\angle A=35°$, $\angle B=90°$, $\angle C=55°$
> ㄴ. $\overline{AB}=3$, $\overline{BC}=7$, $\overline{CA}=4$
> ㄷ. $\overline{BC}=6$, $\angle B=30°$, $\angle A=70°$
> ㄹ. $\overline{AB}=4$, $\overline{BC}=5$, $\angle C=40°$
> ㅁ. $\overline{AB}=3$, $\overline{BC}=3$, $\angle B=80°$

① ㄱ, ㄴ　　　② ㄱ, ㄹ　　　③ ㄴ, ㅁ
④ ㄷ, ㅁ　　　⑤ ㄴ, ㄷ, ㅁ

6

한 변의 길이가 5 cm이고 두 각의 크기가 각각 60°, 75°로 주어졌을 때, 만들 수 있는 삼각형의 개수는?

① 1개　　　② 2개　　　③ 3개
④ 4개　　　⑤ 무수히 많다.

7

다음 중 오른쪽 **보기**의 삼각형과 합동인 것은?

①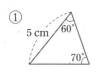

②

③

④

⑤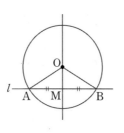

8 실력UP↑

오른쪽 그림과 같이 원 O와 직선 l의 교점을 A, B라 하고, 선분 AB의 중점을 M이라 하자. 다음은 두 삼각형 OAM과 OBM이 합동임을 이용하여 $\overline{AB}\perp\overline{OM}$임을 보이는 과정이다. (개)~(래)에 알맞은 것을 써넣으시오.

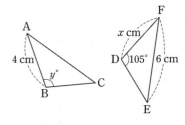

△OAM과 △OBM에서

[(개)]은 공통, $\overline{OA}=$ [(내)]

점 M이 $\overline{AB}$의 중점이므로 $\overline{AM}=\overline{BM}$

∴ △OAM≡△OBM([(대)] 합동)

즉, ∠OMA=∠OMB이고

∠OMA+∠OMB=180°이므로

∠OMA=∠OMB= [(래)]

∴ $\overline{AB}\perp\overline{OM}$

9

오른쪽 그림에서 △ABC는 정삼각형이고 $\overline{AD}=\overline{BE}=\overline{CF}$일 때, ∠PQR의 크기를 구하시오.

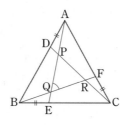

10

다음 세 **조건**을 모두 만족하는 삼각형의 개수를 구하기 위한 풀이 과정을 쓰고 답을 구하시오.

조건

(개) 이등변삼각형이다.

(내) 삼각형의 둘레의 길이가 20이다.

(대) 삼각형의 세 변의 길이는 자연수이다.

11

오른쪽 그림에서 △ABC≡△FDE일 때, $x+y$의 값을 구하기 위한 풀이 과정을 쓰고 답을 구하시오.

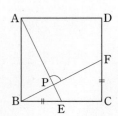

12

오른쪽 그림과 같은 정사각형 ABCD에서 $\overline{BE}=\overline{CF}$일 때, ∠APF의 크기를 구하기 위한 풀이 과정을 쓰고 답을 구하시오.

1 다음 중 옳지 <u>않은</u> 것은?

① 선이 움직인 자리는 면이 된다.

② 면과 면이 만나면 교선이 생긴다.

③ 한 점을 지나는 직선은 오직 하나뿐이다.

④ 서로 다른 두 점을 지나는 직선은 오직 하나뿐이다.

⑤ 두 점 사이의 최단 거리는 두 점을 잇는 선분의 길이와 같다.

2 오른쪽 그림과 같이 한 직선 l 위에 세 점 A, B, C가 있을 때, 다음 중 옳지 <u>않은</u> 것은?

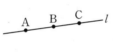

① $\overrightarrow{AB}=\overrightarrow{BC}$ ② $\overrightarrow{CA}=\overrightarrow{BA}$

③ $\overline{AC}=\overline{CA}$ ④ $\overleftrightarrow{CA}=\overleftrightarrow{CB}$

⑤ $\overrightarrow{AC}$와 $\overrightarrow{CA}$의 공통 부분은 $\overline{AC}$이다.

3 다음 그림에서 점 P는 $\overline{AB}$의 중점, 점 Q는 $\overline{BC}$의 중점이다. $\overline{AC}=24$ cm일 때, $\overline{PQ}$의 길이를 구하기 위한 풀이 과정을 쓰고 답을 구하시오.

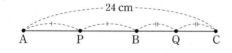

4 오른쪽 그림에서 $\angle x+\angle y$의 크기는?

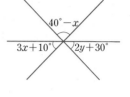

① $40°$ ② $45°$

③ $50°$ ④ $55°$

⑤ $60°$

5 오른쪽 그림의 직육면체에 대한 다음 설명 중 옳지 <u>않은</u> 것은?

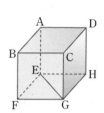

① 모서리 AB와 모서리 CG는 꼬인 위치에 있다.

② 모서리 FG와 면 ABFE는 수직이다.

③ 면 AEHD와 면 BFGC는 평행하다.

④ 면 ABCD와 선분 EG는 꼬인 위치에 있다.

⑤ 면 ABCD와 점 H 사이의 거리는 $\overline{DH}$의 길이와 같다.

6 공간에서 서로 다른 세 직선 l, m, n에 대한 다음 설명 중 옳은 것은?

① $l /\!/ m$, $m /\!/ n$이면 $l \perp n$이다.

② $l /\!/ m$, $m /\!/ n$이면 $l /\!/ n$이다.

③ $l /\!/ m$, $l \perp n$이면 $m /\!/ n$이다.

④ $l \perp m$, $l \perp n$이면 $m /\!/ n$이다.

⑤ $l \perp m$, $l \perp n$이면 m, n은 꼬인 위치에 있다.

7 오른쪽 그림에서 $l /\!/ m$일 때, $\angle x - \angle y$의 크기를 구하 시오.

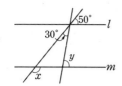

8 오른쪽 그림에서 $l /\!/ m$이고, $\angle x : \angle y = 1 : 4$일 때, $\angle x + \angle y$의 크기는?

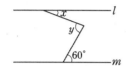

① $70°$ ② $80°$ ③ $90°$

④ $100°$ ⑤ $110°$

9 오른쪽 그림은 점 P를 지나고 직선 l에 평행한 직선을 작도 한 것이다. ⓛ을 작도한 다음에 작도해야 할 것은?

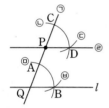

① ㉠   ② ㉢

③ ㉣   ④ ㉤   ⑤ ㉥

10 다음 중 △ABC가 하나로 정해지지 <u>않는</u> 것을 모두 고르면? (정답 2개)

① $\angle A = 40°$, $\angle B = 60°$, $\angle C = 80°$

② $\overline{BC} = 3\ cm$, $\overline{AC} = 4\ cm$, $\angle A = 45°$

③ $\overline{AB} = 6\ cm$, $\angle B = 60°$, $\overline{BC} = 4\ cm$

④ $\overline{AB} = 5\ cm$, $\overline{BC} = 6\ cm$, $\overline{AC} = 7\ cm$

⑤ $\overline{AB} = 5\ cm$, $\angle A = 30°$, $\angle B = 50°$

11 합동인 두 도형에 대한 다음 설명 중 옳지 <u>않은</u> 것은?

① 합동인 두 도형의 넓이는 서로 같다.

② 넓이가 같은 두 도형은 서로 합동이다.

③ 한 변의 길이가 같은 두 정육각형은 서로 합동이다.

④ 합동인 두 도형은 대응하는 변의 길이가 서로 같다.

⑤ 두 도형 P, Q가 합동일 때, 기호로 $P \equiv Q$와 같이 나타낸다.

12 다음 **보기**에서 합동 조건이 SAS 합동인 것을 모 두 고르시오.

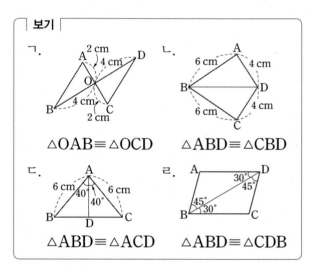

보기

ㄱ. $\triangle OAB \equiv \triangle OCD$ ㄴ. $\triangle ABD \equiv \triangle CBD$

ㄷ. $\triangle ABD \equiv \triangle ACD$ ㄹ. $\triangle ABD \equiv \triangle CDB$

서술형

13 오른쪽 그림에서 사각형 ABCD는 정사각형이고 △EBC는 정삼각형일 때, $\angle BAE$의 크기를 구하기 위한 풀이 과정을 쓰고 답을 구하시오.

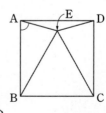

1 다각형의 성질

개념적용익힘

✏️ 다각형 ────────── 개념북 67쪽

1.●○○
다각형에 대한 다음 설명 중 옳지 <u>않은</u> 것은?

① 여러 개의 선분으로 둘러싸인 평면도형을 다각형이라고 한다.
② 여섯 개의 선분으로 이루어진 다각형은 육각형이다.
③ 최소한의 변으로 이루어진 다각형은 삼각형이다.
④ 다각형에서 변의 개수와 꼭짓점의 개수는 항상 같다.
⑤ 다각형의 각 꼭짓점에서 한 변과 그 변에 이웃하는 변의 연장선이 이루는 각을 내각이라 한다.

2.●○○
다음 중 다각형이 <u>아닌</u> 것을 모두 고르면? (정답 2개)

① 마름모   ② 삼각형   ③ 부채꼴
④ 오각형   ⑤ 삼각기둥

3.●○○
다음 중 다각형인 것은?

①   ②   ③

④   ⑤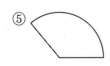

✏️ 정다각형 ────────── 개념북 67쪽

4.●○○
다음 중 옳은 것에는 ○표, 옳지 않은 것에는 ×표를 ( ) 안에 써넣으시오.

(1) 네 변의 길이가 모두 같은 사각형은 정사각형이다.
( )

(2) 네 각의 크기가 모두 같은 사각형은 정사각형이다.
( )

(3) 네 변의 길이가 모두 같고 네 각의 크기가 모두 같은 사각형은 정사각형이다. ( )

5.●●○
다음 중 정다각형에 대한 설명으로 옳지 <u>않은</u> 것을 모두 고르면? (정답 2개)

① 모든 변의 길이는 같다.
② 모든 내각의 크기가 같다.
③ 변의 개수와 꼭짓점의 개수는 항상 같다.
④ 모든 외각의 크기가 항상 같은 것은 아니다.
⑤ 한 꼭짓점에서 내각과 외각의 크기의 합은 360°이다.

6.●●●
다음 **조건**을 모두 만족하는 다각형의 이름을 말하시오.

> **조건**
> ㈎ 10개의 선분으로 둘러싸여 있다.
> ㈏ 모든 변의 길이가 같고, 모든 내각의 크기가 같다.

7. ●○○
어느 다각형의 한 내각의 크기가 55°일 때, 이 내각에 대한 외각의 크기를 구하시오.

8. ●○○
오른쪽 그림과 같은 사각형 ABCD에서 ∠DAB에 대한 외각의 크기를 구하시오.

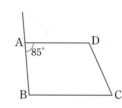

9. ●○○
오른쪽 그림과 같은 △ABC에서 꼭짓점 A에서의 내각의 크기를 구하시오.

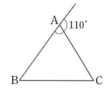

10. ●●○
오른쪽 그림과 같은 사각형 ABCD에서 ∠x, ∠y의 크기를 각각 구하시오.

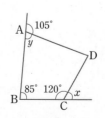

11. ●○○
구각형의 한 꼭짓점에서 그을 수 있는 대각선의 개수는?

① 9   ② 8   ③ 7

④ 6   ⑤ 5

12. ●●○
꼭짓점의 개수가 15인 다각형의 한 꼭짓점에서 그을 수 있는 대각선의 개수를 구하시오.

13. ●●○
어떤 다각형의 내부의 한 점에서 각 꼭짓점에 선분을 그었을 때 생기는 삼각형의 개수가 14일 때, 이 다각형의 한 꼭짓점에서 그을 수 있는 대각선의 개수를 구하시오.

14. ●●●
오른쪽 그림과 같은 정십삼각형에서 길이가 서로 다른 대각선의 개수를 구하시오.

✍ 한 꼭짓점에서 그을 수 있는 대각선의 개수 (2) 개념북 **70**쪽

15 ●○○

다음 중 한 꼭짓점에서 그을 수 있는 대각선의 개수가 7인 다각형은?

① 구각형   ② 십각형   ③ 십일각형

④ 십이각형   ⑤ 십삼각형

16 ●●○

모든 변의 길이가 같고 모든 내각의 크기가 같은 어떤 다각형의 한 꼭짓점에서 그을 수 있는 대각선의 개수가 5일 때, 이 다각형을 구하시오.

17 ●●●

어떤 다각형의 한 꼭짓점에서 그을 수 있는 대각선의 개수가 9일 때, 이 다각형의 꼭짓점의 개수는?

① 11   ② 12   ③ 13

④ 14   ⑤ 15

18 ●●●

한 꼭짓점에서 그을 수 있는 대각선의 개수가 17인 다각형의 꼭짓점의 개수와 변의 개수의 합은?

① 25   ② 30   ③ 35

④ 40   ⑤ 45

✍ 대각선의 개수 (1)

개념북 **71**쪽

19 ●○○

십사각형의 대각선의 개수는?

① 25   ② 32   ③ 54

④ 77   ⑤ 90

20 ●●○

다음 다각형의 대각선의 개수를 구하시오.

(1) 한 꼭짓점에서 그을 수 있는 대각선의 개수가 5인 다각형

(2) 한 꼭짓점에서 그을 수 있는 대각선의 개수가 10인 다각형

(3) 한 꼭짓점에서 그을 수 있는 대각선의 개수가 12인 다각형

21 ●●●

오른쪽 그림과 같이 9명의 학생이 모래판에 둘러 앉아 씨름을 하려고 한다. 옆자리에 앉은 학생을 제외한 모든 학생과 한 판씩 경기를 한다고 할 때, 총 몇 판의 씨름 경기를 하게 되는가?

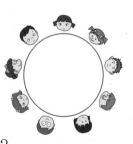

① 27판   ② 35판   ③ 44판

④ 54판   ⑤ 65판

22 ●●○
대각선의 개수가 20인 다각형은?

① 오각형　　② 팔각형　　③ 구각형
④ 십일각형　　⑤ 십이각형

23 ●●○
대각선의 개수가 119인 다각형을 구하시오.

24 ●●●
대각선의 개수가 35인 다각형의 꼭짓점의 개수는?

① 8　　　　② 9　　　　③ 10
④ 11　　　⑤ 12

25 ●●●
대각선의 개수가 44인 다각형의 변의 개수를 구하시오.

26 ●○○
오른쪽 그림에서 ∠x의 크기를 구하시오.

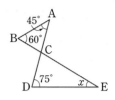

27 ●●○
오른쪽 그림의 △ABC에서 ∠x, ∠y의 크기를 각각 구하시오.

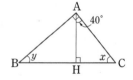

28 ●●●
오른쪽 그림에서 ∠x의 크기는?

① 20°　　　　② 25°
③ 30°　　　　④ 35°
⑤ 40°

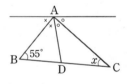

29 ●●●
오른쪽 그림에서 ∠x의 크기를 구하시오.

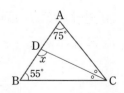

✏️ **세 각 사이의 관계가 주어진 경우 삼각형의 내각의 크기의 합** 개념북 **73**쪽

✏️ **삼각형의 외각의 성질** 개념북 **74**쪽

30 ●○○
삼각형의 세 내각의 크기의 비가 4 : 5 : 9일 때, 가장 큰 내각의 크기를 구하시오.

34 ●○○
다음 그림에서 ∠x의 크기를 구하시오.

(1) 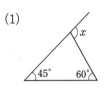　　(2)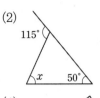

(3) 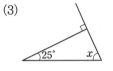　　(4)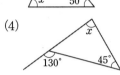

31 ●●○
삼각형의 세 내각의 크기의 비가 2 : 3 : 4일 때, 가장 큰 내각의 크기와 가장 작은 내각의 크기의 차를 구하시오.

35 ●●○
다음 그림에서 ∠x의 크기를 구하시오.

(1) 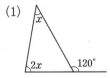　　(2)

32 ●●●
오른쪽 그림과 같은 △ABC에서 ∠B=60°, ∠A=3∠C일 때, ∠A의 크기를 구하시오.

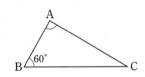

36 ●●○
오른쪽 그림에서 ∠x의 크기는?

① 85°　　② 90°
③ 95°　　④ 100°
⑤ 105°

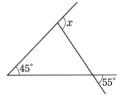

33 ●●●
오른쪽 그림과 같은 △ABC에서 ∠C의 크기는 ∠A의 크기보다 20°만큼 작고, ∠B의 크기는 ∠C의 크기의 2배일 때, ∠B의 크기를 구하시오.

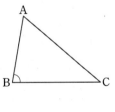

37 ●●●
오른쪽 그림에서 ∠x의 크기는?

① 110°　　② 120°
③ 130°　　④ 140°
⑤ 150°

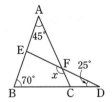

38 ●○○

다음 그림에서 ∠x의 크기를 구하시오.

(1)

(2)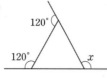

(3)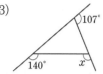

(4)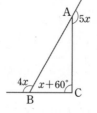

39 ●●○

오른쪽 그림에서 ∠x의
크기는?

① 30°   ② 35°

③ 40°   ④ 45°

⑤ 50°

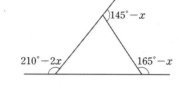

40 ●●●

오른쪽 그림에서 ∠x의 크기는?

① 20°   ② 25°

③ 30°   ④ 35°

⑤ 40°

41 ●●○

오른쪽 그림의 △ABC에서
∠x의 크기는?

① 105°   ② 110°

③ 115°   ④ 120°

⑤ 125°

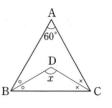

42 ●●○

오른쪽 그림의 사각형 ABCD
에서 점 E는 ∠B, ∠C의 이등
분선의 교점일 때, ∠BEC의 크
기는?

① 85°   ② 90°

③ 95°   ④ 100°

⑤ 105°

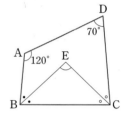

43 ●●●

오른쪽 그림의 △ABC에서 $\overline{AE}$,
$\overline{BF}$는 각각 ∠A, ∠B의 이등분
선이고, 점 D는 그 교점이다.
∠C=64°일 때, ∠x의 크기를 구
하시오.

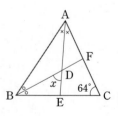

삼각형의 내각의 크기의 합의 응용 ⑵ − △ 모양 개념북 **76**쪽

44 ●●○

오른쪽 그림에서 ∠x의 크기는?

① 45°　　② 50°

③ 55°　　④ 60°

⑤ 65°

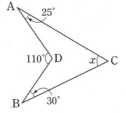

45 ●●○

오른쪽 그림에서 ∠x의 크기는?

① 30°　　② 35°

③ 40°　　④ 45°

⑤ 50°

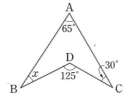

46 ●●●

오른쪽 그림에서 ∠x의 크기를 구하시오.

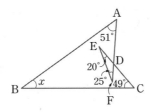

47 ●●●

오른쪽 그림에서
∠a+∠b+∠c+∠d+∠e+∠f
의 크기는?

① 180°　　② 270°

③ 360°　　④ 450°

⑤ 540°

삼각형의 외각의 성질의 응용 ⑴ − 이등변삼각형 개념북 **77**쪽

48 ●○○

오른쪽 그림에서
$\overline{AB}=\overline{AC}=\overline{CD}$이고
∠B=30°일 때, ∠x의 크기를 구하시오.

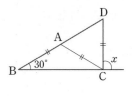

49 ●●○

오른쪽 그림에서
$\overline{AC}=\overline{BC}=\overline{CD}$이고
∠ADE=130°일 때, ∠x의 크기를 구하시오.

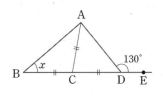

50 ●●●

오른쪽 그림에서
$\overline{AB}=\overline{AC}=\overline{CD}$일 때, ∠$x$의 크기는?

① 41°　　② 42°

③ 43°　　④ 44°

⑤ 45°

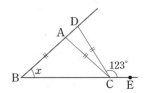

51 ••◦

오른쪽 그림에서 점 D는 ∠B의 이등분선과 ∠ACB의 외각의 이등분선의 교점이다. 이때 ∠x의 크기를 구하시오.

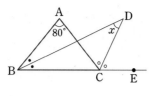

52 •••

오른쪽 그림의 △ABC에서 ∠A=66°이고, $\overline{BI}$, $\overline{CI}$는 각각 ∠B, ∠C의 이등분선, $\overline{CD}$는 ∠C의 외각의 이등분선일 때, ∠x+∠y의 크기를 구하시오.

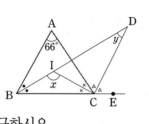

53 •••

오른쪽 그림에서 점 D는 ∠B의 이등분선과 ∠ACB의 외각의 이등분선의 교점이다. 이때 ∠x−2∠y의 크기를 구하시오.

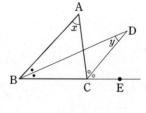

54 ••◦

다음 중 내각의 크기의 합이 1620°인 다각형은?

① 팔각형   ② 구각형   ③ 십각형

④ 십일각형   ⑤ 십이각형

55 ••◦

다음 그림에서 ∠x의 크기를 구하시오.

(1) 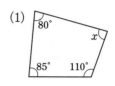   (2)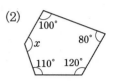

56 ••◦

다음 그림에서 ∠x의 크기를 구하시오.

(1) 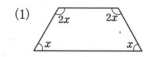   (2)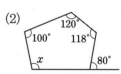

57 •••

내각의 크기의 합이 900°인 다각형의 대각선의 개수를 구하시오.

✏️ 정다각형의 한 내각의 크기

개념북 **79**쪽

58 ●○○
다음 정다각형의 한 내각의 크기를 구하시오.

(1) 정구각형　　　　　　(2) 정십오각형

59 ●●○
한 내각의 크기가 다음과 같은 정다각형을 구하시오.

(1) 120°　　　　　　　(2) 135°

60 ●●●
한 내각의 크기가 150°인 정다각형의 대각선의 개수는?

① 50　　　　② 54　　　　③ 58

④ 62　　　　⑤ 66

61 ●●●
대각선의 개수가 20인 정다각형의 한 내각의 크기는?

① 90°　　　　② 108°　　　　③ 120°

④ 135°　　　　⑤ 150°

✏️ 다각형의 내각의 크기의 응용

개념북 **80**쪽

62 ●●○
오른쪽 그림과 같은 사각형 ABCD에서 ∠x의 크기는?

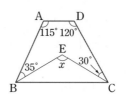

① 60°　　　　② 100°

③ 110°　　　　④ 120°

⑤ 150°

63 ●●○
오른쪽 그림과 같은 사각형 ABCD에서 ∠x의 크기를 구하시오.

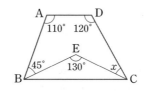

64 ●●○
오른쪽 그림과 같은 사각형 ABCD에서 ∠x의 크기를 구하시오.

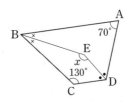

65 ●●●
오른쪽 그림과 같은 정오각형 ABCDE에서 ∠x의 크기를 구하시오.

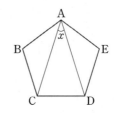

다각형의 외각의 크기의 합

66 ●○○

오른쪽 그림에서
$$\angle a + \angle b + \angle c + \angle d$$
$$\quad + \angle e + \angle f + \angle g + \angle h$$
의 크기를 구하시오.

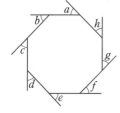

67 ●●○

오른쪽 그림에서 $\angle x$의 크기를 구하시오.

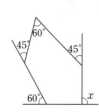

68 ●●○

오른쪽 그림에서 $\angle x$의 크기를 구하시오.

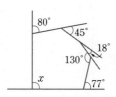

정다각형의 한 외각의 크기

69 ●○○

한 외각의 크기가 24°인 정다각형은?

① 정십각형　　② 정십일각형　　③ 정십이각형
④ 정십오각형　　⑤ 정십팔각형

70 ●●○

다음 **조건**을 모두 만족하는 다각형을 구하시오.

> **조건**
> ㈎ 모든 변의 길이가 같다.
> ㈏ 모든 내각의 크기가 같다.
> ㈐ 한 외각의 크기가 둔각이다.

71 ●●●

대각선의 개수가 54인 정다각형의 한 외각의 크기를 구하시오.

72 ●●●

한 내각과 그 외각의 크기의 비가 3 : 1인 정다각형은?

① 정오각형　　② 정육각형　　③ 정팔각형
④ 정십각형　　⑤ 정십이각형

✎ **오목한 부분이 있는 다각형에서 각의 크기 구하기** ── 개념북 **84**쪽

73 ••◦

오른쪽 그림에서 ∠x의 크기는?

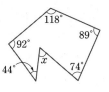

① 51°   ② 54°

③ 57°   ④ 60°

⑤ 63°

74 •••

오른쪽 그림에서
∠a+∠b+∠c+∠d+∠e+∠f
의 크기를 구하시오.

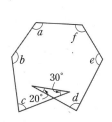

75 •••

오른쪽 그림에서
∠a+∠b+∠c+∠d
        +∠e+∠f+∠g+∠h
의 크기를 구하시오.

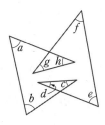

✎ **복잡한 도형에서 각의 크기 구하기** ── 개념북 **85**쪽

76 ••◦

오른쪽 그림에서 ∠x의 크기는?

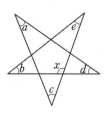

① ∠a+∠b+∠c

② ∠a+∠c+∠d

③ ∠b+∠c+∠d

④ ∠b+∠c+∠e

⑤ ∠c+∠d+∠e

77 •••

오른쪽 그림에서
∠x+∠y+∠z의 크기는?

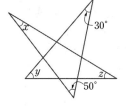

① 110°   ② 100°

③ 90°   ④ 80°

⑤ 70°

78 •••

오른쪽 그림에서
∠a+∠b−∠c+∠d+∠e의
크기는?

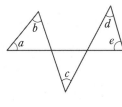

① 90°   ② 120°

③ 150°   ④ 180°

⑤ 210°

1

다음 중 다각형에 대한 설명 중 옳지 <u>않은</u> 것을 모두 고르면? (정답 2개)

① 다각형의 각 변의 끝 점을 꼭짓점이라 한다.
② 십이각형은 13개의 꼭짓점과 12개의 변을 가지고 있다.
③ 다각형의 대각선의 개수는 변의 개수에 따라 달라진다.
④ 다각형에서 이웃한 두 변으로 이루어지는 각을 외각이라 한다.
⑤ 십오각형의 대각선의 개수는 90이다.

2

오른쪽 그림과 같이 위치한 6개의 위성도시 사이에 통신선을 개설하려고 한다. 만들 수 있는 통신선의 개수를 구하시오.

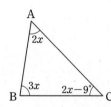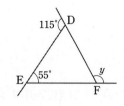

3

다음 그림에서 $\angle x$, $\angle y$의 크기는?

① $\angle x=25°$, $\angle y=125°$
② $\angle x=27°$, $\angle y=120°$
③ $\angle x=27°$, $\angle y=125°$
④ $\angle x=29°$, $\angle y=120°$
⑤ $\angle x=29°$, $\angle y=125°$

4

오른쪽 그림에서 $\angle A=58°$이고, $\angle ABD=\angle DBC$, $\angle ACD=\angle DCE$일 때, $\angle x$의 크기는?

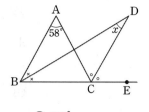

① 28°   ② 29°   ③ 30°
④ 31°   ⑤ 32°

5

오른쪽 그림에서
$\angle a+\angle b+\angle c+\angle d$
$\qquad +\angle e+\angle f+\angle g$
의 크기는?

① 180°   ② 360°
③ 480°   ④ 540°
⑤ 600°

6

오른쪽 그림과 같이 $\overline{AB}=\overline{AC}$인 이등변삼각형 ABC에 대하여 $\overline{AB}$, $\overline{AC}$를 각각 한 변으로 하는 정삼각형 ADB, ACE를 그렸다. $\angle ACB=69°$일 때, $\angle DBF$의 크기를 구하시오.

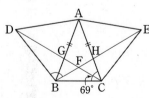

7

한 외각의 크기가 60°인 정다각형의 내각의 크기의 합
은?

① 360°　　　② 450°　　　③ 540°

④ 630°　　　⑤ 720°

8 실력UP↗

오른쪽 그림과 같이 △ABC에서
점 D는 ∠B와 ∠C의 외각의 이
등분선의 교점이다. ∠A=60°일
때, ∠x의 크기는?

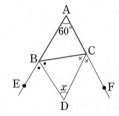

① 55°　　　② 60°

③ 65°　　　④ 70°

⑤ 75°

9 실력UP↗

오른쪽 그림에서
∠a+∠b+∠c+∠d
　　+∠e+∠f+∠g+∠h
의 크기는?

① 360°　　　② 480°

③ 560°　　　④ 640°

⑤ 720°

10

오른쪽 그림에서
$$∠DBC=\frac{1}{2}∠ABD,$$
$$∠DCE=\frac{1}{2}∠ACD이고$$
∠A=57°일 때, ∠BDC의 크기를 구하기 위한 풀이
과정을 쓰고 답을 구하시오.

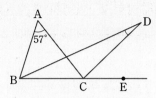

11

오른쪽 그림은 서로 평행한 두
직선 l, m 사이에 정오각형이
끼어 있는 것이다. 이때 ∠x의
크기를 구하기 위한 풀이 과정
을 쓰고 답을 구하시오.

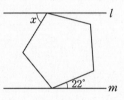

12

한 내각과 한 외각의 크기의 비가 8 : 1인 정다각형의
대각선의 개수를 구하기 위한 풀이 과정을 쓰고 답을
구하시오.

2 원과 부채꼴

개념적용익힘

✏ 원과 부채꼴

개념북 95쪽

1 ●○○

오른쪽 그림의 원 O에 대하여
다음을 기호로 나타내시오.

(1) 반지름

(2) 지름

(3) 호 CD

(4) 호 BE에 대한 중심각

(5) 중심각 AOE에 대한 현

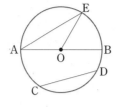

2 ●●○

오른쪽 그림의 원 O에 대한 설명으
로 옳지 않은 것은?

① $\overline{BC}$를 호라 한다.

② ∠BOC는 $\overparen{BC}$에 대한 중심각이다.

③ 원의 중심 O를 지나는 현은 지름이다.

④ $\overparen{BC}$와 $\overline{BC}$로 이루어진 도형은 활꼴이다.

⑤ $\overparen{AB}$와 두 반지름 OA, OB로 이루어진 도형은 부채
꼴이다.

3 ●●○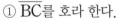

오른쪽 그림의 원 O에 대한 다음 설
명 중 옳지 않은 것은? (단, 세 점 A,
O, C는 한 직선 위에 있다.)

① $\overline{AB}$는 현이다.

② 부채꼴 AOB의 중심각은 ∠AOB이다.

③ $\overline{AB}$와 $\overparen{AB}$로 이루어진 도형은 활꼴이다.

④ $\overline{AC}$보다 길이가 긴 현이 존재한다.

⑤ 원 위의 두 점 A, B를 양 끝점으로 하는 호는 2개이다.

✏ 원과 부채꼴의 기본 성질

개념북 95쪽

4 ●●○

다음 원에 대한 설명 중 옳지 않은 것을 모두 고르면?

(정답 2개)

① 원의 현 중에서 그 길이가 가장 긴 것은 지름이다.

② 한 원에서 활꼴과 부채꼴이 같아지는 것은 중심각의
크기가 180°일 때이다.

③ 반원은 활꼴이면서 부채꼴이다.

④ 호와 현으로 이루어진 도형을 부채꼴이라 한다.

⑤ 원 위의 두 점을 잇는 선분을 호라 한다.

5 ●●○

원 O 위에 서로 다른 두 점 A, B가 있을 때, 다음 중
옳은 것은?

① $\overline{OA}$는 현이다.

② $\overparen{AB}$에 대한 중심각은 ∠OAB이다.

③ $\overline{OA}$, $\overline{OB}$, $\overline{AB}$로 이루어진 도형은 부채꼴이다.

④ ∠AOB=180°일 때, $\overline{AB}$는 원 O의 지름이다.

⑤ 원의 중심 O를 지나는 현이 가장 짧은 현이다.

6 ●●○

원 O에서 부채꼴 AOB가 활꼴일 때, 부채꼴 AOB
의 중심각의 크기는?

① 60° ② 90° ③ 120°

④ 150° ⑤ 180°

✏️ **부채꼴의 중심각의 크기와 호, 현의 길이** 개념북 **97**쪽

7 ●○○

다음 그림에서 ∠x의 크기를 구하시오.

(1) 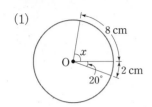 (2)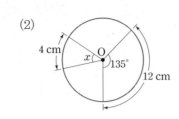

8 ●○○

오른쪽 그림과 같은 원 O에서
$\widehat{AB}$=4 cm, ∠AOB=30°,
∠COD=150°일 때, $\widehat{CD}$의 길이
는?

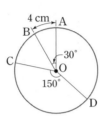

① 16 cm ② 18 cm
③ 20 cm ④ 22 cm
⑤ 24 cm

9 ●●○

오른쪽 그림의 원 O에서
$\widehat{AB} : \widehat{BC} : \widehat{CA}$=3 : 4 : 5일 때,
$\widehat{AC}$에 대한 중심각의 크기는?

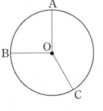

① 130° ② 140°
③ 150° ④ 160°
⑤ 170°

✏️ **부채꼴의 중심각의 크기와 넓이** 개념북 **97**쪽

10 ●○○

다음 그림에서 x의 값을 구하시오.

(1) 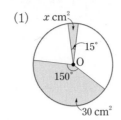 (2)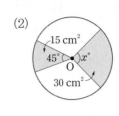

11 ●●○

오른쪽 그림의 원 O에서
$\widehat{AB} : \widehat{CD}$=3 : 1이다. 부채꼴
AOB의 넓이가 4 cm²일 때, 부채
꼴 COD의 넓이를 구하시오.

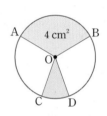

12 ●●●

오른쪽 그림과 같이 세 부채꼴
AOB, BOC, COA의 중심각의
크기가 각각 ∠a, 4∠a, 5∠a이고
부채꼴 AOB의 넓이가 5 cm²일
때, ∠BOC의 크기와 부채꼴 BOC의 넓이를 차례대
로 구하시오.

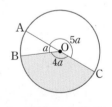

13 ●●○

오른쪽 그림과 같은 원 O에서 $\overline{AB}$는 원 O의 지름이고, $\widehat{AB}$를 삼등분하는 점을 각각 C, D라 할 때, 다음 중 옳지 않은 것은?

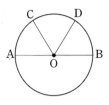

① $\overline{AC}=\overline{CD}$
② $\widehat{AD}=2\widehat{CD}$
③ $\dfrac{1}{3}\widehat{AB}=\widehat{CD}$
④ $\widehat{CD}=\widehat{BD}$
⑤ $2\widehat{AC}=\widehat{AD}$

14 ●●○

오른쪽 그림의 원 O에서 $\overline{AB}$는 원 O의 지름이고, $\angle AOC=\angle COD=\angle DOB$일 때, 원의 둘레의 길이는 $\widehat{BD}$의 길이의 몇 배인지 구하시오.

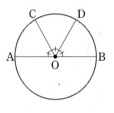

15 ●●●

오른쪽 그림의 원 O에서 $\angle CBA=30°$이고 $\overline{AB}$가 원 O의 지름일 때, $\widehat{AC}:\widehat{CB}$를 가장 간단한 자연수의 비로 나타내시오.

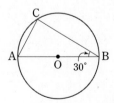

16 ●●○

오른쪽 그림과 같은 원 O에서 $\overline{AB}/\!/\overline{CD}$이다. $\angle BAO=50°$, $\widehat{BD}=10$ cm일 때, 다음을 구하시오.

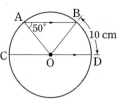

(1) $\angle OBA$의 크기
(2) $\angle AOB$의 크기
(3) $\angle BOD$의 크기
(4) $\widehat{AB}$의 길이

17 ●●○

오른쪽 그림의 원 O에서 $\overline{OC}/\!/\overline{AB}$이고, $\angle BOC=40°$, $\widehat{BC}=5$ cm일 때, $\widehat{AB}$의 길이는?

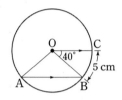

① 12 cm
② $\dfrac{25}{2}$ cm
③ 13 cm
④ $\dfrac{27}{2}$ cm
⑤ 14 cm

18 ●●○

오른쪽 그림과 같은 원 O에서 $\overline{AB}/\!/\overline{CD}$이고 $\angle COD=150°$, $\widehat{AC}=10$ cm일 때, $\widehat{CD}$의 길이를 구하시오.

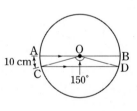

19 ●●●

오른쪽 그림에서 $\overline{AB}$는 원 O의 지름이고 $\overline{AC}/\!/\overline{OD}$이다. $\angle DOB=60°$, $\widehat{BD}=7$ cm일 때, $\widehat{CD}$의 길이를 구하시오.

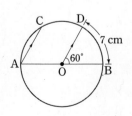

✏️ **원의 둘레의 길이와 넓이**

개념북 **100**쪽

20 ●○○

오른쪽 그림과 같은 원 O에 대하여
다음을 구하시오.

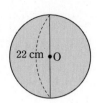

(1) 원의 둘레의 길이

(2) 원의 넓이

21 ●○○

원의 넓이가 다음과 같을 때, 원의 반지름의 길이를 구하
시오.

(1) 16π cm^2 (2) 144π cm^2

22 ●●○

둘레의 길이가 10π cm인 원의 넓이를 구하시오.

✏️ **색칠한 부분의 둘레의 길이와 넓이**

개념북 **100**쪽

23 ●●○

오른쪽 그림의 색칠한 부분에 대하여
다음을 구하시오.

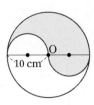

(1) 둘레의 길이

(2) 넓이

24 ●●○

오른쪽 그림에서 색칠한 부분의
넓이는?

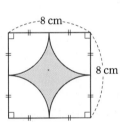

① 16π cm^2

② 64π cm^2

③ $(16-4\pi)$ cm^2

④ $(64-4\pi)$ cm^2

⑤ $(64-16\pi)$ cm^2

25 ●●●

오른쪽 그림과 같은 원 O에서 색칠
한 부분의 둘레의 길이와 넓이를 차
례대로 구하시오.

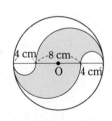

26 ●○○

오른쪽 그림과 같이 반지름의 길이가
12 cm, 호의 길이가 4π cm인 부
채꼴에서 중심각의 크기는?

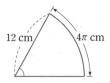

① 55°   ② 60°   ③ 65°

④ 70°   ⑤ 75°

27 ●●○

오른쪽 그림과 같은 부채꼴의 둘레
의 길이는?

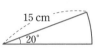

① 31 cm   ② $\left(\dfrac{1}{3}\pi+30\right)$ cm

③ 32 cm   ④ $\left(\dfrac{5}{3}\pi+30\right)$ cm

⑤ $(2\pi+30)$ cm

28 ●●●

오른쪽 그림과 같이 한 변의
길이가 4 cm인 정삼각형
ABC를 직선 l 위에서 회전
시켰다. 이때 점 A가 움직인 거리는?

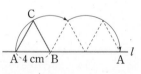

① 4π cm   ② $\dfrac{13}{3}\pi$ cm   ③ 5π cm

④ $\dfrac{16}{3}\pi$ cm   ⑤ $\dfrac{19}{3}\pi$ cm

29 ●○○

반지름의 길이가 7 cm이고 넓이가 14π cm²인 부채
꼴의 호의 길이를 구하시오.

30 ●●●

오른쪽 그림과 같이 반지름의
길이가 5 cm인 원 O의 중심
에 한 꼭짓점이 오도록 정오각
형과 정사각형을 놓았을 때, 색
칠한 두 부채꼴의 넓이의 합을 구하시오.

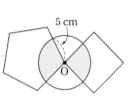

31 ●●●

오른쪽 그림과 같이 반지름의 길이가
4 cm인 부채꼴에서 ∠ACB=75°
일 때, 이 부채꼴의 넓이를 구하시오.

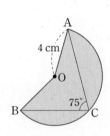

✎ 변형된 도형의 둘레의 길이와 넓이 구하기 개념북 103쪽

32 ●○○

오른쪽 그림에서 색칠한 부분의 둘레의 길이를 구하시오.

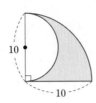

33 ●●○

다음 그림에서 색칠한 부분의 둘레의 길이와 넓이를 차례대로 구하시오.

(1)
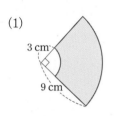

(2)
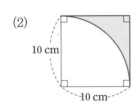

(3)
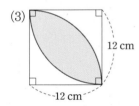

(4)
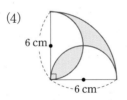

34 ●●○

오른쪽 그림과 같이 반지름의 길이가 12 cm인 원에서 색칠한 부분의 넓이는?

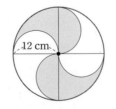

① 36π cm^2 ② 72π cm^2
③ 90π cm^2 ④ 126π cm^2
⑤ 144π cm^2

35 ●●○

다음 그림에서 색칠한 부분의 둘레의 길이와 넓이를 차례대로 구하시오.

(1)
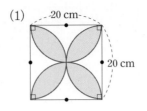

(2)
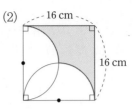

36 ●●●

오른쪽 그림과 같이 지름의 길이가 6인 반원과 반지름의 길이가 6인 부채꼴이 겹쳐 있다. 색칠한 두 부분의 넓이가 같을 때, x의 값은?

① 30   ② 35   ③ 40
④ 45   ⑤ 50

37 ●●●

오른쪽 그림과 같이 한 변의 길이가 8 cm인 정사각형 ABCD에서 색칠한 부분의 둘레의 길이를 구하시오.

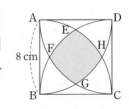

✍️ 부채꼴의 호의 길이와 넓이의 응용 ─────
개념북 103쪽

38 ●●○

오른쪽 그림과 같이 밑면의 반지름의 길이가 10 cm인 네 개의 원기둥을 묶을 때, 필요한 끈의 최소 길이를 구하시오.
(단, 끈의 매듭의 길이는 생각하지 않는다.)

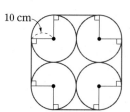

39 ●●○

다음 그림과 같이 밑면의 반지름의 길이가 1 cm인 원기둥 3개를 A, B 두 방법으로 묶으려고 한다. 끈의 길이가 최소가 되도록 묶을 때, 두 끈의 길이의 차를 구하시오. (단, 끈의 매듭의 길이는 생각하지 않는다.)

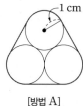

[방법 A]

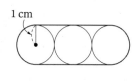

[방법 B]

40 ●●●

오른쪽 그림과 같이 반지름의 길이가 1 cm인 원이 한 변의 길이가 6 cm인 정삼각형의 둘레를 따라 전체를 한 바퀴 돌았을 때, 원이 지나간 자리의 넓이를 구하시오.

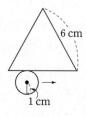

41 ●●●

오른쪽 그림과 같이 반지름의 길이가 2 cm인 원이 세 변의 길이가 각각 12 cm, 10 cm, 9 cm인 삼각형의 둘레를 따라 전체를 한 바퀴 돌았을 때, 이 원이 지나간 자리의 넓이는?

① 16π cm^2
② $(16\pi+8)$ cm^2
③ $(16\pi+32)$ cm^2
④ $(16\pi+62)$ cm^2
⑤ $(16\pi+124)$ cm^2

42 ●●●

오른쪽 그림과 같이 반지름의 길이가 6 cm인 원이 반지름의 길이가 18 cm이고 중심각의 크기가 60°인 부채꼴의 둘레를 따라 전체를 한 바퀴 돌았다. 이때 원이 지나간 자리의 넓이를 구하시오.

43 ●●●

오른쪽 그림과 같이 가로의 길이가 5 m, 세로의 길이가 3 m인 직사각형 모양의 창고 모퉁이에 길이가 8 m인 끈으로 강아지를 묶어 놓았다. 강아지가 창고 밖에서 움직일 때, 움직일 수 있는 최대 영역의 넓이를 구하시오.
(단, 끈의 매듭의 길이는 생각하지 않는다.)

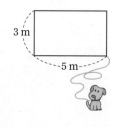

1

오른쪽 그림의 원 O에 대한 설명 중 옳지 않은 것은?

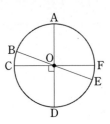

① $\overline{AC}$는 현이다.

② $\overparen{AB}$에 대한 중심각은 ∠AOB이다.

③ $\overline{AC}$와 $\overparen{AC}$로 이루어진 도형은 활꼴이다.

④ $\overparen{AB}$와 두 반지름 OA, OB로 이루어진 도형은 부채꼴이다.

⑤ 원 위의 두 점 A, C를 양 끝 점으로 하는 호는 1개이다.

2

오른쪽 그림의 원 O에서 ∠AOB=75°, ∠COD=15° 이고, 부채꼴 AOB의 넓이가 35 cm²일 때, 부채꼴 COD의 넓이를 구하시오.

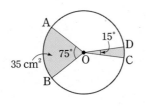

3

오른쪽 그림과 같은 반원 O에서 $\overparen{AC}$=8 cm, $\overparen{BC}$=4 cm 일 때, ∠AOC의 크기는?

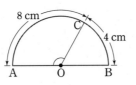

① 115° ② 120° ③ 125°
④ 130° ⑤ 135°

4

오른쪽 그림의 원 O에서 $\overparen{AB}$: $\overparen{BC}$: $\overparen{CA}$=5 : 6 : 7일 때, ∠AOB의 크기를 구하시오.

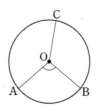

5 실력UP

오른쪽 그림에서 $\overline{AD}$, $\overline{BE}$, $\overline{CF}$는 원 O의 지름이고, ∠COD=90°, ∠BOC : ∠AOE=2 : 11이다. 이때 부채꼴 AOE의 넓이와 부채꼴 AOB의 넓이의 비를 가장 간단한 자연수의 비로 구하시오.

6

반지름의 길이가 4 cm, 호의 길이가 6π cm인 부채꼴의 넓이는?

① 10 cm² ② 12 cm² ③ 10π cm²
④ 12π cm² ⑤ 15π cm²

7 실력UP

오른쪽 그림은 △ABC를 점 B를 중심으로 점 C가 변 AB의 연장선 위의 점 D에 오도록 회전시킨 것이다. $\overline{AB}$=5, $\overline{BC}$=4, ∠ABC=30°일 때, 점 A가 움직인 거리를 구하시오.

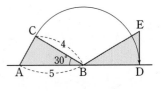

8

오른쪽 그림의 반원 O에서
점 A는 $\overline{BC}$의 연장선과
$\overline{DE}$의 연장선의 교점이고
$\overline{AD}=\overline{OD}$이다.
$\overparen{BD}=2\,\mathrm{cm}$일 때, $\overparen{CE}$의 길이는?

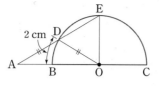

① 3 cm   ② 4 cm   ③ 5 cm
④ 6 cm   ⑤ 7 cm

9

오른쪽 그림에서 합동인 3개의 작은
원들의 넓이가 각각 $16\pi\,\mathrm{cm}^2$일 때,
큰 원의 둘레의 길이는? (단, 작은
원들의 중심은 모두 큰 원의 지름 위
에 있다.)

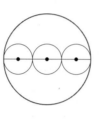

① 20π cm   ② 22π cm   ③ 24π cm
④ 26π cm   ⑤ 28π cm

10 실력UP↗

지름의 길이가 6 cm인 원 모양의 시계가 있다. 현재
시각이 3시 40분일 때, 시침과 분침이 이루는 작은 쪽
의 각을 중심각으로 하는 부채꼴의 넓이를 구하시오.
(단, 시계의 반지름의 길이와 부채꼴의 반지름의 길이
는 서로 같다.)

11

오른쪽 그림에서 $\overline{AB}$는 원 O의 지
름이고 $\overline{BC}/\!/\overline{OD}$이다.
$\angle AOD=45°$, $\overparen{AD}=20$일 때,
$\overparen{BC}$의 길이를 구하기 위한 풀이 과
정을 쓰고 답을 구하시오.

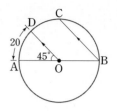

12

오른쪽 그림에서 색칠한 부분의 둘
레의 길이를 구하기 위한 풀이 과
정을 쓰고 답을 구하시오.

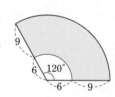

13

오른쪽 그림과 같이 한 변의 길이가
4 cm인 정사각형에서 색칠한 부분의
넓이를 구하기 위한 풀이 과정을 쓰고
답을 구하시오.

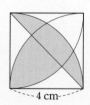

II. 평면도형

정답과 풀이 **76**쪽

1 한 내각과 한 외각의 크기의 비가 2 : 1인 정다각형의 대각선의 총 개수는?

① 5　　　　② 9　　　　③ 14

④ 20　　　　⑤ 27

2 다음 **조건**을 모두 만족하는 다각형에 대한 설명으로 옳은 것을 모두 고르면? (정답 2개)

> **조건**
> ㈎ 모든 변의 길이가 같다.
> ㈏ 대각선의 개수는 27이다.
> ㈐ 모든 내각의 크기가 같다.

① 한 외각의 크기는 60°이다.
② 8개의 선분으로 둘러싸인 평면도형이다.
③ 한 꼭짓점에서 8개의 대각선을 그을 수 있다.
④ 한 내각의 크기는 140°이다.
⑤ 모든 외각의 크기의 합은 360°이다.

3 오른쪽 그림에서 $\angle x$의 크기는?

① 64°　　　② 66°

③ 68°　　　④ 70°

⑤ 72°

4 오른쪽 그림에서 점 D는 $\angle$B의 이등분선과 $\angle$ACB의 외각의 이등분선의 교점이다. 이때 $\angle x$의 크기를 구하시오.

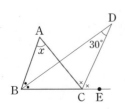

5 오른쪽 그림의 원 O에서 $\overline{AB}$는 지름이고 $\angle BOD=60°$, $\overline{AC}/\!/\overline{OD}$, $\overset{\frown}{BD}=6$ cm일 때, $\overset{\frown}{AC}$의 길이는?

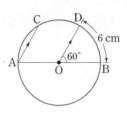

① 5.6 cm　　② 5.8 cm　　③ 6 cm

④ 6.2 cm　　⑤ 6.4 cm

6 오른쪽 그림에서 색칠한 부분의 둘레의 길이와 넓이를 차례대로 구하시오.

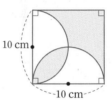

서술형

7 오른쪽 그림과 같이 반지름의 길이가 1 cm인 원판이 가로, 세로의 길이가 각각 5 cm, 3 cm인 직사각형의 둘레를 따라 전체를 한 바퀴 돌았다. 이때 원판이 지나간 자리의 둘레의 길이와 넓이를 구하기 위한 풀이 과정을 쓰고 답을 차례대로 구하시오.

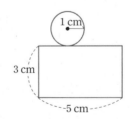

✏️ 다면체의 이해 —————

개념북 115쪽

1.●○○

다음 **보기**의 입체도형 중 다면체인 것을 모두 고르시오.

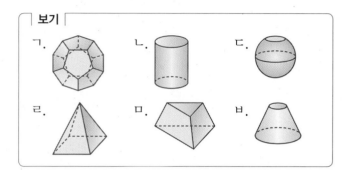

보기
ㄱ. ㄴ. ㄷ.
ㄹ. ㅁ. ㅂ.

2.●○○

다음 **보기**의 입체도형 중 다면체가 아닌 것을 모두 고르시오.

보기
ㄱ. 정삼각형 ㄴ. 삼각기둥 ㄷ. 구
ㄹ. 원뿔 ㅁ. 오각뿔 ㅂ. 사각뿔대

3.●●○

다음 중 면의 개수가 가장 많은 다면체는?

① 삼각뿔 ② 육면체 ③ 사각뿔대
④ 삼각기둥 ⑤ 육각뿔

4.●●●

오른쪽 그림은 삼각기둥에서 두 부분을 잘라내고 남은 입체도형이다. 이 다면체는 몇 면체인가?

① 사면체 ② 오면체
③ 육면체 ④ 칠면체
⑤ 팔면체

✏️ 다면체의 옆면의 모양 —————

개념북 115쪽

5.●○○

다음 입체도형의 옆면의 모양과 이 다면체는 몇 면체인지 각각 말하시오.

(1) 삼각기둥
(2) 오각뿔
(3) 사각뿔대

6.●●○

다음 중 다면체와 그 옆면의 모양이 잘못 짝지어진 것은?

① 사각기둥－직사각형 ② 칠각기둥－직사각형
③ 사각뿔－삼각형 ④ 삼각뿔대－삼각형
⑤ 오각뿔대－사다리꼴

7.●●○

다음 다면체 중 옆면의 모양이 사각형이 아닌 것은?

① 직육면체 ② 삼각뿔대 ③ 칠각기둥
④ 육각뿔 ⑤ 구각기둥

8.●●○

다음 **보기** 중 다면체의 옆면의 모양이 삼각형인 것을 모두 고르시오.

보기
ㄱ. 삼각뿔 ㄴ. 삼각기둥 ㄷ. 육각뿔대
ㄹ. 칠각기둥 ㅁ. 오각뿔 ㅂ. 육각뿔

✎ 다면체의 꼭짓점, 모서리, 면의 개수 ── 개념북 116쪽

9 ●○○

육각뿔대의 꼭짓점의 개수를 v, 모서리의 개수를 e, 면의 개수를 f라 할 때, $v-e+f$의 값을 구하시오.

10 ●●○

다음 다면체 중 꼭짓점의 개수와 면의 개수가 같은 것은?

① 삼각기둥   ② 사각뿔대   ③ 오각뿔

④ 육각기둥   ⑤ 칠각뿔대

11 ●●●

어떤 각기둥의 모서리의 개수가 꼭짓점의 개수보다 10만큼 많을 때, 이 각기둥의 밑면은 몇 각형인가?

① 칠각형   ② 팔각형   ③ 구각형

④ 십각형   ⑤ 십일각형

12 ●●●

다음 중 다면체에 대한 설명으로 옳지 <u>않은</u> 것은?

① n각뿔은 $(n+1)$면체이다.

② n각뿔의 모서리의 개수는 $n+2$이다.

③ n각뿔의 꼭짓점의 개수는 $n+1$이다.

④ n각뿔대의 모서리의 개수는 $3n$이다.

⑤ n각기둥의 꼭짓점의 개수는 $2n$이다.

✎ 조건을 만족하는 다면체 ── 개념북 116쪽

13 ●●○

다음 **조건**을 모두 만족하는 입체도형을 말하시오.

┌ **조건** ┐
㈎ 옆면이 모두 사다리꼴인 다면체이다.
㈏ 서로 평행한 두 밑면은 크기는 다르고 모양은 같은 삼각형이다.

14 ●●○

다음 **조건**을 모두 만족하는 입체도형을 말하시오.

┌ **조건** ┐
㈎ 두 밑면이 서로 평행하며 합동이다.
㈏ 옆면의 모양은 직사각형이다.
㈐ 꼭짓점의 개수는 10, 모서리의 개수는 15이다.

15 ●●●

다음 **조건**을 모두 만족하는 입체도형의 면의 개수를 x, 모서리의 개수를 y라 할 때, $x+y$의 값을 구하시오.

┌ **조건** ┐
㈎ 밑면의 개수는 1이다.
㈏ 옆면의 모양이 삼각형이다.
㈐ 꼭짓점의 개수는 9이다.

16 ●○○

다음 중 정다면체에 대한 설명으로 옳은 것은?

① 정다면체의 종류는 무수히 많다.
② 정사면체의 모서리의 개수는 4이다.
③ 정팔면체의 꼭짓점의 개수는 8이다.
④ 모든 면이 합동인 정다각형으로 이루어져 있다.
⑤ 정육각형을 한 면으로 하는 정다면체는 존재한다.

17 ●●○

다음 중 정다면체에 대한 설명으로 옳은 것은?

① 정다면체의 종류는 6가지이다.
② 정이십면체의 꼭짓점의 개수는 정십이면체의 꼭짓점의 개수보다 많다.
③ 각 면이 정삼각형인 정다면체는 2가지이다.
④ 정육면체의 모서리의 개수는 12이다.
⑤ 각 꼭짓점에 모인 면의 개수는 3 또는 4이다.

18 ●●○

오른쪽 그림의 다면체는 각 면이 모두 합동인 정삼각형으로 이루어진 십면체이다. 이 다면체가 정다면체인지 아닌지 말하고, 그 이유를 설명하시오.

19 ●○○

모든 면이 합동인 정오각형이고, 한 꼭짓점에 모인 면의 개수가 3인 정다면체를 말하시오.

20 ●●○

다음 **조건**을 모두 만족하는 다면체를 말하시오.

> **조건**
> (가) 모서리의 개수는 12이다.
> (나) 모든 면이 합동인 정삼각형이다.

21 ●●○

다음 **조건**을 모두 만족하는 입체도형을 말하시오.

> **조건**
> (가) 꼭짓점의 개수는 12이다.
> (나) 모든 면이 합동인 정삼각형이다.
> (다) 각 꼭짓점에 면이 5개씩 모여 있다.

22 ●●●

모서리의 개수와 꼭짓점의 개수가 각각 12, 8인 정다면체의 한 꼭짓점에 모인 면의 개수를 구하시오.

✏️ 정다면체의 전개도 ⑴

개념북 120쪽

23 ●●○

오른쪽 그림은 정육면체의 전
개도이다. 다음 물음에 답하시
오.

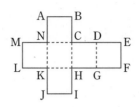

⑴ $\overline{AB}$와 겹치는 모서리를 구
하시오.

⑵ 면 DGFE와 마주 보는 면을 구하시오.

⑶ 점 A와 겹치는 꼭짓점을 모두 구하시오.

24 ●●●

오른쪽 그림은 어느 정다면체
의 전개도이다. 다음 물음에
답하시오.

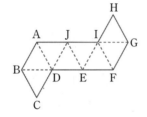

⑴ 이 정다면체의 이름을 말하
시오.

⑵ $\overline{BC}$와 겹치는 모서리를 구하시오.

25 ●●●

서로 마주 보는 면에 있는 점의 개수의
합이 7인 정육면체 모양의 주사위의 전
개도가 오른쪽 그림과 같다. 세 면 A, B,
C의 점의 개수를 각각 a, b, c라 할 때,
$a+b-c$의 값을 구하시오.

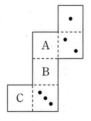

✏️ 정다면체의 전개도 ⑵

개념북 120쪽

26 ●●○

다음 중 오른쪽 그림과 같은 전개
도로 만들어지는 정다면체에 대한
설명으로 옳지 않은 것은?

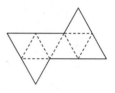

① 각 면은 모두 합동이다.

② 꼭짓점의 개수는 6이다.

③ 평행한 면이 4쌍이 있다.

④ 모서리의 개수는 12이다.

⑤ 한 꼭짓점에 모인 면의 개수는 3이다.

27 ●●●

오른쪽 그림의 전개도로 정사
면체를 만들 때, $\overline{AB}$와 꼬인
위치에 있는 모서리는?

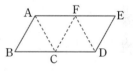

① $\overline{EF}$ ② $\overline{CD}$ ③ $\overline{CF}$

④ $\overline{AC}$ ⑤ $\overline{DF}$

28 ●●●

오른쪽 그림은 정육면체의 전
개도이다. 다음 중 전개도로
만들어지는 정육면체에서 $\overline{AB}$
와 꼬인 위치에 있는 모서리
는?

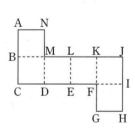

① $\overline{BC}$ ② $\overline{KF}$ ③ $\overline{FG}$

④ $\overline{IF}$ ⑤ $\overline{ML}$

✎ 회전체

개념북 123쪽

29 ●○○

다음 **보기**에서 회전체인 것을 모두 고르시오.

> **보기**
> ㄱ. 정육면체　　ㄴ. 삼각뿔　　ㄷ. 원뿔
> ㄹ. 반원　　　　ㅁ. 원기둥　　ㅂ. 정사각뿔
> ㅅ. 구　　　　　ㅇ. 구각기둥　ㅈ. 원뿔대

30 ●○○

다음 중 회전체가 <u>아닌</u> 것은?

① ② ③

④ ⑤

31 ●●○

다음 **보기**에서 회전체인 것을 모두 고르시오.

> **보기**
>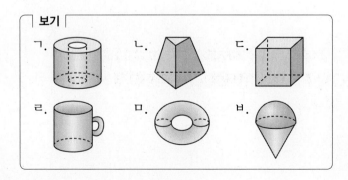

✎ 평면도형을 회전시킨 입체도형의 모양

개념북 123쪽

32 ●○○

다음 그림의 평면도형 중에서 직선 l을 회전축으로 하여 1회전 시킬 때 생기는 입체도형이 구가 되는 것은?

① ② ③

④ ⑤

33 ●●○

오른쪽 그림의 입체도형은 다음 중 어떤 평면도형을 1회전 시킨 것인가?

① ②

③ ④ ⑤

34 ●●●

오른쪽 그림의 입체도형은 다음 중 어떤 평면도형을 1회전 시킨 것인가?

① 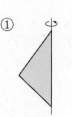 ②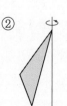

③ ④ ⑤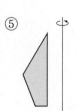

✍ **회전축** ──────────────── 개념북 **124**쪽

35 ●●○

다음 그림은 사다리꼴 ABCD의 한 변을 회전축으로 하여 1회전 시킬 때 생기는 회전체이다. 이 회전체의 회전축이 될 수 있는 변은?

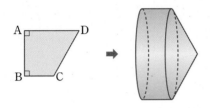

① $\overline{AB}$　　　② $\overline{BC}$　　　③ $\overline{CD}$
④ $\overline{AD}$　　　⑤ 알 수 없다.

36 ●●●

오른쪽 그림과 같은 직각삼각형 ABC의 한 선분을 회전축으로 하여 1회전 시켜 회전체를 만들 때, 다음 중 원뿔을 만드는 회전축인 것을 모두 고르면? (정답 3개)

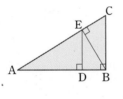

① $\overline{AB}$　　　② $\overline{AC}$　　　③ $\overline{BC}$
④ $\overline{BE}$　　　⑤ $\overline{DE}$

✍ **회전체의 단면의 모양** ──────── 개념북 **124**쪽

37 ●○○

다음 중 원뿔대를 회전축을 포함하는 평면으로 자를 때 생기는 단면과 회전축에 수직인 평면으로 자를 때 생기는 단면을 차례대로 적은 것은?

① 원, 직사각형　　　② 직사각형, 원
③ 이등변삼각형, 원　④ 원, 사다리꼴
⑤ 사다리꼴, 원

38 ●●○

다음 중 입체도형을 한 평면으로 자를 때 생기는 단면이 삼각형이 될 수 없는 것은?

① 사각뿔　　　② 원뿔　　　③ 정육면체
④ 원기둥　　　⑤ 정사면체

39 ●●●

다음 중 오른쪽 그림과 같은 원뿔을 한 평면으로 자를 때 생기는 단면의 모양이 될 수 없는 것은?

①　　②　　③　

④　　⑤

40 ●●○

오른쪽 그림의 사다리꼴을 직선 l을 회전
축으로 하여 1회전 시킬 때 생기는 회전
체를 회전축을 포함하는 평면으로 잘랐
을 때 생기는 단면의 넓이는?

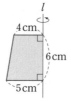

① 50 cm^2 ② 52 cm^2

③ 54 cm^2 ④ 56 cm^2

⑤ 58 cm^2

41 ●●○

오른쪽 그림과 같은 평면도형을 직선 l을
회전축으로 하여 1회전 시킬 때 생기는
회전체를 회전축을 포함하는 평면으로 잘
랐을 때 생기는 단면의 넓이를 구하시오.

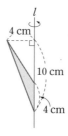

42 ●●●

오른쪽 그림과 같은 원기둥을 밑면에 수
직인 평면으로 잘랐을 때 생기는 단면
중에서 넓이가 가장 큰 단면의 넓이를
구하시오.

43 ●○○

다음 중 구에 대한 설명으로 옳지 <u>않은</u> 것은?

① 회전축은 무수히 많다.

② 전개도는 그릴 수 없다.

③ 어떤 평면으로 잘라도 그 단면은 항상 원이다.

④ 단면이 가장 클 때는 구의 중심을 지나는 단면으로
자를 때이다.

⑤ 구면 위의 모든 점은 구의 중심에서 거리가 모두 다
르다.

44 ●●○

다음 중 오른쪽 그림과 같은 회전체에 대한
설명으로 옳지 <u>않은</u> 것을 모두 고르면?

(정답 2개)

① 회전축을 포함하는 평면으로 자른 단면
은 사다리꼴이다.

② 회전축에 수직인 평면으로 자른 단면은 원이다.

③ 회전축을 포함하는 평면으로 자른 단면은 회전축에
대하여 선대칭도형이다.

④ 직각삼각형의 빗변이 아닌 변을 회전축으로 하여 1회
전 시킨 회전체이다.

⑤ 회전축에 수직인 평면으로 자른 단면들은 모두 합동
이다.

45 ●●○

다음 중 회전체를 회전축을 포함하는 평면으로 자를
때 생기는 단면에 대한 설명으로 옳지 <u>않은</u> 것은?

① 모든 단면은 합동이다.

② 원기둥의 단면은 직사각형이다.

③ 모든 단면의 넓이가 같다.

④ 단면은 항상 원이다.

⑤ 회전축을 대칭축으로 하는 선대칭도형이다.

🖊 회전체의 전개도 (1) ──────────
개념북 127쪽

46 ●○○

다음 중 원기둥의 전개도인 것은?

①   ②   ③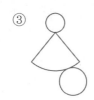

④ 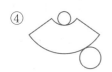   ⑤

47 ●●○

다음 중 오른쪽 그림과 같은 전개도
로 만들어지는 회전체에 대한 설명
으로 옳은 것은?

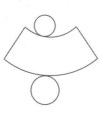

① 이 회전체는 원기둥이다.
② 한 평면으로 자른 단면은 항상 원이다.
③ 회전축에 수직인 평면으로 자른 단면은 직사각형이다.
④ 밑면은 2개이고, 모양과 크기는 서로 같다.
⑤ 회전축을 포함하는 평면으로 자른 단면은 사다리꼴
  이다.

48 ●●○

다음 그림은 원뿔대와 그 전개도이다. 이때 색칠한 밑
면의 둘레의 길이와 길이가 같은 것은?

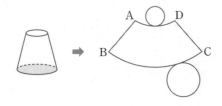

① $\overline{AB}$ ② $\overline{AC}$ ③ $\overline{CD}$
④ $\widehat{AD}$ ⑤ $\widehat{BC}$

🖊 회전체의 전개도 (2) ──────────
개념북 127쪽

49 ●●●

오른쪽 그림과 같이 원기둥 위의 점 A
에서 점 B까지 실로 이 원기둥을 한 바
퀴 감으려고 한다. 실의 길이가 가장 짧
게 되는 경로를 전개도 위에 바르게 나
타낸 것은?

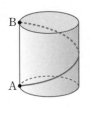

① 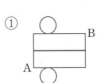   ②   ③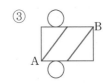

④ 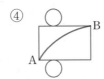   ⑤

50 ●●●

오른쪽 그림과 같이 원뿔의 밑면인 원 위
의 한 점 A에서 실로 이 원뿔을 한 바퀴
팽팽하게 감을 때, 실이 지나간 가장 짧은
경로를 전개도 위에 바르게 나타낸 것은?

① 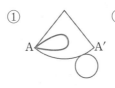   ②   ③

④ 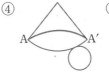   ⑤

51 ●●●

오른쪽 그림과 같은 평면도형을 직
선 l을 회전축으로 하여 1회전 시
킬 때 생기는 입체도형의 전개도를
그리고, 이 회전체를 회전축을 포
함하는 평면으로 잘랐을 때 생기는
단면의 넓이를 구하시오.

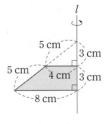

1

다음 다면체 중에서 십면체인 것을 모두 고르면?

(정답 2개)

① 육각기둥　　② 칠각뿔대　　③ 팔각뿔

④ 팔각뿔대　　⑤ 구각뿔

2

다음 중 각뿔대에 대한 설명으로 옳은 것을 모두 고르면? (정답 2개)

① 두 밑면은 서로 합동이다.

② 옆면의 모양이 모두 사다리꼴이다.

③ 삼각뿔대는 사각뿔보다 면의 개수가 더 많다.

④ 꼭짓점의 개수와 모서리의 개수가 같다.

⑤ 밑면에 평행한 평면으로 자른 단면의 변의 개수는 밑면의 모서리의 개수와 같다.

3

정다면체 중에서 각 면의 모양이 정오각형인 것을 말하시오.

4

정십이면체의 각 면의 한가운데에 있는 점을 연결하여 만든 입체도형의 이름을 말하시오.

5

다면체에서 꼭짓점의 개수를 v, 모서리의 개수를 e, 면의 개수를 f라 할 때, $v-e+f=2$가 성립한다. 이때 $3v=2e$, $2f=e$인 관계가 성립하는 정다면체를 구하시오.

6

오른쪽 그림과 같은 전개도로 만들어지는 입체도형에서 $\overline{HG}$와 겹쳐지는 모서리는?

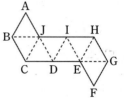

① $\overline{AB}$ 　　　　② $\overline{AJ}$

③ $\overline{BC}$ 　　　　④ $\overline{DC}$

⑤ $\overline{EF}$

7

다음 **보기** 중 오른쪽 그림과 같은 전개도로 만들어지는 정다면체에 대한 설명으로 옳은 것을 모두 고르시오.

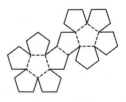

┌─**보기**─────────────────────
│ ㄱ. 면의 모양은 정오각형이다.
│ ㄴ. 한 꼭짓점에 모인 면의 개수는 3이다.
│ ㄷ. 모서리의 개수는 30이다.
│ ㄹ. 꼭짓점의 개수는 12이다.
└──────────────────────────

8 실력UP↗

오른쪽 그림의 전개도로 만들어지는 정육면체를 세 점 A, B, C를 지나는 평면으로 자를 때 생기는 단면에서 ∠ABC의 크기를 구하시오.

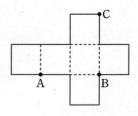

9

다음은 회전체와 그 회전체를 회전축을 포함하는 평면으로 자른 단면의 모양을 짝지은 것이다. 옳지 <u>않은</u> 것을 모두 고르면? (정답 2개)

① 구 – 원　　　　② 원뿔대 – 직사각형

③ 반구 – 원　　　　④ 원기둥 – 직사각형

⑤ 원뿔 – 이등변삼각형

10

다음 중 오른쪽 그림과 같은 원뿔대를 한 평면으로 자를 때 생기는 단면의 모양이 될 수 <u>없는</u> 것은?

① 　② 　③

④ 　⑤

11

회전체에 대한 다음 설명 중 옳지 <u>않은</u> 것은?

① 구는 어떤 방향으로 잘라도 그 단면은 항상 원이다.

② 회전체를 회전축을 포함하는 평면으로 자른 단면은 회전축에 대하여 선대칭도형이다.

③ 원뿔을 회전축에 수직인 평면으로 자른 단면은 삼각형이다.

④ 원뿔대를 회전축을 포함하는 평면으로 자른 단면은 모두 합동이다.

⑤ 원기둥, 원뿔, 구는 회전체이다.

12 실력UP♪

오른쪽 그림과 같은 원뿔대의 전개도에서 r의 값을 구하시오.

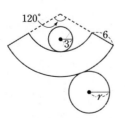

13

모서리의 개수가 면의 개수보다 16만큼 많은 각뿔대의 밑면은 몇 각형인지 구하기 위한 풀이 과정을 쓰고 답을 구하시오.

14

오른쪽 그림과 같은 직각삼각형을 직선 l을 회전축으로 하여 1회전 시킬 때 생기는 회전체에 대하여 다음을 구하기 위한 풀이 과정을 쓰고 답을 구하시오.

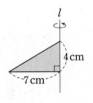

(1) 밑면의 둘레의 길이

(2) 회전축을 포함하는 평면으로 자를 때 생기는 단면의 넓이

15

오른쪽 그림과 같이 반지름의 길이가 1 cm인 원 O를 직선 l을 회전축으로 하여 1회전 시켰다. 이때 생기는 회전체를 원의 중심 O를 지나면서 회전축에 수직인 평면으로 자를 때 생기는 단면의 넓이를 구하기 위한 풀이 과정을 쓰고 답을 구하시오.

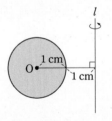

2 입체도형의 겉넓이와 부피

개념적용익힘

✏️ 각기둥의 겉넓이 구하기 ──────
개념북 139쪽

1.●○○
다음 그림과 같은 각기둥의 겉넓이를 구하시오.

(1)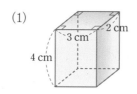

(2)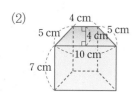

2.●○○
오른쪽 그림과 같이 밑면의 한 변의 길이가 3 cm, 높이가 8 cm인 정오각기둥의 옆넓이를 구하시오.

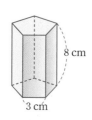

3.●●○
오른쪽 그림과 같은 사각기둥의 겉넓이를 구하시오.

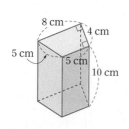

4.●●○
밑면이 오른쪽 그림과 같은 사다리꼴이고, 높이가 5 cm인 사각기둥의 겉넓이를 구하시오.

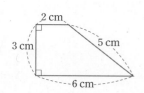

✏️ 각기둥의 부피 구하기 ──────
개념북 139쪽

5.●○○
다음 그림과 같은 각기둥의 부피를 구하시오.

(1)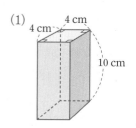

(2)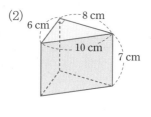

6.●○○
오른쪽 그림과 같은 사각기둥의 부피를 구하시오.

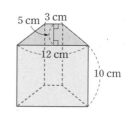

7.●●○
오른쪽 그림과 같은 사각기둥의 부피는?

① 100 cm³   ② 200 cm³
③ 300 cm³   ④ 400 cm³
⑤ 500 cm³

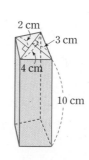

8.●●○
오른쪽 그림과 같은 사각형을 밑면으로 하는 사각기둥의 높이가 5 cm일 때, 이 사각기둥의 부피를 구하시오.

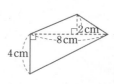

각기둥의 겉넓이를 알 때 높이 구하기 ── 개념북 140쪽

9 ●●○

오른쪽 그림과 같은 삼각기둥의 겉넓이가 192 cm²일 때, 이 삼각기둥의 높이를 구하시오.

10 ●●○

오른쪽 그림과 같은 사각기둥의 겉넓이가 136 cm²일 때, 이 사각기둥의 높이를 구하시오.

11 ●●●

겉넓이가 294 cm²인 정육면체의 한 모서리의 길이를 구하시오.

각기둥의 부피를 알 때 높이 구하기 ── 개념북 140쪽

12 ●○○

오른쪽 그림은 삼각기둥의 전개도이다. 이 전개도로 만들어지는 삼각기둥의 부피가 390 cm³일 때, $\overline{IH}$의 길이를 구하시오.

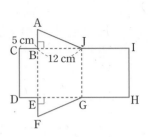

13 ●●○

오른쪽 그림은 삼각기둥의 전개도이다. 이 삼각기둥의 부피가 48 cm³일 때, x의 값을 구하시오.

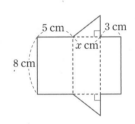

14 ●●●

밑면이 오른쪽 그림과 같은 오각형이고, 부피가 168 cm³인 오각기둥의 높이를 구하시오.

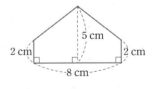

15 ●○○

오른쪽 그림은 원기둥의 전
개도이다. 다음을 구하시오.

(1) x의 값

(2) 옆넓이

(3) 겉넓이

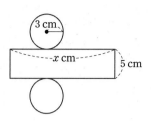

16 ●●○

오른쪽 그림과 같은 직사각형을 직선 l
을 회전축으로 하여 1회전 시킬 때 생
기는 회전체의 겉넓이와 부피를 차례대
로 구하시오.

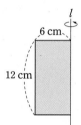

17 ●●●

오른쪽 그림은 밑면의 반지름의
길이가 6 cm인 원기둥을 비스
듬히 자른 것이다. 이 입체도형
의 부피를 구하시오.

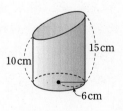

18 ●●○

오른쪽 그림과 같이 밑면인 원의 반지
름의 길이가 6 cm인 원기둥의 겉넓
이가 252π cm²일 때, 이 원기둥의
높이를 구하시오.

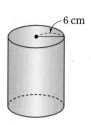

19 ●●○

오른쪽 그림과 같은 전개도로
만들어지는 원기둥의 부피가
567π cm³일 때, 이 원기둥의
밑면의 반지름의 길이를 구하
시오.

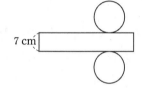

20 ●●●

오른쪽 그림에서 원기둥 모
양의 그릇 A에 가득 들어 있
는 물을 원기둥 모양의 그릇
B에 부었을 때, 그릇 B의
물의 높이를 구하시오.

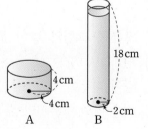

✏️ 속이 뚫린 기둥의 겉넓이와 부피 구하기
개념북 **144**쪽

21 ●●○

오른쪽 그림과 같은 직사각형을 직선 l을 회전축으로 하여 1회전 시킬 때 생기는 입체도형의 겉넓이와 부피를 차례대로 구하시오.

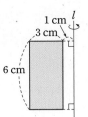

22 ●●○

오른쪽 그림과 같이 정육면체의 가운데에 직육면체 모양으로 구멍을 뚫었다. 이때 구멍이 뚫린 입체도형의 겉넓이와 부피를 차례대로 구하시오.

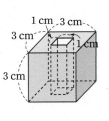

23 ●●●

오른쪽 그림과 같이 구멍이 뚫린 원기둥 모양의 빵을 여섯 명이 똑같이 나누어 먹었을 때, 한 사람이 먹은 빵의 양은 몇 cm^3인지 구하시오.

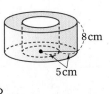

✏️ 복잡한 기둥의 겉넓이와 부피 구하기
개념북 **144**쪽

24 ●●○

오른쪽 그림과 같이 한 모서리의 길이가 3 cm인 정육면체 3개를 붙여서 만든 입체도형의 겉넓이를 구하시오.

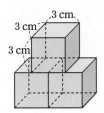

25 ●●○

오른쪽 그림과 같은 입체도형의 부피를 구하시오.

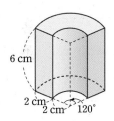

26 ●●●

오른쪽 그림과 같이 원기둥을 반으로 자른 모양의 그릇에 물을 가득 담은 후 그릇을 45° 기울여 물을 흘려 보냈다. 이때 남은 물의 부피를 구하시오.

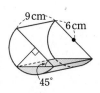

27 ●○○

오른쪽 그림과 같은 정사각뿔의 겉
넓이는?

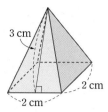

① 8 cm^2 ② 12 cm^2

③ 16 cm^2 ④ 20 cm^2

⑤ 24 cm^2

28 ●○○

오른쪽 그림과 같은 삼각뿔의 부피
를 구하시오.

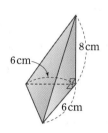

29 ●●○

밑면의 한 변의 길이가 8 cm인 정사각뿔의 부피가
384 cm^3일 때, 이 정사각뿔의 높이는?

① 12 cm   ② 14 cm   ③ 16 cm

④ 18 cm   ⑤ 20 cm

30 ●●●

오른쪽 그림과 같이 한 모서리의 길
이가 6 cm인 정육면체의 밑면의
네 모서리의 중점을 각각 A, B, C,
D라 할 때, 사각뿔 O−ABCD의
부피를 구하시오. (단, 점 O는 밑면
의 대각선의 교점이다.)

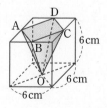

31 ●●○

오른쪽 그림과 같이 한 모서리의 길
이가 6 cm인 정육면체에서 모서리
AB와 모서리 BC의 중점을 각각
P, Q라 할 때, 삼각뿔 F−BQP가
잘려나가고 남은 입체도형의 부피
를 구하시오.

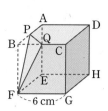

32 ●●○

오른쪽 그림과 같이 직육면체 모
양의 그릇에 물을 가득 넣은 다
음 직육면체를 기울여 물을 흘려
보냈다. 이때 남아 있는 물의 부
피를 구하시오. (단, 그릇의 두께는 무시한다.)

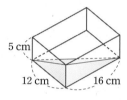

33 ●●●

다음 그림과 같이 기울인 직육면체 모양의 그릇에 물
이 담겨 있다. 이 물을 다른 직육면체 모양의 그릇에
담았을 때, h의 값을 구하시오.

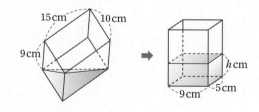

🖊 원뿔의 전개도로 겉넓이 구하기 ─────
개념북 **149**쪽

34 ●○○

오른쪽 그림과 같은 전개도로 만들어지는 입체도형의 겉넓이를 구하시오.

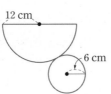

35 ●●○

다음 그림과 같은 원뿔의 전개도에서 x의 값을 구하시오.

(1) (2)

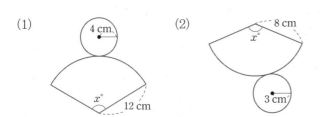

36 ●●●

오른쪽 그림과 같은 전개도로 만들어지는 원뿔의 겉넓이는?

① $127\pi \ cm^2$ ② $130\pi \ cm^2$

③ $133\pi \ cm^2$ ④ $136\pi \ cm^2$

⑤ $139\pi \ cm^2$

🖊 원뿔의 겉넓이와 부피 구하기 ─────
개념북 **149**쪽

37 ●●○

오른쪽 그림은 밑면의 반지름의 길이가 6 cm인 원뿔이다. 이 원뿔의 부피가 $120\pi \ cm^3$일 때, 높이를 구하시오.

38 ●●●

오른쪽 그림과 같은 입체도형의 겉넓이와 부피를 차례대로 구하시오.

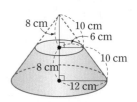

39 ●●●

오른쪽 그림과 같은 평면도형을 직선 l을 축으로 하여 1회전 시킬 때 생기는 회전체의 겉넓이와 부피를 차례대로 구하시오.

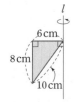

구의 겉넓이와 부피 구하기

개념북 151쪽

40 ●○○

오른쪽 그림과 같은 평면도형을 직선 l 을 회전축으로 하여 1회전 시킬 때 생기 는 입체도형의 부피는?

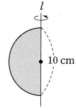

① $\dfrac{250}{3}\pi$ cm³ ② $\dfrac{500}{3}\pi$ cm³

③ $\dfrac{1000}{3}\pi$ cm³ ④ 500π cm³

⑤ 750π cm³

41 ●●○

다음 그림과 같은 두 구 A와 B의 부피의 비를 가장 간단한 자연수의 비로 나타내시오.

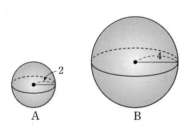

42 ●●○

겉넓이가 16π cm²인 구의 부피를 구하시오.

구의 일부를 포함하는 도형의 겉넓이와 부피 구하기

개념북 151쪽

43 ●●○

오른쪽 그림의 입체도형은 반지름의 길이가 4 cm인 구의 중심을 지나도록 구의 $\dfrac{1}{8}$을 잘라낸 것이다. 이 입체도형 의 겉넓이를 구하시오.

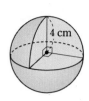

44 ●●○

오른쪽 그림은 반지름의 길이가 2 cm 인 구의 $\dfrac{1}{4}$을 잘라낸 것이다. 이 입체 도형의 부피를 구하시오.

45 ●●●

오른쪽 그림의 평면도형을 직선 l을 회 전축으로 하여 1회전 시킬 때 생기는 입체도형의 겉넓이와 부피를 차례대로 구하시오.

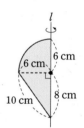

46 ●●●

오른쪽 그림과 같은 평면도형을 직선 l을 회전축으로 하여 1회전 시킬 때 생기는 입체도형의 겉넓이와 부피를 차례대로 구하시오.

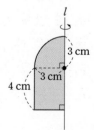

✏️ 원기둥에 내접하는 원뿔, 구의 관계

개념북 152쪽

47 ●●○

오른쪽 그림과 같이 밑면의 반지름의 길이가 2인 원기둥에 꼭 맞는 원뿔, 구가 있다. 다음 물음에 답하시오.

(1) 원뿔, 구, 원기둥의 부피를 차례대로 구하시오.

(2) 원뿔, 구, 원기둥의 부피의 비를 가장 간단한 자연수의 비로 나타내시오.

48 ●●○

오른쪽 그림과 같이 밑면의 반지름의 길이가 r인 원기둥에 꼭 맞게 구가 들어 있다. 이때 원기둥과 구의 부피의 비는?

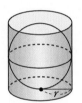

① 2 : 1   ② 3 : 1

③ 3 : 2   ④ 4 : 1

⑤ 4 : 3

49 ●●●

오른쪽 그림과 같이 4개의 구 모양의 공이 원기둥 모양의 통에 꼭 맞게 들어 있다. 통 안에 비어 있는 부분에 물을 가득 채웠을 때, 물의 부피와 공 한 개의 부피의 비를 가장 간단한 자연수의 비로 나타내시오.

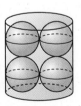

✏️ 구의 겉넓이와 부피의 활용

개념북 152쪽

50 ●●○

오른쪽 그림과 같은 입체도형의 겉넓이를 구하시오.

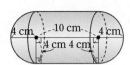

51 ●●○

지름의 길이가 14 cm인 구 모양의 메론을 오른쪽 그림과 같이 반으로 잘랐다. 껍질 부분의 두께가 1 cm로 일정하다고 할 때, 먹을 수 있는 부분의 부피를 구하시오.

52 ●●●

반지름의 길이가 9인 쇠공 한 개를 녹여 반지름의 길이가 3인 쇠공을 몇 개 만들 수 있는가?

① 3개   ② 8개   ③ 27개

④ 64개   ⑤ 81개

53 ●●●

다음 그림과 같이 밑면의 반지름의 길이가 5 cm이고 높이가 8 cm인 원기둥 모양의 그릇에 물이 $\frac{3}{4}$만큼 담겨있다. 이 원기둥 안에 반지름의 길이가 4 cm인 쇠공을 넣었을 때, 흘러 넘친 물의 부피를 구하시오.

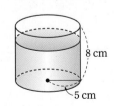

1

겉넓이가 24 cm²인 정육면체의 부피는?

① 4 cm³　　　② 6 cm³　　　③ 8 cm³
④ 10 cm³　　　⑤ 12 cm³

2

오른쪽 그림과 같은 전개도로
만들어지는 기둥의 겉넓이를
구하시오.

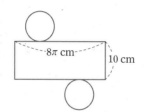

3

오른쪽 그림과 같이 직육면체에서 밑
면이 부채꼴 모양인 기둥을 잘라내고
남은 입체도형의 부피는?

① $(72-18\pi)$ cm³
② $(72-12\pi)$ cm³
③ $(36-8\pi)$ cm³
④ $(18-\pi)$ cm³
⑤ $(12-\pi)$ cm³

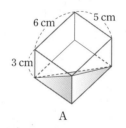

4 실력UP↗

오른쪽 그림과 같이 정육면체의 각
면의 중심을 연결하여 만든 정팔면체
의 부피가 $\dfrac{4}{3}$ cm³일 때, 이 정육면
체의 한 모서리의 길이를 구하시오.

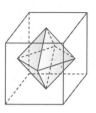

5 실력UP↗

다음 그림과 같이 직육면체 모양의 두 그릇 A와 B에
같은 양의 물이 들어 있을 때, x의 값을 구하시오.

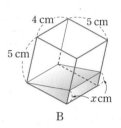

6

오른쪽 그림과 같은 전개도로 만들어지
는 원뿔의 겉넓이가 78π cm²일 때, r
의 값은?

① 5　　　② 6　　　③ 7
④ 8　　　⑤ 9

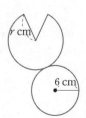

7

오른쪽 그림과 같은 직각삼각형을 직선 l을 회전축으로 하여 1회전 시킬 때 생기는 입체도형의 겉넓이를 구하시오.

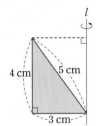

서술형

11

오른쪽 그림과 같이 원뿔 모양의 그릇에 물을 가득 담아 원기둥 모양의 그릇에 쏟아 부었다. 이때 h의 값을 구하기 위한 풀이 과정을 쓰고 답을 구하시오.

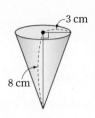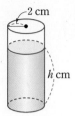

8

오른쪽 그림과 같이 밑면의 반지름의 길이가 3 cm인 원뿔을 바닥에 놓고 점 O를 중심으로 하여 굴렸더니 5번 회전하고 처음 위치로 돌아왔다. 이때 이 원뿔의 겉넓이를 구하시오.

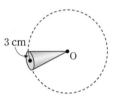

12

오른쪽 그림과 같이 한 모서리의 길이가 12 cm인 두 정육면체 모양의 그릇에 물을 가득 넣고 한쪽에는 지름의 길이가 6 cm인 구슬을 8개, 다른 한쪽에는 지름의 길이가 12 cm인 구슬을 1개 넣었다 뺐다. 이때 그릇에 남은 물의 양을 비교하기 위한 풀이 과정을 쓰고 남은 물의 양을 비교하시오.

9 실력UP↗

오른쪽 그림의 평면도형을 직선 l을 회전축으로 하여 1회전 시킬 때 생기는 회전체의 부피를 구하시오.

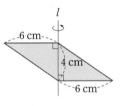

10

지름의 길이가 4 cm인 쇠구슬이 24개 있다. 이 24개의 쇠구슬을 녹여서 지름의 길이가 8 cm인 쇠구슬을 만들려고 한다. 지름의 길이가 8 cm인 쇠구슬은 모두 몇 개 만들 수 있는가?

① 1개   ② 2개   ③ 3개
④ 4개   ⑤ 5개

13

오른쪽 그림과 같이 부피가 48π cm³인 원기둥에 꼭 맞게 구 3개가 들어 있다. 이때 들어 있는 3개의 구의 겉넓이의 합을 구하기 위한 풀이 과정을 쓰고 답을 구하시오.

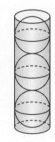

1 다음 **조건**을 모두 만족하는 입체도형은?

> 조건
>
> (가) 다면체이다.
> (나) 모든 면이 합동인 정사각형이다.
> (다) 각 꼭짓점에 모인 면의 개수는 3이다.

① 정사면체   ② 정육면체   ③ 정팔면체
④ 오각기둥   ⑤ 육각뿔대

2 다음 중 정다면체에 대하여 잘못 말한 학생은 모두 몇 명인지 구하시오.

> 지은: 정다면체는 무수히 많아.
> 창영: 정십이면체의 각 면은 정오각형이야.
> 태경: 정이십면체의 각 면은 정삼각형이야.
> 원근: 정육면체는 사각기둥이야.
> 영진: 각 면이 모두 합동인 정다각형으로 둘러싸인 입체도형을 정다면체라고 해.

3 다음 중 정육면체를 한 평면으로 자를 때 생기는 단면의 모양이 될 수 없는 것은?

① 정삼각형   ② 직사각형   ③ 오각형
④ 육각형   ⑤ 구각형

4 오른쪽 그림과 같은 전개도로 만들어지는 정다면체에 대한 다음 설명 중 옳지 않은 것은?

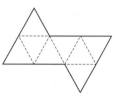

① 면은 모두 합동이다.
② 면의 개수는 8이다.
③ 꼭짓점의 개수는 8이다.
④ 모서리의 개수는 12이다.
⑤ 한 꼭짓점에 4개의 면이 모인다.

5 다음 중 원뿔대를 회전축을 포함하는 평면으로 자른 단면의 모양과 두 밑면과 평행한 평면으로 자른 단면의 모양을 차례대로 나열한 것은?

① 원, 삼각형   ② 사다리꼴, 원
③ 원, 사다리꼴   ④ 직사각형, 원
⑤ 직사각형, 사다리꼴

서술형

6 오른쪽 그림의 직사각형을 직선 l을 회전축으로 하여 1회전 시킬 때 생기는 회전체의 전개도에서 옆면이 되는 직사각형의 넓이를 구하기 위한 풀이 과정을 쓰고 답을 구하시오.

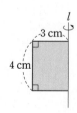

7 오른쪽 그림과 같은 전개도로 만들어지는 원뿔의 밑넓이는?

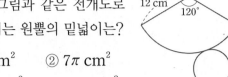

① $4\pi \text{ cm}^2$ ② $7\pi \text{ cm}^2$

③ $10\pi \text{ cm}^2$ ④ $13\pi \text{ cm}^2$

⑤ $16\pi \text{ cm}^2$

8 오른쪽 그림과 같이 속이 뚫린 원기둥의 겉넓이를 구하시오.

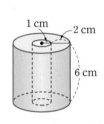

9 오른쪽 그림과 같은 직육면체를 세 꼭짓점 C, F, H를 지나는 평면으로 자를 때, 생기는 삼각뿔 C−FGH의 부피가 24 cm^3이다. 이때 x의 값은?

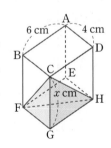

① 4   ② 5

③ 6   ④ 7   ⑤ 8

10 오른쪽 그림은 직육면체의 일부를 잘라낸 것이다. 잘라낸 입체도형의 부피와 잘라내고 남은 입체도형의 부피의 비를 가장 간단한 자연수의 비로 나타내기 위한 풀이 과정을 쓰고 답을 구하시오.

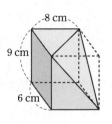

11 오른쪽 그림과 같은 입체도형의 겉넓이는?

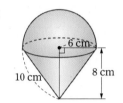

① $132\pi \text{ cm}^2$

② $168\pi \text{ cm}^2$

③ $204\pi \text{ cm}^2$

④ $240\pi \text{ cm}^2$

⑤ $276\pi \text{ cm}^2$

12 오른쪽 그림과 같이 크기가 같은 구 2개가 꼭 맞게 들어가는 원기둥의 부피가 $108\pi \text{ cm}^3$일 때, 구 한 개의 부피는?

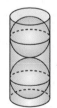

① $18\pi \text{ cm}^3$ ② $24\pi \text{ cm}^3$

③ $32\pi \text{ cm}^3$ ④ $36\pi \text{ cm}^3$

⑤ $48\pi \text{ cm}^3$

1 자료의 정리와 해석

개념적용익힘

✐ 줄기와 잎 그림의 이해
개념북 161쪽

1 •○○

다음은 강민이네 반 학생들의 키를 조사하여 나타낸 줄기와 잎 그림이다. 줄기와 잎 그림을 완성하시오.

학생들의 키

(단위 : cm)

135	142	148	162	172
138	145	153	165	165
132	148	154	168	145

학생들의 키

(13|2는 132 cm)

줄기	잎
13	2 5 8
14	2 5 5 8 8
15	
16	
17	

[02~03] 다음은 동현이네 반 학생들의 국어 성적을 조사하여 나타낸 줄기와 잎 그림이다. 물음에 답하시오.

국어 성적

(7|0은 70점)

줄기	잎
7	0 3 5 5
8	1 2 4 5 6 9
9	0 2 5 5 8

2 •○○

국어 성적이 85점 이상 95점 미만인 학생 수를 구하시오.

3 ••○

국어 성적이 83점 미만인 학생은 전체의 몇 %인지 구하시오.

✐ 두 집단에서의 줄기와 잎 그림
개념북 161쪽

4 •••○

다음은 지현이네 반 학생들의 수학 성적을 조사하여 나타낸 줄기와 잎 그림이다. 점수가 높은 쪽에서 남학생 중 8등인 학생과 여학생 중 8등인 학생의 수학 성적을 차례대로 구하시오.

수학 성적

(6|0은 60점)

잎 (남학생)	줄기	잎 (여학생)
5 2	6	0 3 8
8 5 4 3 1 1 0	7	1 2 2 3 8 9
8 7 4 2 1 0	8	0 1 4 6 7
9 7 0	9	0 5 8

[05~06] 다음은 경미네 반과 준석이네 반에서 각각 20명의 학생을 대상으로 신발 크기를 조사하여 나타낸 줄기와 잎 그림이다. 물음에 답하시오.

신발 크기

(20|4는 204 mm)

잎 (경미네 반)	줄기	잎 (준석이네 반)
4	20	
4 4	21	2 3
6 2 1	22	3 5
6 3 2 1	23	2 3 5
7 4 3 2 1	24	2 3 4
6 2 1	25	0 1 1 2 6
0	26	3 3 4
8	27	2 3

5 ••○

신발 크기가 가장 큰 학생은 어느 반에 속해 있는지 말하시오.

6 •••○

경미네 반 학생들과 준석이네 반 학생들의 신발 크기의 분포 상태를 비교하여 설명하시오.

📝 도수분포표에서의 용어 ─────
개념북 163쪽

7 ●○○

다음 설명 중 옳은 것은?

① 변량 : 각 계급에 속하는 자료의 개수
② 계급 : 변량을 일정한 간격으로 나눈 구간
③ 도수 : 자료를 수량으로 나타낸 것
④ 계급의 크기 : 계급의 개수
⑤ 도수분포표 : 주어진 자료를 몇 개의 계급으로 나누고, 각 계급의 가운데 값을 조사하여 나타낸 표

8 ●●○

다음 설명 중 옳은 것을 모두 고르면? (정답 2개)

① 한 도수분포표에서 각 계급의 크기를 필요에 따라 다르게 할 수 있다.
② 도수의 총합은 변량의 총 개수와 같다.
③ 변량을 일정한 간격으로 나눈 구간을 계급의 크기라 한다.
④ 각 계급에 속하는 변량의 개수를 도수라 한다.
⑤ 도수분포표에서 각 계급에 속하는 자료의 정확한 값을 알 수 있다.

9 ●●○

다음 ㉠, ㉡, ㉢에 들어갈 알맞은 용어를 말하시오.

변량을 일정한 간격으로 나눈 구간을 ㉠ 이라 하고, 각 ㉠ 의 양 끝 값의 차, 즉 구간의 너비를 ㉡ 라 한다. 또, 각 계급에 속하는 변량의 개수를 ㉢ 라 한다.

📝 도수분포표의 이해 ─────
개념북 163쪽

[10~13] 아래 자료는 승찬이네 반 학생들의 키를 조사하여 나타낸 것이다. 다음 물음에 답하시오.

키

(단위 : cm)

151	155	163	148	164
157	167	162	162	150
159	160	146	153	160
159	158	145	159	154
160	169	164	161	174

10 ●○○

오른쪽 도수분포표를 완성하시오.

키(cm)	학생 수(명)
145 이상 ~ 150 미만	3
150 ~ 155	4
155 ~ 160	
160 ~ 165	
	2
합계	

11 ●○○

계급의 크기를 x cm, 계급의 개수를 y개라 할 때, x, y의 값을 각각 구하시오.

12 ●●○

도수가 가장 큰 계급은?

① 150 cm 이상 155 cm 미만
② 155 cm 이상 160 cm 미만
③ 160 cm 이상 165 cm 미만
④ 165 cm 이상 170 cm 미만
⑤ 170 cm 이상 175 cm 미만

13 ●●○

키가 160 cm 미만인 학생은 몇 명인지 구하시오.

14 ●●○

오른쪽 표는 어느 반 학생 20명의 한 학기 동안 봉사 활동 시간을 조사하여 나타낸 도수분포표이다. 봉사 활동 시간이 12시간 이상인 학생은 전체의 몇 %인가?

봉사 활동 시간(시간)	학생 수(명)
0 이상 ~ 4 미만	1
4 ~ 8	3
8 ~ 12	7
12 ~ 16	5
16 ~ 20	4
합계	20

① 15 %   ② 25 %   ③ 35 %
④ 45 %   ⑤ 55 %

15 ●●○

오른쪽 표는 어느 학생들의 하루 수면 시간을 조사하여 나타낸 도수분포표이다. 수면 시간이 7시간 미만인 학생은 전체의 몇 %인지 구하시오.

수면 시간(시간)	학생 수(명)
4 이상 ~ 5 미만	1
5 ~ 6	3
6 ~ 7	A
7 ~ 8	11
8 ~ 9	8
9 ~ 10	4
합계	40

16 ●●●

오른쪽 표는 20가지의 과일의 당도를 측정하여 나타낸 도수분포표이다. 당도가 10 Brix 미만인 과일이 전체의 30 %일 때, 당도가 15 Brix 이상인 과일은 전체의 몇 %인지 구하시오.

당도(Brix)	가짓 수(가지)
0 이상 ~ 5 미만	A
5 ~ 10	4
10 ~ 15	8
15 ~ 20	5
20 ~ 25	B
합계	20

17 ●○○

다음 중 히스토그램에 대한 설명으로 옳지 <u>않은</u> 것은?

① 가로축에는 각 계급의 양 끝 값을 표시한다.
② 세로축에는 도수를 표시한다.
③ 도수의 총합을 알 수 있다.
④ 직사각형의 개수는 계급의 크기이다.
⑤ 자료의 분포 상태를 시각적으로 쉽게 알 수 있다.

[18~20] 오른쪽 그림은 태오네 반 학생들의 영어 성적을 조사하여 나타낸 히스토그램이다. 다음 물음에 답하시오.

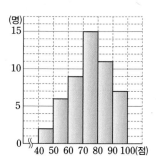

18 ●○○

도수가 가장 작은 계급을 구하시오.

19 ●○○

영어 성적이 70점 미만인 학생 수를 구하시오.

20 ●●○

영어 성적이 80점 이상인 학생은 전체의 몇 %인지 구하시오.

21 ●●○

오른쪽 그림은 어느 중학교 학생들의 일주일 동안의 TV 시청 시간을 조사하여 나타낸 히스토그램이다. 다음 중 옳지 <u>않은</u> 것은?

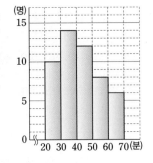

① 계급의 크기는 10분이다.

② 조사한 학생 수는 50명이다.

③ 도수가 가장 큰 계급은 30분 이상 40분 미만이다.

④ TV 시청 시간이 40분 이상 60분 미만인 학생 수는 20명이다.

⑤ TV 시청 시간이 50분 이상인 학생은 전체의 25 %이다.

22 ●●○

오른쪽 그림은 어느 야구 동아리 학생들의 50 m 달리기 기록을 조사하여 나타낸 히스토그램이다. 다음 중 옳은 것은?

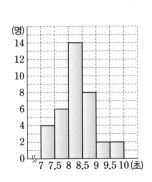

① 계급의 크기는 5초이다.

② 전체 학생 수는 30명이다.

③ 50 m 달리기 기록이 8.5초 이상 9.5초 미만인 학생 수는 10명이다.

④ 50 m 달리기 기록이 빠른 순서로 5번째인 학생이 속하는 계급은 8.5초 이상 9초 미만이다.

⑤ 50 m 달리기 기록이 8.5초 이상인 학생은 전체의 30 %이다.

✏️ **히스토그램에서의 직사각형의 넓이**

개념북 **166**쪽

23 ●●○

오른쪽 그림은 어느 학급 학생 40명이 등교하는 데 걸리는 시간을 조사하여 나타낸 히스토그램이다. 도수가 가장 큰 계급의 직사각형의 넓이는 도수가 가장 작은 계급의 직사각형의 넓이의 몇 배인지 구하시오.

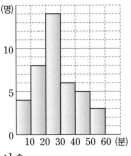

24 ●●○

오른쪽 그림은 영채네 반 학생들의 영어 듣기 시험 점수를 조사하여 나타낸 히스토그램이다. 각 직사각형의 넓이의 합을 구하시오.

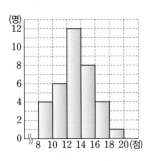

25 ●●○

오른쪽 그림은 몇 개의 국가의 연평균 강수량을 조사하여 나타낸 히스토그램이다. 두 직사각형 A, B의 넓이의 비가 2 : 1일 때, 모든 직사각형의 넓이의 합은?

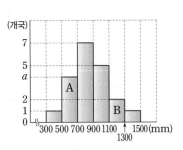

① 3200　　② 3400　　③ 3600

④ 3800　　⑤ 4000

개념북 167쪽

찢어진 히스토그램

[26~27] 오른쪽 그림은 현민이네 중학교 학생 **100명**의 **100 m** 달리기 기록을 조사하여 나타낸 히스토그램인데 일부가 찢어져 보이지 않는다. 다음 물음에 답하시오.

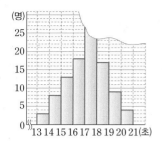

26 ●●○
100 m 달리기 기록이 17초 이상 18초 미만인 학생 수를 구하시오.

27 ●●○
100 m 달리기 기록이 18초 이상인 학생은 전체의 몇 %인지 구하시오.

28 ●●○
오른쪽 그림은 봉사부 학생들의 봉사 활동 시간을 조사하여 나타낸 히스토그램인데 일부가 찢어져 보이지 않는다. 두 직사각형 A, B의 넓이의 비가 7 : 5일 때, 봉사 활동 시간이 25시간 이상 30시간 미만인 학생 수를 구하시오.

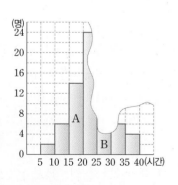

[29~30] 오른쪽 그림은 어느 농장에서 재배한 토마토의 무게를 조사하여 나타낸 히스토그램인데 일부가 훼손되어 보이지 않는다. 무게가 120 g 이상 130 g 미만인 토마토가 전체의 12.5 %일 때, 다음 물음에 답하시오.

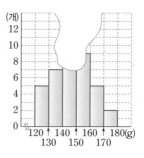

29 ●●○
재배한 토마토의 전체 개수를 구하시오.

30 ●●○
무게가 140 g 이상 150 g 미만인 토마토의 개수를 구하시오.

31 ●●●
오른쪽 그림은 어느 학급 학생 **40명**의 키를 조사하여 나타낸 히스토그램인데 일부가 찢어져 보이지 않는다. 키가 160 cm 미만인 학생이 전체의 70 %일 때, 키가 155 cm 이상 160 cm 미만인 학생 수를 구하시오.

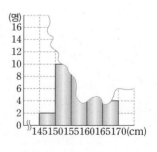

✏️ 도수분포다각형의 이해 ──────
개념북 169쪽

[32~33] 아래 그림은 준영이네 반 전체 학생들의 과학 실험 점수를 조사하여 나타낸 도수분포다각형이다. 다음 물음에 답하시오.

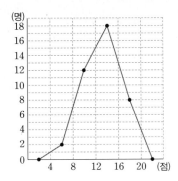

32 ●○○
전체 학생 수를 구하시오.

33 ●●○
과학 실험 점수가 12점 미만인 학생은 전체의 몇 %인지 구하시오.

[34~35] 다음은 영화 동아리 학생들이 한 달 동안 저축한 금액을 조사하여 나타낸 도수분포표와 도수분포다각형이다. 물음에 답하시오.

저축액(만 원)	학생 수(명)
1 이상 ~ 2 미만	6
2 ~ 3	A
3 ~ 4	18
4 ~ 5	B
5 ~ 6	9
합계	C

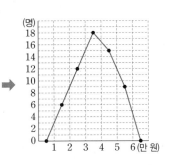

34 ●○○
A, B, C의 값을 각각 구하시오.

35 ●●○
저축을 11번째로 많이 한 학생이 속하는 계급을 구하시오.

36 ●●○
오른쪽 그림은 가정 주부들이 저녁 식사 한 끼를 준비하는 데 소요되는 시간을 조사하여 나타낸 도수분포다각형이다. 다음 중 옳지 않은 것은?

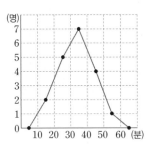

① 계급의 개수는 5개이다.
② 계급의 크기는 10분이다.
③ 조사에 응한 주부는 모두 19명이다.
④ 도수가 가장 큰 계급은 35분이다.
⑤ 저녁 식사 한 끼를 준비하는 데 소요되는 시간이 40분 이상인 주부는 5명이다.

37 ●●●
오른쪽 그림은 성민이네 반 남학생과 여학생의 몸무게를 조사하여 나타낸 도수분포다각형이다. 다음 중 옳지 않은 것은?

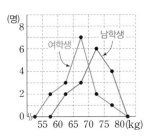

① 가장 가벼운 학생은 여학생 중에 있다.
② 남학생 수와 여학생 수는 각각 15명이다.
③ 남학생 중 도수가 가장 큰 계급은 70 kg 이상 75 kg 미만이다.
④ 각각의 그래프와 가로축으로 둘러싸인 부분의 넓이는 서로 다르다.
⑤ 대체적으로 남학생의 몸무게가 여학생의 몸무게보다 무겁다.

도수분포다각형의 넓이

개념북 169쪽

38 ●○○

오른쪽 그림은 서린이네 동네에서 쓰레기를 분류 배출하는 날 30가구에서 내놓은 폐지의 무게를 조사하여 나타낸 도수분포다각형이다. 6개의 삼각형 A, B, C, D, E, F 중에서 넓이가 같은 것끼리 짝지은 것은?

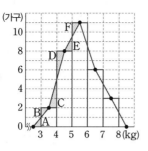

① A와 C   ② B와 C   ③ B와 E

④ C와 D   ⑤ D와 F

39 ●●○

오른쪽 그림은 어느 학급 학생들의 몸무게를 조사하여 나타낸 히스토그램과 도수분포다각형이다. 히스토그램의 직사각형의 넓이의 합을 A, 도수분포다각형과 가로축으로 둘러싸인 부분의 넓이를 B라 할 때, 다음 중 옳은 것은?

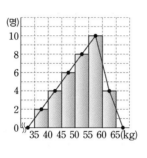

① $A < B$ ② $A > B$ ③ $A = B$

④ $A \geq B$ ⑤ $A \leq B$

40 ●●○

오른쪽 그림은 다예네 반 학생들의 한 달 동안 패스트푸드점 방문 횟수를 조사하여 나타낸 도수분포다각형이다. 도수분포다각형과 가로축으로 둘러싸인 부분의 넓이를 구하시오.

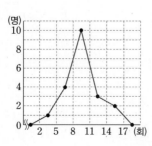

찢어진 도수분포다각형

개념북 170쪽

41 ●○○

오른쪽 그림은 은지네 학교 야구팀 선수 45명의 홈런의 개수를 조사하여 나타낸 도수분포다각형인데 일부가 훼손되어 보이지 않는다. 홈런의 개수가 25개 이상 30개 미만인 선수의 수를 구하시오.

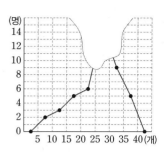

42 ●●○

오른쪽 그림은 세리네 반 여학생 35명의 오래 매달리기 기록을 조사하여 나타낸 도수분포다각형인데 일부가 찢어져 보이지 않는다. 다음 중 옳은 것을 모두 고르면?

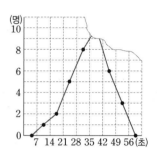

(정답 2개)

① 계급의 개수는 7개이다.

② 기록이 35초인 학생이 속한 계급의 도수는 11명이다.

③ 도수가 가장 큰 계급은 39초이다.

④ 기록이 14초 이상 28초 미만인 학생은 전체의 20 %이다.

⑤ 기록이 42초 이상인 학생은 6명이다.

43 ●●●

오른쪽 그림은 호연이네 반 학생 25명의 일주일 동안 달리기를 한 거리를 조사하여 나타낸 도수분포다각형인데 일부가 찢어져 보이지 않는다. 달리기를 한 거리가 20 km 이상 25 km 미만인 학생 수가 25 km 이상 30 km 미만인 학생 수보다 5명이 많을 때, 달리기를 한 거리가 20 km 이상 25 km 미만인 학생 수를 구하시오.

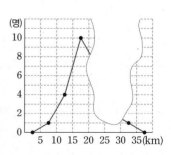

✎ 상대도수

개념북 **172**쪽

44 ••○

A, B 두 학교의 학생 수가 오른쪽 표와 같을 때, A, B 두 학교 중 여학생의 비율이 더 높은 학교를 말하시오.

	A 학교	B 학교
남학생 수(명)	260	318
여학생 수(명)	240	282

[45~46] 아래 표는 준기네 학급의 남학생과 여학생의 수학 성적을 조사하여 나타낸 도수분포표이다. 다음 물음에 답하시오.

수학 성적(점)	남학생 수(명)	여학생 수(명)
50 ^{이상} ~ 60 ^{미만}	6	2
60 ~ 70	9	4
70 ~ 80	10	8
80 ~ 90	3	5
90 ~ 100	2	1
합계	30	20

45 ••○

수학 성적이 80점 이상 90점 미만인 남학생과 여학생의 상대도수를 차례대로 구하시오.

46 ••○

수학 성적이 70점 이상 80점 미만인 학생은 남학생과 여학생 중 어느 쪽의 비율이 더 높은지 말하시오.

✎ 상대도수, 도수, 도수의 총합

개념북 **172**쪽

47 •○○

전체 학생 수가 60명이고 어떤 계급의 상대도수가 0.55일 때, 이 계급의 학생 수를 구하시오.

48 •○○

소현이네 반 학생들의 몸무게를 조사하였더니 도수가 8명인 계급의 상대도수가 0.25였다. 소현이네 반 전체 학생 수를 구하시오.

49 ••○

어느 상대도수의 분포표에서 도수가 5인 계급의 상대도수는 0.1이다. 상대도수가 0.4인 계급의 도수는?

① 10 ② 15 ③ 20
④ 25 ⑤ 30

50 •••

어느 상대도수의 분포표에서 도수가 9인 계급의 상대도수는 0.3이다. 도수가 12인 계급의 상대도수는 x이고, 도수가 y인 계급의 상대도수는 0.2일 때, $x+y$의 값은?

① 6.2 ② 6.4 ③ 6.6
④ 6.8 ⑤ 7.0

[51~52] 아래 표는 **M** 중학교 농구부 학생들의 앉은키를 조사하여 나타낸 상대도수의 분포표이다. 다음 물음에 답하시오.

앉은키 (cm)	학생 수 (명)	상대도수
75 이상 ~ 77 미만	2	0.04
77 ~ 79	4	0.08
79 ~ 81	A	0.28
81 ~ 83	16	C
83 ~ 85	12	0.24
85 ~ 87	2	0.04
합계	B	D

51 ●○○

A, B, C, D에 알맞은 수를 각각 구하시오.

52 ●●○

앉은키가 81 cm 이상인 학생은 전체의 몇 %인지 구하시오.

[53~54] 오른쪽 표는 희재네 반 학생 **30명**의 일주일 동안의 인터넷 강의 시청 시간을 조사하여 나타낸 상대도수의 분포표이다. 다음 물음에 답하시오.

강의 시청 시간 (시간)	상대도수
2 이상 ~ 3 미만	A
3 ~ 4	B
4 ~ 5	0.3
5 ~ 6	0.3
6 ~ 7	0.1
합계	C

53 ●●○

인터넷 강의 시청 시간이 4시간 이상 5시간 미만인 학생 수를 구하시오.

54 ●●○

인터넷 강의 시청 시간이 2시간 이상 3시간 미만인 학생이 3명일 때, A, B, C의 값을 각각 구하시오.

55 ●●○

다음은 어느 학급 학생의 수학 성적을 조사하여 나타낸 상대도수의 분포표인데 일부가 찢어져 보이지 않는다. 수학 성적이 65점 이상 75점 미만인 계급의 상대도수를 구하시오.

수학 성적 (점)	학생 수 (명)	상대도수
55 이상 ~ 65 미만	2	0.1
65 ~ 75	4	
75 ~ 85		

56 ●●○

다음은 수영이네 반 학생들의 영어 성적을 조사하여 나타낸 상대도수의 분포표인데 일부가 찢어져 보이지 않는다. 영어 성적이 60점 이상 80점 미만인 학생이 전체의 60 %일 때, 영어 성적이 70점 이상 80점 미만인 학생 수를 구하시오.

영어 성적 (점)	학생 수 (명)	상대도수
40 이상 ~ 50 미만	2	0.05
50 ~ 60	4	
60 ~ 70	10	
70 ~ 80		

57 ●●●

다음은 어느 중학교 학생들이 지난 일주일간 소셜 네트워크 서비스(SNS)에 올린 글의 수를 조사하여 나타낸 상대도수의 분포표인데 일부가 찢어져 보이지 않는다. SNS에 올린 글의 수가 30건 이상인 학생이 전체의 10 %일 때, SNS에 올린 글의 수가 10건 이상 30건 미만인 학생 수를 구하시오.

SNS에 올린 글의 수 (건)	학생 수 (명)	상대도수
0 이상 ~ 10 미만	130	0.65
10 ~ 20		
20 ~ 30		

✏️ 전체 도수가 다른 두 집단의 상대도수 <small>개념북 175쪽</small>

[58~59] 아래 표는 어느 중학교 1학년 학생 200명과 3학년 학생 300명의 키를 조사하여 나타낸 상대도수의 분포표이다. 다음 물음에 답하시오.

키 (cm)	상대도수	
	1학년	3학년
$130^{이상} \sim 140^{미만}$	0.04	0
$140 \sim 150$	0.15	0.12
$150 \sim 160$	0.33	A
$160 \sim 170$	0.42	0.42
$170 \sim 180$	0.06	B
$180 \sim 190$	0	0.04
합계	1	1

58 ••○

키가 140 cm 이상 150 cm 미만인 계급의 학생 수는 1학년과 3학년 중 어느 학년이 몇 명 더 많은지 구하시오.

59 ••○

키가 150 cm 이상 160 cm 미만인 계급의 학생 수는 두 학년이 같다. 이때 A, B의 값을 각각 구하시오.

60 ••○

오른쪽 표는 어느 중학교의 남학생과 여학생의 수학 성적을 조사하여 나타낸 도수분포표이다. 다음 중 옳지 <u>않은</u> 것은?

수학 성적 (점)	학생 수 (명)	
	남학생	여학생
$60^{이상} \sim 70^{미만}$	4	4
$70 \sim 80$	11	7
$80 \sim 90$	16	27
$90 \sim 100$	9	22
합계	40	60

① 수학 성적이 90점 이상인 학생은 전체의 31 %이다.

② 수학 성적이 70점 미만인 학생의 비율은 남학생이 더 높다.

③ 대체로 여학생의 수학 성적이 남학생의 수학 성적보다 높다.

④ 수학 성적이 80점 이상 90점 미만인 학생의 비율은 남학생이 더 높다.

⑤ 수학 성적이 70점 이상 80점 미만인 계급의 상대도수는 남학생이 여학생보다 더 높다.

61 ••○

학생 수의 비가 3 : 4인 A 학교와 B 학교의 학생들의 윗몸일으키기 횟수를 조사하였다. 어떤 계급의 학생 수의 비가 6 : 5일 때, 이 계급의 상대도수의 비를 가장 간단한 자연수의 비로 나타내시오.

62 •••

A, B 두 학교의 전체 학생 수는 각각 300명, 500명이다. 각 학교의 중간고사 체육 성적이 90점 이상인 계급의 상대도수가 각각 0.16, 0.18일 때, A 학교와 B 학교 전체에서 체육 성적이 90점 이상인 계급의 상대도수는?

① 0.17　　　　② 0.1725　　　　③ 0.175

④ 0.1775　　　　⑤ 0.18

개념북 177쪽

상대도수의 분포를 나타낸 그래프의 이해

[63~64] 오른쪽 그림은 정민이네 반 학생 40명의 하루 텔레비전 시청 시간에 대한 상대도수의 분포를 나타낸 그래프이다. 다음 물음에 답하시오.

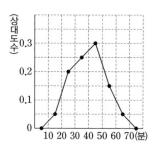

63 ●○○

하루 텔레비전 시청 시간이 40분 이상 50분 미만인 계급의 도수를 구하시오.

64 ●○○

하루 텔레비전 시청 시간이 30분 이상 40분 미만인 학생은 몇 명인지 구하시오.

[65~66] 오른쪽 그림은 도빈이네 중학교 합창단 학생들의 몸무게에 대한 상대도수의 분포를 나타낸 그래프이다. 다음 물음에 답하시오.

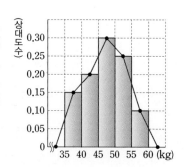

65 ●●○

몸무게가 50 kg 이상인 학생은 전체의 몇 %인지 구하시오.

66 ●●○

몸무게가 40 kg 이상 45 kg 미만인 학생이 4명일 때, 전체 학생 수를 구하시오.

67 ●●○

오른쪽 그림은 어느 지역에서 일별로 측정한 봄철 기온에 대한 상대도수의 분포를 나타낸 그래프이다. 상대도수가 가장 큰 계급의 도수가 15일일 때, 기온이 22 ℃ 이상 24 ℃ 미만인 계급의 도수를 구하시오.

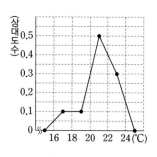

68 ●●○

오른쪽 그림은 어느 반 학생 50명의 수학 성적에 대한 상대도수의 분포를 나타낸 그래프인데 일부분이 훼손되어 보이지 않는다. 수학 성적이 80점 이상 90점 미만인 학생 수는?

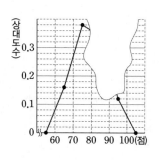

① 15명 ② 17명 ③ 19명
④ 21명 ⑤ 23명

전체 도수가 다른 두 집단의 비교 ── 개념북 **177**쪽

69 ●●○

오른쪽 그림은 A 중학교 학생과 B 중학교 학생의 1500 m 달리기 기록에 대한 상대도수의 분포를 나타낸 그래프이다. 다음 중 옳지 <u>않은</u> 것은?

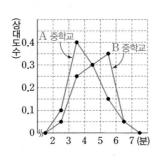

① A 중학교의 한 학생의 기록이 3분이라면 이 학생은 비교적 잘 달린 것이라 할 수 있다.

② A 중학교의 전체 학생 수가 100명이라면 4분 이상 5분 미만인 계급에 속하는 학생은 30명이다.

③ B 중학교에서 도수가 가장 큰 계급은 5분이상 6분 미만이다.

④ A 중학교 학생의 기록이 B 중학교 학생의 기록보다 대체로 좋은 편이다.

⑤ B 중학교 학생 중 3분 미만의 기록을 가진 학생은 전체의 10 %이다.

70 ●●○

아래 그림은 D 중학교 1학년 1반과 2반 학생들의 등교 시각에 대한 상대도수의 분포를 나타낸 그래프이다. 등교 시각이 7시 30분 미만인 학생은 반에서 전체의 몇 %인지 각각 구하고, 어느 반 학생들이 대체로 일찍 등교하는지 말하시오.

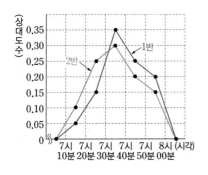

71 ●●○

오른쪽 그림은 A, B 두 지역 학생들의 수학 성적에 대한 상대도수의 분포를 나타낸 그래프이다. A, B 두 지역 중 어느 쪽의 수학 성적의 평균이 더 높은지 판단하고 그 이유를 말하시오.

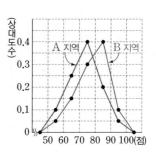

[72~74] 오른쪽 그림은 어느 중학교 1학년 남학생과 여학생의 100 m 달리기 기록에 대한 상대도수의 분포를 나타낸 그래프이다. 다음 물음에 답하시오.

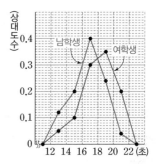

72 ●●○

여학생 중에서 도수가 가장 큰 계급을 구하시오.

73 ●●○

남학생 중에서 기록이 12초 이상 14초 미만인 학생 수가 12명일 때, 전체 남학생 수를 구하시오.

74 ●●○

남학생과 여학생 중 어느 쪽의 기록이 대체로 더 좋은지 말하시오.

1

오른쪽 그림은 성오네 모둠 학생들의 체육 시간에 실시한 훌라후프 횟수를 조사하여 나타낸 줄기와 잎 그림이다. 훌라후프 횟수가 25회 미만인 학생은 전체의 몇 %인가?

훌라후프 횟수

(0|3은 3회)

줄기	잎
0	0 3 5
1	4 6
2	4 7 8
3	5 5 8 9

① 45 % ② 50 % ③ 55 %

④ 60 % ⑤ 65 %

2

오른쪽 표는 지수네 반 학생들의 몸무게를 조사하여 나타낸 도수분포표이다. 다음 설명 중 옳은 것은?

몸무게(kg)	학생 수(명)
35 이상 ~ 40 미만	3
40 ~ 45	A
45 ~ 50	9
50 ~ 55	4
55 ~ 60	3
60 ~ 65	1
합계	32

① 계급의 개수는 5개이다.

② 계급의 크기는 6 kg이다.

③ A의 값은 10이다.

④ 몸무게가 가장 많이 나가는 학생은 65 kg이다.

⑤ 몸무게가 50 kg 이상인 학생은 전체의 25 %이다.

[3~4] 오른쪽 그림은 동은이네 반 학생들의 100 m 달리기 기록을 조사하여 나타낸 히스토그램이다. 다음 물음에 답하시오.

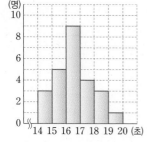

3

기록이 좋은 쪽에서 여섯 번째인 학생이 속하는 계급의 도수는?

① 1명 ② 3명 ③ 4명

④ 5명 ⑤ 9명

4

도수가 가장 큰 계급의 직사각형의 넓이와 기록이 18초 이상 19초 미만인 계급의 직사각형의 넓이의 합을 구하시오.

5

오른쪽 그림은 상민이네 반 남학생의 수학 수행평가 점수를 조사하여 나타낸 히스토그램과 도수분포다각형이다. 도수분포다각형과 가로축으로 둘러싸인 부분의 넓이는?

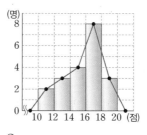

① 38 ② 39 ③ 40

④ 41 ⑤ 42

6

다음 표는 지연이네 반 전체 학생들의 점심 식사 시간을 조사하여 나타낸 상대도수의 분포표이다. A, B, C, D, E의 값으로 옳지 않은 것은?

식사 시간(분)	학생 수(명)	상대도수
10 이상 ~ 15 미만	A	0.25
15 ~ 20	6	B
20 ~ 25	C	0.35
25 ~ 30	8	0.2
30 ~ 35	2	D
합계		E

① A=10 ② B=0.15 ③ C=14

④ D=0.05 ⑤ E=0.99

7 실력UP↑

오른쪽 그림은 IMO(국제수학올림피아드)의 성적에 대한 상대도수의 분포를 나타낸 그래프인데 일부가 찢어져 보이지 않는다. 성적이 50점

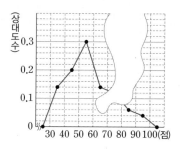

미만인 학생 수가 340명일 때, 100등 이내에 들려면 최소 몇 점 이상이어야 하는가?

① 50점 ② 60점 ③ 70점
④ 80점 ⑤ 90점

8

오른쪽 그림은 재혁이네 반 학생 30명과 준렬이네 반 학생 40명의 하루 평균 인터넷 이용 시간에 대한 상대도수의 분포를 나타낸 그래프이다. 다음 설명 중 옳지 않은 것은?

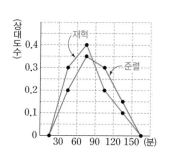

① 계급의 크기는 두 반 모두 30분이다.
② 인터넷 이용 시간이 2시간 이상인 학생의 비율은 준렬이네 반이 더 높다.
③ 인터넷 이용 시간이 90분 이상 120분 미만인 학생은 재혁이네 반은 전체의 20 %, 준렬이네 반은 전체의 30 %이다.
④ 각각의 상대도수의 그래프와 가로축으로 이루어진 다각형의 넓이는 서로 다르다.
⑤ 재혁이네 반의 인터넷 이용 시간이 30분 이상 60분 미만인 학생 수는 9명이다.

9

오른쪽 표는 박람회에 참여한 사람들의 나이를 조사하여 만든 도수분포표이다. 25세 미만인 사람이 30세 이상인 사람보다 32명 더 많이 참석했을 때, 25세 이

나이(세)	사람 수(명)
15 이상 ~ 20 미만	18
20 ~ 25	36
25 ~ 30	24
30 ~ 35	
35 ~ 40	9
합계	

상 35세 미만인 사람은 전체의 몇 %인지 구하기 위한 풀이 과정을 쓰고 답을 구하시오.

10

오른쪽 그림은 어느 해 우리나라에서 발생한 지진의 규모에 대한 상대도수의 분포를 나타낸 그래프이다. 도수가 가장 큰 계급의 도수가 12회일 때,

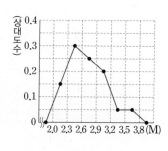

규모가 3.5 M 이상 3.8 M 미만인 지진이 일어난 횟수를 구하기 위한 풀이 과정을 쓰고 답을 구하시오.

1 다음 그림은 슬기네 반 남학생과 여학생의 멀리 뛰기 기록을 조사하여 나타낸 줄기와 잎 그림이다. 남학생 중에서 기록이 다섯 번째로 좋은 학생과 여학생 중에서 기록이 네 번째로 안 좋은 학생의 기록의 차를 구하시오.

멀리뛰기 기록

(12|2는 122 cm)

잎 (남학생)	줄기	잎 (여학생)
9 8 5	12	2 3 7
9 8 7 6 0	13	0 2 2
5 3 2 1	14	0 4 4 5
8 2	15	0 1 7
4	16	1

2 오른쪽 표는 미현이네 반 학생 25명의 수학 서술형 점수를 조사하여 나타낸 도수분포표이다. 다음 중 옳지 않은 것은?

점수(점)	학생 수(명)
0 이상 ~ 4 미만	5
4 ~ 8	4
8 ~ 12	9
12 ~ 16	A
16 ~ 20	3
합계	25

① A의 값은 4이다.
② 계급의 크기는 4점, 계급의 개수는 5개이다.
③ 도수가 가장 큰 계급은 8점 이상 12점 미만이다.
④ 점수가 12점 이상인 학생은 전체의 28 %이다.
⑤ 점수가 8번째로 높은 학생이 속하는 계급의 도수는 4명이다.

서술형
3 오른쪽 그림은 용준이네 반 학생들의 영어 성적을 조사하여 나타낸 히스토그램이다. 영어 성적이 80점 이상인 학생은 전체의 몇 %인지 구하기 위한 풀이 과정을 쓰고 답을 구하시오.

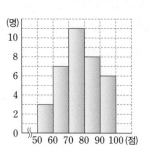

4 오른쪽 그림은 승리네 반 남학생과 여학생의 100 m 달리기 기록을 조사하여 나타낸 도수분포다각형이다. 다음 중 옳지 않은 것을 모두 고르면? (정답 2개)

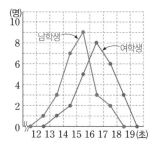

① 남학생이 여학생보다 많다.
② 각각의 도수분포다각형과 가로축으로 둘러싸인 부분의 넓이는 서로 같다.
③ 여학생의 기록이 대체로 남학생의 기록보다 좋은 편이다.
④ 남학생 중에서 도수가 가장 큰 계급은 15초 이상 16초 미만이다.
⑤ 여학생 중에서 기록이 좋은 쪽에서 6번째인 학생이 속하는 계급은 15초 이상 16초 미만이다.

[5~6] 오른쪽 표는 중학교 1학년 학생들을 대상으로 어떤 시 한 편의 암기 소요 시간을 조사하여 나타낸 상대도수의 분포표이다. 다음 물음에 답하시오.

소요 시간 (분)	상대도수
10 이상 ~ 20 미만	0.10
20 ~ 30	0.30
30 ~ 40	
40 ~ 50	0.15
50 ~ 60	0.05
합계	

5 소요 시간이 30분 이상 40분 미만인 계급의 상대도수는?

① 0.30 ② 0.35 ③ 0.40
④ 0.45 ⑤ 0.50

6 소요 시간이 50분 이상 60분 미만인 계급의 도수가 1명일 때, 소요 시간이 40분 미만인 학생 수를 구하시오.

빠른 정답 찾기

26 $(81\pi-162)$ cm^3 **27** ③　　**28** 48 cm^3

29 ④　　**30** 36 cm^3 **31** 207 cm^3

32 160 cm^3　　　**33** 5

34 108π cm^2　　**35** (1) 120　(2) 135

36 ③　　**37** 10 cm

38 360π cm^2, 672π cm^3

39 192π cm^2, 192π cm^3　　**40** ②

41 1 : 8　**42** $\dfrac{32}{3}\pi$ cm^3

43 68π cm^2　　**44** 8π cm^3

45 132π cm^2, 240π cm^3

46 51π cm^2, 54π cm^3

47 (1) $\dfrac{16}{3}\pi$, $\dfrac{32}{3}\pi$, 16π　(2) 1 : 2 : 3

48 ③　　**49** 8 : 1　**50** 144π cm^2

51 144π cm^3　　**52** ③

53 $\dfrac{106}{3}\pi$ cm^3

개념완성익힘　　　익힘북 78~79쪽

1 ③　　　**2** 112π cm^2　　　**3** ①

4 2 cm　**5** $\dfrac{3}{2}$　**6** ③

7 48π cm^2　　　**8** 54π cm^2

9 84π cm^3　　**10** ③　　**11** 6

12 남은 물의 양은 같다. **13** 48π cm^2

대단원 마무리　　　익힘북 80~81쪽

1 ②　　**2** 2명　**3** ⑤　　**4** ③

5 ②　　**6** 24π cm^2　　**7** ⑤

8 64π cm^2　　**9** ③　　**10** 1 : 5

11 ①　　**12** ④

Ⅳ 통계

1 자료의 정리와 해석

개념적용익힘　　　익힘북 82~93쪽

1 3, 4 / 2, 5, 5, 8 / 2　　　**2** 5명

3 40 %　**4** 81점, 80점

5 경미네 반　　　**6** 풀이 참조

7 ②　　**8** ②, ④

9 ㉠ 계급　㉡ 계급의 크기　㉢ 도수

10 풀이 참조　　　**11** $x=5$, $y=6$

12 ③　　**13** 13명　**14** ④　　**15** 42.5 %

16 30 %　**17** ④

18 40점 이상 50점 미만

19 17명　**20** 36 %　**21** ⑤　　**22** ③

23 $\dfrac{14}{3}$배　**24** 70　**25** ⑤　　**26** 28명

27 30 %　**28** 10명　**29** 40개　**30** 12개

31 16명　**32** 40명　**33** 35 %

34 $A=12$, $B=15$, $C=60$

35 4만 원 이상 5만 원 미만　　　**36** ④

37 ④　　**38** ④　　**39** ③　　**40** 60

41 15명　**42** ①, ④　**43** 7명　　**44** A 학교

45 0.1, 0.25　　　**46** 여학생　**47** 33명

48 32명　**49** ③　　**50** ②

51 $A=14$, $B=50$, $C=0.32$, $D=1$

52 60 %　**53** 9명

54 $A=0.1$, $B=0.2$, $C=1$　　**55** 0.2

56 14명　**57** 50명

58 3학년이 6명 더 많다.

59 $A=0.22$, $B=0.2$　　　**60** ④

61 8 : 5　**62** ②　　**63** 12명　**64** 10명

65 35 %　**66** 20명　**67** 9일　**68** ②

69 ⑤　　**70** 1반 : 20 %, 2반 : 35 %, 2반

71 풀이 참조

72 18초 이상 20초 미만　　　**73** 100명

74 남학생

개념완성익힘　　　익힘북 94~95쪽

1 ②　　**2** ⑤　　**3** ④　　**4** 12

5 ③　　**6** ⑤　　**7** ④　　**8** ④

9 37 %　**10** 2회

대단원 마무리　　　익힘북 96쪽

1 13 cm　**2** ⑤　　**3** 40 %　**4** ①, ③

5 ③　　**6** 16명

Ⅱ 평면도형

1 다각형의 성질

1 ⑤   **2** ③, ⑤   **3** ③

4 (1) ×   (2) ×   (3) ○   **5** ④, ⑤

6 정십각형   **7** 125°   **8** 95°

9 70°   **10** $\angle x=60°$, $\angle y=75°$

11 ④   **12** 12   **13** 11   **14** 5

15 ②   **16** 정팔각형   **17** ②

18 ④   **19** ④

20 (1) 20   (2) 65   (3) 90   **21** ①

22 ②   **23** 십칠각형   **24** ③

25 11   **26** 30°

27 $\angle x=50°$, $\angle y=40°$ **28** ④

29 100°   **30** 90°   **31** 40°   **32** 90°

33 80°

34 (1) 105°   (2) 65°   (3) 65°   (4) 85°

35 (1) 40°   (2) 25°   **36** ④   **37** ④

38 (1) 135°   (2) 120°   (3) 113°   (4) 150°

39 ③   **40** ④   **41** ④   **42** ③

43 58°   **44** ③   **45** ①   **46** 35°

47 ③   **48** 90°   **49** 40°   **50** ①

51 40°   **52** 156°   **53** 0°   **54** ④

55 (1) 85°   (2) 130°   **56** (1) 60°   (2) 102°

57 14   **58** (1) 140°   (2) 156°

59 (1) 정육각형   (2) 정팔각형   **60** ②

61 ④   **62** ④   **63** 35°   **64** 150°

65 36°   **66** 360°   **67** 90°   **68** 90°

69 ④   **70** 정삼각형   **71** 30°

72 ②   **73** ③   **74** 670°   **75** 360°

76 ②   **77** ②   **78** ④

1 ②, ④   **2** 15   **3** ②   **4** ②

5 ④   **6** 99°   **7** ⑤   **8** ②

9 ⑤   **10** 19°   **11** 58°   **12** 135

2 원과 부채꼴

1 (1) $\overline{OA}$, $\overline{OB}$, $\overline{OE}$ (2) $\overline{AB}$ (3) $\overparen{CD}$

   (4) $\angle BOE$ (5) $\overline{AE}$

2 ①   **3** ④   **4** ④, ⑤   **5** ④

6 ⑤   **7** (1) 80°   (2) 45°   **8** ③

9 ③   **10** (1) 3   (2) 90   **11** $\dfrac{4}{3}$ cm²

12 144°, 20 cm²   **13** ②   **14** 6배

15 1 : 2

16 (1) 50°   (2) 80°   (3) 50°   (4) 16 cm

17 ②   **18** 100 cm   **19** 7 cm

20 (1) 22π cm   (2) 121π cm²

21 (1) 4 cm   (2) 12 cm

22 25π cm²

23 (1) 20π cm   (2) 50π cm²   **24** ⑤

25 16π cm, 32π cm²   **26** ②   **27** ④

28 ④   **29** 4π cm   **30** $\dfrac{55}{4}\pi$ cm²

31 $\dfrac{28}{3}\pi$ cm²   **32** $10\pi+10$

33 (1) $(6\pi+12)$ cm, 18π cm²

   (2) $(5\pi+20)$ cm, $(100-25\pi)$ cm²

   (3) 12π cm, $(72\pi-144)$ cm²

   (4) 9π cm, $(9\pi-18)$ cm²

34 ②

35 (1) 40π cm, $(200\pi-400)$ cm²

   (2) $(8\pi+32)$ cm, $(192-32\pi)$ cm²

36 ④   **37** $\dfrac{16}{3}\pi$ cm

38 $(20\pi+80)$ cm   **39** 2 cm

40 $(4\pi+36)$ cm²   **41** ⑤

42 $(216\pi+432)$ cm²

43 $\dfrac{113}{2}\pi$ m²

1 ⑤   **2** 7 cm²   **3** ②   **4** 100°

5 11 : 7   **6** ④   **7** $\dfrac{25}{6}\pi$ **8** ④

9 ③   **10** $\dfrac{13}{4}\pi$ cm²   **11** 40

12 $14\pi+18$ **13** $(8\pi-16)$ cm²

1 ②   **2** ④, ⑤   **3** ④   **4** 60°

5 ③   **6** $(10\pi+20)$ cm, 50 cm²

7 $(4\pi+32)$ cm, $(4\pi+32)$ cm²

Ⅲ 입체도형

1 다면체와 회전체

1 ㄱ, ㄹ, ㅁ   **2** ㄱ, ㄷ, ㄹ

3 ⑤   **4** ④

5 (1) 직사각형, 오면체   (2) 삼각형, 육면체

   (3) 사다리꼴, 육면체

6 ④   **7** ④   **8** ㄱ, ㅁ, ㅂ

9 2   **10** ④   **11** ④   **12** ②

13 삼각뿔대   **14** 오각기둥

15 25   **16** ④   **17** ④

18 풀이 참조   **19** 정십이면체

20 정팔면체   **21** 정이십면체

22 3

23 (1) $\overline{DE}$ (2) 면 NKHC   (3) 점 E, 점 M

24 (1) 정팔면체   (2) $\overline{EF}$ **25** 5

26 ⑤   **27** ④   **28** ③

29 ㄷ, ㅁ, ㅅ, ㅈ   **30** ①

31 ㄱ, ㅁ, ㅂ   **32** ⑤   **33** ③

34 ⑤   **35** ④   **36** ①, ③, ④

37 ⑤   **38** ④   **39** ①   **40** ④

41 16 cm²   **42** 160 cm²

43 ⑤   **44** ④, ⑤   **45** ④   **46** ①

47 ⑤   **48** ⑤   **49** ⑤   **50** ③

51 전개도는 풀이 참조, 36 cm²

1 ④, ⑤   **2** ②, ⑤   **3** 정십이면체

4 정이십면체   **5** 정육면체

6 ③   **7** ㄱ, ㄴ, ㄷ   **8** 60°

9 ②, ③,   **10** ②   **11** ③   **12** 5

13 구각형   **14** (1) 14π cm   (2) 28 cm²

15 8π cm²

2 입체도형의 겉넓이와 부피

1 (1) 52 cm²   (2) 224 cm²

2 120 cm²   **3** 272 cm²

4 104 cm²

5 (1) 160 cm³   (2) 168 cm³

6 375 cm³   **7** ①

8 120 cm³   **9** 6 cm

10 10 cm   **11** 7 cm   **12** 13 cm   **13** 4

14 6 cm

15 (1) 6π (2) 30π cm²   (3) 48π cm²

16 216π cm², 432π cm³

17 450π cm³   **18** 15 cm   **19** 9 cm

20 16 cm   **21** 90π cm², 90π cm³

22 64 cm², 24 cm³   **23** 100π cm³

24 126 cm²   **25** 24π cm³

기본 문제 개념북 59~60쪽

1 ③ 2 ④ 3 ⑤ 4 ①
5 ㉡→㉢→㉠ 6 ㄷ, ㅁ 7 ④
8 ③ 9 ② 10 SAS 합동
11 ② 12 ④

발전 문제 개념북 61~62쪽

1 ㉮, ㉡, ㉲, ㉺ 2 ④ 3 ③
4 ① 5 4 cm²
6 ① 9, $(x+2)+7$, $x>0$
② $x+2$, $7+9$, $x<14$
③ $0<x<14$
7 ① △ABE≡△ADC(SAS 합동) ② $\overline{DC}$

II 평면도형

1 다각형의 성질

개념1 다각형 개념북 66쪽

1 ①, ④ 2 105°

개념적용 개념북 67쪽

1 ①, ② 1-1 ③, ④
2 ③, ⑤ 2-1 ㄱ, ㄷ
3 (1) ∠CBF (2) 115°
3-1 (1) 130° (2) 100° 3-2 ③ 3-3 ①

개념2 다각형의 대각선 개념북 69쪽

1 (위부터 차례로) 3, 3, 3, 4, 3, 9, 7, 4, 14

개념적용 개념북 70쪽

1 (1) 7 (2) 17 1-1 ⑤
2 ④ 2-1 ④ 2-2 23
3 65 3-1 9번
4 ④ 4-1 정십이각형

개념3 삼각형의 내각과 외각의 성질 개념북 72쪽

1 30° 2 (1) 75° (2) 77°

개념적용 개념북 73쪽

1 65° 1-1 (1) 70° (2) 122°
2 ③ 2-1 55°
3 (1) 50° (2) 15°
3-1 (1) 30° (2) 60° 3-2 ④ 3-3 85°
4 95° 4-1 (1) 145° (2) 70°
5 (1) 90° (2) 45° (3) 135° 5-1 50°
6 95° 6-1 ② 6-2 ①
7 ③ 7-1 ②
8 15° 8-1 ②

개념4 다각형의 내각의 크기 개념북 78쪽

1 (1) 3 (2) 3, 180°, 3, 540° (3) 540°, 108°

개념적용 개념북 79쪽

1 (1) 360° (2) 1080°
1-1 ④ 1-2 140°

2 (1) 120° (2) 135° (3) 144°
2-1 정구각형
3 36° 3-1 90°
3-2 ④ 3-3 107.5°

개념5 다각형의 외각의 크기 개념북 81쪽

1 (1) 180° (2) 5, 900° (3) 180°, 540°
(4) 900°, 540°, 360° (5) 360°, 72°

개념적용 개념북 82쪽

1 (1) 77° (2) 65° 1-1 137°
2 정십각형 2-1 ① 2-2 54

개념6 다각형의 내각과 외각의 활용 개념북 83쪽

1 310°

개념적용 개념북 84쪽

1 75°
1-1 ② 1-2 ① 1-3 ④
2 (1) 360° (2) 540°
2-1 65° 2-2 195° 2-3 ③

기본 문제 개념북 88~89쪽

1 ②, ⑤ 2 풀이 참조
3 ∠x=38°, ∠y=125° 4 ④
5 ∠x=44°, ∠y=147° 6 ①
7 ② 8 10 9 ①, ③ 10 135°
11 ⑤ 12 360°

발전 문제 개념북 90~91쪽

1 ③ 2 103° 3 75° 4 835°
5 56°
6 ① 110°, 40° ② 30° ③ 30°, 80°
7 ① 15 ② 90

2 원과 부채꼴

개념1 원과 부채꼴 개념북 94쪽

1 (1) $\overline{BC}$ (2) $\overgroup{AB}$ (3) $\overline{AB}$, $\overgroup{BC}$ (4) ∠AOC
2 (1) 중심, 지름 (2) 활꼴, 부채꼴

개념적용 개념북 95쪽

1 A : 부채꼴, B : 반지름, C : 현, D : 호, E : 활꼴
1-1 ②, ④
2 ④ 2-1 ②

개념2 원과 중심각 개념북 96쪽

1 (1) 15 (2) 105

개념적용 개념북 97쪽

1 (1) = (2) = (3) ≠ 1-1 ②
2 (1) 35 (2) 40 2-1 ①
3 ②, ⑤ 3-1 ①
4 2 cm 4-1 ⑤

개념3 원의 둘레의 길이와 넓이 개념북 99쪽

1 (1) 4π cm, 4π cm²
(2) 10π cm, 25π cm²
2 16π cm, 64π cm²

개념적용 개념북 100쪽

1 ④ 1-1 18π cm
2 (1) 24π cm (2) 18π cm²
2-1 24π cm, 48π cm²

개념4 부채꼴의 호의 길이와 넓이 개념북 101쪽

1 (1) $\dfrac{5}{2}\pi$ cm (2) 4π cm
2 (1) 3π cm² (2) 30π cm²
3 20π cm²

개념적용 개념북 102쪽

1 9 1-1 90°
2 72° 2-1 60π cm²
3 (6π+6) cm, $\dfrac{9}{2}\pi$ cm²
3-1 (1) (24π+24) cm, 48π cm²
(2) (14π+28) cm, 98π cm²
4 (12π+36) cm
4-1 (4π+52) cm²

기본 문제 개념북 106~108쪽

1 ① 2 110° 3 ④ 4 ④
5 12 cm² 6 ① 7 풀이 참조
8 ⑤ 9 ① 10 ⑤ 11 10π+6
12 (36π+72) cm 13 ① 14 ①
15 8π 16 ② 17 (6π+36) cm
18 12π cm

발전 문제 개념북 109~110쪽

1 ② 2 ① 3 ① 4 ②
5 6π cm
6 ① $\overgroup{BC}$, $\overgroup{CA}$, 5 : 2 : 1 ② 45° ③ 90°
④ 45°
7 ① 3π cm², 3π cm² ② (36−6π) cm²

III 입체도형

1 다면체와 회전체

개념1 다면체 개념북 114쪽

1 (1) 육각기둥, 직사각형, 팔면체
(2) 오각뿔, 삼각형, 육면체
(3) 삼각뿔대, 사다리꼴, 오면체

개념적용 개념북 115쪽

1 ㄱ : 육면체, ㄷ : 팔면체, ㅁ : 사면체, ㅂ : 육면체
1-1 ㄴ, ㄷ, ㅁ
2 ②, ④ 2-1 ④
3 $v=10$, $e=15$, $f=7$
3-1 2 3-2 24
4 팔각뿔 4-1 칠각뿔대

개념2 정다면체 개념북 117쪽

1 풀이 참조
2 각 꼭짓점에 모인 면의 개수가 다르다.

개념적용 개념북 118쪽

1 (1) ○ (2) ○ (3) ○ (4) × (5) ×
1-1 ④
2 정이십면체 2-1 정팔면체

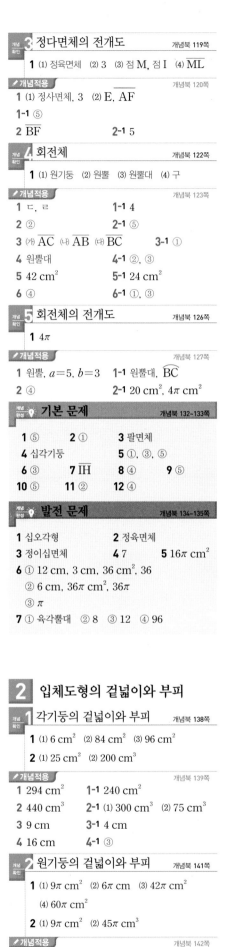

1 ④	2 ②	3 ③	4 ⑤
5 ④	6 ②	7 6	8 ③
9 ③	10 ⑤	11 ⑤	12 ④

1 7점	2 ②	3 32명	4 ㄴ, ㄹ

5 ① 10, 40 ② 1+3+8+6+2, 20, 11, 9
　③ 9, 6, 2, 17
6 ① 40명 ② 0.15 ③ 15 %

익힘북

도형의 기초

1 기본 도형

1 ㄴ	2 ④	3 ⑤	4 ㄱ, ㄷ
5 ④	6 ㄱ, ㄴ, ㄷ		7 ①
8 ⑤	9 ⑤	10 ②	11 ④

12 $\overrightarrow{AB}$, $\overrightarrow{AC}$, $\overrightarrow{BC}$ / $\overrightarrow{CA}$, $\overrightarrow{CB}$ / $\overleftrightarrow{AC}$, $\overleftrightarrow{CA}$

13 ⑤	14 ③	15 ③	16 30

17 $a=1$, $b=4$, $c=3$ 18 ③ 19 10개

20 14	21 ④		

22 (1) $\frac{1}{2}$ (2) $\frac{1}{2}$ (3) 4 (4) $\frac{3}{4}$

23 풀이 참조		24 ②	25 ④
26 8 cm	27 ③	28 5 cm	29 ②
30 16 cm	31 ③		

32 (1) ㄱ, ㅂ (2) ㄴ (3) ㄷ, ㅁ (4) ㄹ

33 ④	34 ㄷ	35 ②	36 ②
37 18°	38 35°	39 ①	40 ⑤
41 ④	42 30°	43 60°	44 ②
45 ②	46 30°	47 ②	

48 (1) 40° (2) 60° (3) 80° (4) 140°

49 90°	50 (1) 30° (2) 20°		51 60°
52 2쌍	53 ④	54 ③	55 ③

56 ②, ⑤ 57 (1) 점 C (2) 4.8 cm

58 ⑤	59 ④	60 ③	61 ⑤
62 ⑤	63 ㄷ, ㄹ	64 ⑤	65 ③

66 평행하다. 　　　67 6개 68 ②, ③

69 모서리 BC, 모서리 CD, 모서리 DE,
　모서리 GH, 모서리 HI, 모서리 IJ

70 ⑤

71 (1) 한 점에서 만난다. (2) 평행하다.
　(3) 꼬인 위치에 있다.

72 모서리 AB, 모서리 AE, 모서리 FG,
　모서리 FJ

73 3개 74 모서리 BF, 모서리 DH

75 11	76 −2	77 ⑤	78 4

79 ①, ⑤ 80 ㄱ, ㄴ, ㄷ 81 ③

82 ①, ④	83 ②, ④	84 ㄴ, ㄹ	85 6
86 ②, ⑤	87 ①	88 ⑤	89 ⑤
90 ②	91 ②	92 ①, ⑤	93 ④, ⑤

94 ③, ④ 95 ④ 96 (1) 65° (2) 125°

97 ④	98 ③	99 ③	100 ②
101 ②	102 240°	103 ④	104 ③
105 70°	106 ①	107 ①	108 38°
109 100°	110 35°	111 92°	112 ③
113 ③, ⑤	114 ①, ④	115 ③	116 ④
117 ②	118 100°	119 118°	120 50°
121 ②	122 100°	123 50°	124 ③

125 95°

1 ④	2 ④	3 ⑤	4 ⑤
5 ③	6 ⑤	7 ④, ⑤	8 ③
9 ⑤	10 ③	11 ②	12 12 cm
13 10	14 40°		

2 작도와 합동

1 ㄷ → ㄱ → ㄴ 2 ④ 3 ㄱ

4 ③ 5 풀이 참조

6 (1) $\overline{AC}$ (2) ∠C

7 (1) 10 cm (2) 30° (3) 90° 8 ④

9 (1) × (2) × (3) ○ (4) ○ (5) ×

10 ①, ④ 11 3개 12 ④ 13 ⑤

14 ⑤ 15 ②

16 (1) ○ (2) × (3) ○ (4) ×

17 ②, ④ 18 ③ 19 ㄱ, ㄹ, ㅁ

20 ① 21 3개 22 풀이 참조

23 ② 24 ⑤ 25 풀이 참조

26 75° 27 12 cm 28 ④ 29 ③

30 ㄴ, ㄷ 31 ㄴ, ㄷ, ㄹ

32 △ABD≡△ACD, SSS 합동 33 ③

34 ① 35 SAS 합동

36 $\overline{BC}$, ∠ABD, 60, SAS 37 ④

38 △ABO≡△DCO, △ABC≡△DCB,
　△ABD≡△DCA

39 ③ 40 ⑤

41 △DCB, $\overline{BC}$, ∠DBC, ∠DCB, △DCB,
　ASA

42 ㄱ, ㄹ, ㅂ 43 ③

44 △CEM, ASA 합동

45 풀이 참조 46 ④

1 ⑤	2 ④	3 ①, ③	4 ④
5 ④	6 ③	7 ⑤	

8 ㈎ $\overline{OM}$ ㈏ $\overline{OB}$ ㈐ SSS ㈑ 90°

9 60° 10 4 11 109 12 90°

1 ③	2 ②	3 12 cm	4 ③
5 ④	6 ②	7 50°	8 ④
9 ⑤	10 ①, ②	11 ②	12 ㄱ, ㄷ

13 75°

수학은 개념이다!

디딤돌의 중학 수학 시리즈는
여러분의 수학 자신감을 높여 줍니다.

개념 이해
디딤돌수학 개념연산

다양한 이미지와 단계별 접근을 통해
개념이 쉽게 이해되는 교재

개념 적용
디딤돌수학 개념기본

개념 이해, 개념 적용, 개념 완성으로
개념에 강해질 수 있는 교재

개념 응용
최상위수학 라이트

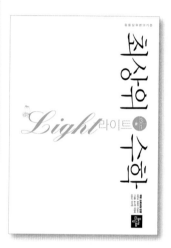

개념을 다양하게 응용하여
문제해결력을 키워주는 교재

개념 완성

디딤돌수학 개념연산과 개념기본은 동일한 학습 흐름으로 구성되어 있습니다.
연계 학습이 가능한 개념연산과 개념기본을 통해
중학 수학 개념을 완성할 수 있습니다.

수 학 은 개 념 이 다 !

디딤돌수학

개념기본

중 **1** $\dfrac{1}{2}$ 정답과 풀이

'아! 이걸 묻는거구나' 출제의 의도를
단박에 알게해주는 정답과 풀이

수학은 개념이다!

디딤돌수학

개념기본

중 1 / 2

개념북
정답과 풀이

'아! 이걸 묻는거구나' 출제의 의도를
단박에 알게해주는 정답과 풀이

디딤돌

도형의 기초

1 기본 도형

개념이해 1 점, 선, 면
<small>개념북 10쪽</small>

1 (1) 4 (2) 4 (3) 6

2 (1) 8 (2) 12 (3) 18

✎ 교점과 교선
<small>개념북 11쪽</small>

1 4   **1-1** 10

1 $a=12$, $b=8$ ∴ $a-b=12-8=4$

1-1 $a=6$, $b=9$, $c=5$ ∴ $a+b-c=6+9-5=10$

✎ 기본 도형의 이해
<small>개념북 11쪽</small>

2 ㄴ, ㄹ   **2-1** ㄱ, ㄴ, ㄷ

2 ㄱ. 교점은 모두 6개이다.
ㄷ. 모서리 AF와 모서리 FE의 교점은 점 F이다.
따라서 옳은 것은 ㄴ, ㄹ이다.

2-1 ㄹ. 삼각뿔에서 교선의 개수는 모서리의 개수와 같다.
따라서 옳은 것은 ㄱ, ㄴ, ㄷ이다.

개념이해 2 직선, 반직선, 선분
<small>개념북 12쪽</small>

1 (1) $\overline{PQ}$ (2) $\overrightarrow{PQ}$ (3) $\overrightarrow{QP}$ (4) $\overleftrightarrow{PQ}$

2 (1) = (2) ≠

3 ②

3 $\overrightarrow{AC}$와 $\overrightarrow{BA}$의 공통 부분은 $\overline{AB}$이다.

✎ 직선, 반직선, 선분 (1)
<small>개념북 13쪽</small>

1 ③, ④   **1-1** ③, ④

1 ③ 서로 다른 두 점을 지나는 선분은 오직 하나뿐이다.
④ 직선과 반직선은 한없이 뻗어나가는 선이므로 그 길이를 생각할 수 없다.

1-1 ③, ④ 두 반직선이 같으려면 시작점과 방향이 모두 같아야 한다.

✎ 직선, 반직선, 선분 (2)
<small>개념북 13쪽</small>

2 ②, ③   **2-1** ㄴ, ㄷ

2 ① $\overrightarrow{PQ}\neq\overrightarrow{QR}$ ④ $\overrightarrow{QP}\neq\overrightarrow{RP}$ ⑤ $\overrightarrow{PQ}=\overrightarrow{RQ}$

2-1 점 D에서 시작하여 점 B로 향하는 반직선을 찾는다.
따라서 $\overrightarrow{DB}$와 같은 것은 ㄴ, ㄷ이다.

✎ 직선, 반직선, 선분의 개수 (1)
<small>개념북 14쪽</small>

3 12   **3-1** ③

3 직선은 $\overleftrightarrow{AB}$, $\overleftrightarrow{AC}$, $\overleftrightarrow{BC}$의 3개이므로 $a=3$
반직선은 $\overrightarrow{AB}$, $\overrightarrow{AC}$, $\overrightarrow{BA}$, $\overrightarrow{BC}$, $\overrightarrow{CA}$, $\overrightarrow{CB}$의 6개이므로 $b=6$
선분은 $\overline{AB}$, $\overline{AC}$, $\overline{BC}$의 3개이므로 $c=3$
∴ $a+b+c=3+6+3=12$

3-1 직선은 $\overleftrightarrow{AB}$, $\overleftrightarrow{AC}$, $\overleftrightarrow{AD}$, $\overleftrightarrow{BC}$, $\overleftrightarrow{BD}$, $\overleftrightarrow{CD}$의 6개이므로 $a=6$
반직선의 개수는 직선의 개수의 2배이므로 $b=6\times2=12$
선분의 개수는 직선의 개수와 같으므로 $c=6$
∴ $a+b-c=6+12-6=12$

✎ 직선, 반직선, 선분의 개수 (2)
<small>개념북 14쪽</small>

4 $a=1$, $b=6$, $c=6$ **4-1** ③

4 직선은 l의 1개이므로 $a=1$
반직선은 $\overrightarrow{PQ}$, $\overrightarrow{QP}$, $\overrightarrow{QR}$, $\overrightarrow{RQ}$, $\overrightarrow{RS}$, $\overrightarrow{SR}$의 6개이므로 $b=6$
선분은 $\overline{PQ}$, $\overline{PR}$, $\overline{PS}$, $\overline{QR}$, $\overline{QS}$, $\overline{RS}$의 6개이므로 $c=6$

4-1 직선은 $\overrightarrow{DA}$, $\overrightarrow{DB}$, $\overrightarrow{DC}$, $\overrightarrow{AC}$의 4개이므로 $a=4$

반직선은 $\overrightarrow{AB}$, $\overrightarrow{AD}$, $\overrightarrow{BA}$, $\overrightarrow{BC}$, $\overrightarrow{BD}$, $\overrightarrow{CB}$, $\overrightarrow{CD}$, $\overrightarrow{DA}$, $\overrightarrow{DB}$, $\overrightarrow{DC}$의 10개이므로 $b=10$

$\therefore a+b=4+10=14$

3 두 점 사이의 거리 개념북 15쪽

1 (1) 8 cm (2) 7 cm

2 8 cm

3 $\overline{NB}=5$ cm, $\overline{AB}=15$ cm

1 (1) (선분 AB의 길이)$=8$ cm

(2) (선분 BC의 길이)$=7$ cm

2 $\overline{AM}=\dfrac{1}{2}\overline{AB}$

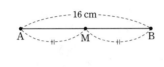

$=\dfrac{1}{2}\times 16=8\,(\text{cm})$

3 $\overline{NB}=\overline{AM}=\dfrac{1}{2}\overline{AN}=\dfrac{1}{2}\times 10=5\,(\text{cm})$

$\overline{AB}=3\overline{AM}=3\times 5=15\,(\text{cm})$

📘 선분의 중점 개념북 16쪽

1 ㄱ, ㄴ, ㄷ　　　**1-1** ⑤

1 ㄹ. $\overline{AM}=\dfrac{1}{2}\overline{AB}$이므로

$\overline{AN}=\dfrac{1}{2}\overline{AM}=\dfrac{1}{2}\times\dfrac{1}{2}\overline{AB}=\dfrac{1}{4}\overline{AB}$

따라서 옳은 것은 ㄱ, ㄴ, ㄷ이다.

1-1 ⑤ $\overline{AB}=\overline{BC}=\overline{CD}=\dfrac{1}{3}\overline{AD}$이므로

$\overline{BD}=\dfrac{2}{3}\overline{AD}$　　$\therefore 2\overline{BD}=2\times\dfrac{2}{3}\overline{AD}=\dfrac{4}{3}\overline{AD}$

📘 두 점 사이의 거리 개념북 16쪽

2 15 cm　　**2-1** 9 cm　　**2-2** 9 cm

2 $\overline{MN}=\overline{MB}+\overline{BN}=\dfrac{1}{2}\overline{AB}+\dfrac{1}{2}\overline{BC}$

$=\dfrac{1}{2}(\overline{AB}+\overline{BC})=\dfrac{1}{2}\overline{AC}$

$=\dfrac{1}{2}\times 30=15\,(\text{cm})$

2-1 $\overline{BN}=\overline{AN}-\overline{AB}=14-10=4\,(\text{cm})$

$\overline{MB}=\dfrac{1}{2}\overline{AB}=\dfrac{1}{2}\times 10=5\,(\text{cm})$

$\therefore \overline{MN}=\overline{MB}+\overline{BN}=5+4=9\,(\text{cm})$

2-2 $\overline{BC}=2\overline{AB}=2\times 6=12\,(\text{cm})$이므로

$\overline{BN}=\dfrac{1}{2}\overline{BC}=\dfrac{1}{2}\times 12=6\,(\text{cm})$

$\overline{MB}=\dfrac{1}{2}\overline{AB}=\dfrac{1}{2}\times 6=3\,(\text{cm})$

$\therefore \overline{MN}=\overline{MB}+\overline{BN}=3+6=9\,(\text{cm})$

[다른 풀이]

$\overline{BC}=2\overline{AB}=2\times 6=12\,(\text{cm})$이므로

$\overline{AC}=\overline{AB}+\overline{BC}=6+12=18\,(\text{cm})$

$\therefore \overline{MN}=\overline{MB}+\overline{BN}=\dfrac{1}{2}\overline{AB}+\dfrac{1}{2}\overline{BC}$

$=\dfrac{1}{2}(\overline{AB}+\overline{BC})=\dfrac{1}{2}\overline{AC}$

$=\dfrac{1}{2}\times 18=9\,(\text{cm})$

4 각 개념북 17쪽

1 (1) ㄱ, ㅁ (2) ㄴ (3) ㄷ, ㅂ (4) ㄹ

2 (1) 155° (2) 25° (3) 115°

2 (1) $\angle AOC=65°+90°=155°$

(2) $\angle COD=180°-(65°+90°)=25°$

(3) $\angle BOD=90°+25°=115°$

📘 각의 분류 개념북 18쪽

1 ㄱ, ㄴ, ㅂ　　　**1-1** ④

1 ㄷ은 직각이고 ㄹ, ㅁ은 예각이다.

따라서 둔각인 것은 ㄱ, ㄴ, ㅂ이다.

1-1 ① 평각 ② 둔각 ③ 직각 ④ 예각

📘 각의 크기 개념북 18쪽

2 35°　　**2-1** 70°　　**2-2** ④

2 $(\angle x+10°)+(4\angle x-5°)=180°$이므로

$5\angle x=175°$　　$\therefore \angle x=35°$

2-1 $\angle AOC = 90°$, $\angle BOD = 90°$이므로

$(\angle AOB + \angle BOC) + (\angle BOC + \angle COD) = 180°$

$\angle AOB + \angle COD + 2\angle BOC = 180°$

$40° + 2\angle BOC = 180°$

$\therefore \angle BOC = \dfrac{1}{2}(180° - 40°) = 70°$

[다른 풀이]

$\angle AOB + \angle BOC = 90°$이므로

$\angle AOB = 90° - \angle BOC$ ······㉠

$\angle BOC + \angle COD = 90°$이므로

$\angle COD = 90° - \angle BOC$ ······㉡

㉠, ㉡에서 $\angle AOB = \angle COD$

이때 $\angle AOB + \angle COD = 40°$이므로

$\angle AOB = \dfrac{1}{2} \times 40° = 20°$

$\therefore \angle BOC = \angle AOC - \angle AOB$

$\qquad = 90° - 20° = 70°$

2-2 $(4\angle x - 10°) + (\angle x + 20°) + 40° = 180°$이므로

$5\angle x = 130°$ $\quad \therefore \angle x = 26°$

개념북 19쪽
✏️ 각의 등분

3 90° **3-1** 60°

3 $\angle BOD = \angle BOC + \angle COD$

$\qquad = \dfrac{1}{2}(\angle AOC + \angle COE)$

$\qquad = \dfrac{1}{2} \times 180° = 90°$

[다른 풀이]

$\angle AOB = \angle BOC = \angle a$, $\angle COD = \angle DOE = \angle b$라 하면

$2\angle a + 2\angle b = 180°$, $2(\angle a + \angle b) = 180°$

$\therefore \angle a + \angle b = 90°$ $\quad \therefore \angle BOD = \angle a + \angle b = 90°$

3-1 오른쪽 그림에서

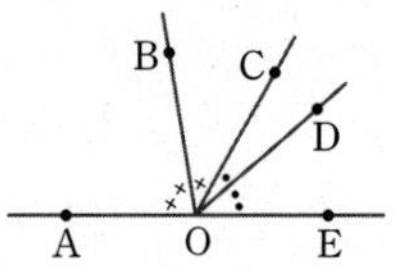

$\angle BOD = \angle BOC + \angle COD$

$\qquad = \dfrac{1}{3}(\angle AOC + \angle COE)$

$\qquad = \dfrac{1}{3} \times 180° = 60°$

[다른 풀이]

$\angle BOC = \angle a$, $\angle COD = \angle b$라 하면

$\angle AOC = 3\angle a$, $\angle COE = 3\angle b$이므로

$3\angle a + 3\angle b = 180°$, $3(\angle a + \angle b) = 180°$

$\therefore \angle a + \angle b = 60°$ $\quad \therefore \angle BOD = \angle a + \angle b = 60°$

개념북 19쪽
✏️ 각의 크기의 비

4 40° **4-1** 60° **4-2** 80°

4 $\angle a = 180° \times \dfrac{2}{2+3+4} = 40°$

[다른 풀이]

$\angle a : \angle b : \angle c = 2 : 3 : 4$이므로

$\angle a = 2k$, $\angle b = 3k$, $\angle c = 4k$라 하면

$2k + 3k + 4k = 180°$, $9k = 180°$ $\quad \therefore k = 20°$

$\therefore \angle a = 2k = 2 \times 20° = 40°$

4-1 $\angle y = 180° \times \dfrac{2}{1+2+3} = 60°$

[다른 풀이]

$\angle x : \angle y : \angle z = 1 : 2 : 3$이므로

$\angle x = k$, $\angle y = 2k$, $\angle z = 3k$라 하면

$k + 2k + 3k = 180°$, $6k = 180°$ $\quad \therefore k = 30°$

$\therefore \angle y = 2k = 2 \times 30° = 60°$

4-2 $\angle COD = 150° \times \dfrac{2}{3+1+2} = 50°$

$\angle DOE = 180° - \angle AOD = 180° - 150° = 30°$

$\therefore \angle COE = \angle COD + \angle DOE = 50° + 30° = 80°$

[다른 풀이]

$\angle AOB : \angle BOC : \angle COD = 3 : 1 : 2$이므로

$\angle AOB = 3k$, $\angle BOC = k$, $\angle COD = 2k$라 하면

$3k + k + 2k = 150°$, $6k = 150°$ $\quad \therefore k = 25°$

$\angle DOE = 30°$

$\therefore \angle COE = \angle COD + \angle DOE$

$\qquad = 2k + 30°$

$\qquad = 2 \times 25° + 30° = 80°$

---

5 맞꼭지각
개념북 20쪽

1 (1) $\angle BOD$ (2) $\angle DOE$ (3) $\angle AOF$

2 (1) $\angle a = 45°$, $\angle b = 45°$ (2) $\angle a = 45°$, $\angle b = 35°$

3 (1) 29° (2) 20°

2 (1) $\angle a = \angle b = 180° - 135° = 45°$

3 (1) $2\angle x = 58°$ ∴ $\angle x = 29°$
(2) 오른쪽 그림에서
$2\angle x + 3\angle x + 4\angle x = 180°$
$9\angle x = 180°$ ∴ $\angle x = 20°$

개념북 21쪽

✏️ **맞꼭지각의 성질**

1 $\angle x = 65°$, $\angle y = 25°$
1-1 $70°$　　　**1-2** $\angle x = 25°$, $\angle y = 65°$

1 $\angle y = \angle x - 40°$이므로
$(\angle x - 50°) + (\angle x - 40°) + (2\angle x + 10°) = 180°$
$4\angle x = 260°$ ∴ $\angle x = 65°$
∴ $\angle y = 65° - 40° = 25°$

1-1 $\angle x + 30° = 2\angle x - 40°$ ∴ $\angle x = 70°$

1-2 $\angle x + 90° = 115°$ ∴ $\angle x = 25°$
$\angle y = 180° - 115° = 65°$

개념북 21쪽

✏️ **맞꼭지각의 쌍의 개수**

2 6쌍　　　**2-1** ③

2 두 직선 AB와 CD, AB와 EF, CD와 EF가 한 점에서 만나면 각각 2쌍의 맞꼭지각이 생기므로
$3 \times 2 = 6$(쌍)

2-1 오른쪽 그림과 같이 5개의 직선을 각각 a, b, c, d, e라 하면 두 직선 a와 b, a와 c, a와 d, a와 e, b와 c, b와 d, b와 e, c와 d, c와 e, d와 e가 한 점에서 만나면 각각 2쌍의 맞꼭지각이 생기므로
$10 \times 2 = 20$(쌍)

---

6 수직과 수선

개념북 22쪽

1 (1) $90°$　(2) 10 cm
2 (1) $\overline{BC}$　(2) 점 D　(3) 4 cm

2 (3) (점 A와 $\overline{BC}$ 사이의 거리) $= \overline{AD} = 4$ cm

개념북 23쪽

✏️ **수직과 수선**

1 ④　　　**1-1** ⑤

1 ④ 점 D와 $\overline{BC}$ 사이의 거리는 $\overline{AB}$의 길이이므로 8 cm 이다.

1-1 ⑤ 점 B와 선분 CD 사이의 거리는 $\overline{BH}$의 길이이다.

개념북 23쪽

✏️ **맞꼭지각과 수직, 수선**

2 $70°$　　　**2-1** $60°$

2 $\angle AOC = 90°$이고 $\angle AOB = \angle DOE = 20°$(맞꼭지각) 이므로
$\angle BOC = \angle AOC - \angle AOB = 90° - 20° = 70°$

2-1 $\angle y = \angle DOE = 75°$(맞꼭지각)
$\angle x = \angle AOC - \angle y = 90° - 75° = 15°$
∴ $\angle y - \angle x = 75° - 15° = 60°$

---

7 평면에서 점과 직선, 두 직선의 위치 관계 개념북 24쪽

1 (1) 점 A, 점 B, 점 C　(2) 점 P, 점 Q
2 (1) 한 점에서 만난다.　(2) 점 C　(3) $\overleftrightarrow{BC}$
　(4) $\overleftrightarrow{AD}$, $\overleftrightarrow{BC}$, $\overleftrightarrow{CD}$

개념북 25쪽

✏️ **점과 직선의 위치 관계**

1 (1) 점 A, 점 B　(2) 점 B, 점 D　(3) 점 B
1-1 ③

1-1 ③ 직선 l은 점 D를 지난다.

개념북 25쪽

✏️ **평면에서 두 직선의 위치 관계**

2 5　　　**2-1** (1) 변 AB, 변 DC　(2) 변 DC

2 직선 AB와 한 점에서 만나는 직선은 $\overleftrightarrow{AF}$, $\overleftrightarrow{BC}$, $\overleftrightarrow{CD}$, $\overleftrightarrow{FE}$이므로 $a = 4$
직선 CD와 평행한 직선은 $\overleftrightarrow{AF}$이므로 $b = 1$
∴ $a + b = 4 + 1 = 5$

8 공간에서 두 직선의 위치 관계 개념북 26쪽

1 (1) 모서리 AD, 모서리 AE, 모서리 BC, 모서리 BF
　(2) 모서리 DC, 모서리 EF, 모서리 HG
　(3) 모서리 CG, 모서리 DH, 모서리 EH, 모서리 FG
2 (1) 모서리 BE, 모서리 DE, 모서리 EF
　(2) 모서리 BC, 모서리 EF

1 (1) 점 A 또는 점 B를 지나는 모서리이므로 모서리 AD, 모서리 AE, 모서리 BC, 모서리 BF
　(2) 모서리 AB와 한 평면 위에 있고 만나지 않는 모서리 이므로 모서리 DC, 모서리 EF, 모서리 HG
　(3) 모서리 AB와 만나지도 않고 평행하지도 않은 모서리 이므로 모서리 CG, 모서리 DH, 모서리 EH, 모서리 FG

✎ 꼬인 위치에 있는 모서리 개념북 27쪽

1 모서리 AD, 모서리 EH　　　**1-1** ④, ⑤

1 모서리 BC와 평행한 모서리는 모서리 AD, 모서리 EH, 모서리 FG이고 모서리 CG와 꼬인 위치에 있는 모서리는 모서리 AB, 모서리 AD, 모서리 EF, 모서리 EH이다.
따라서 모서리 BC와 평행하면서 모서리 CG와 꼬인 위치에 있는 모서리는 모서리 AD, 모서리 EH이다.

1-1 모서리 OA와 만나지도 않고 평행하지도 않은 모서리는 모서리 BC, 모서리 CD이다.

✎ 공간에서 두 직선의 위치 관계 (1) 개념북 27쪽

2 11　　　**2-1** 9

2 모서리 BC와 평행한 모서리는 모서리 FE, 모서리 HI, 모서리 LK이므로 $a=3$
모서리 BC와 꼬인 위치에 있는 모서리는 모서리 AG, 모서리 FL, 모서리 EK, 모서리 DJ, 모서리 GH, 모서리 JK, 모서리 IJ, 모서리 LG이므로 $b=8$
∴ $a+b=3+8=11$

2-1 모서리 BF와 수직인 모서리는 모서리 AB, 모서리 BC, 모서리 EF, 모서리 FG이므로 $a=4$
모서리 AB와 꼬인 위치에 있는 모서리는 모서리 CG, 모서리 DH, 모서리 EH, 모서리 FG, 모서리 GH이 므로 $b=5$
∴ $a+b=4+5=9$

✎ 전개도에서 두 직선의 위치 관계 개념북 28쪽

3 ⑤　　　**3-1** 5

3 전개도를 접어서 삼각기둥을 만들면 오른쪽 그림과 같다.
⑤ 모서리 HE와 모서리 CE는 한 점에서 만난다.

3-1 전개도를 접어서 삼각뿔을 만들면 오른 쪽 그림과 같다.
모서리 AB와 한 점에서 만나는 모서리 는 모서리 AD, 모서리 AF, 모서리 BD, 모서리 BF이므로 $a=4$
꼬인 위치에 있는 모서리는 모서리 DF이므로 $b=1$
∴ $a+b=4+1=5$

✎ 공간에서 두 직선의 위치 관계 (2) 개념북 28쪽

4 ③, ⑤　　　**4-1** ④, ⑤

4 ① 평행한 두 직선은 한 평면 위에 있지만 만나지 않는다.
② 평행한 두 직선은 만나지 않지만 한 평면 위에 있다.
④ 꼬인 위치에 있는 두 직선을 포함하는 평면은 없다.

4-1 ④ 공간에서 한 직선에 수직인 서로 다른 두 직선은 한 점에서 만나거나 평행하거나 꼬인 위치에 있다.
⑤ 공간에서 한 직선과 꼬인 위치에 있는 서로 다른 두 직선은 한 점에서 만나거나 평행하거나 꼬인 위치에 있다.

9 공간에서 직선과 평면의 위치 관계 개념북 29쪽

1 (1) 면 ABCD, 면 BFGC
(2) 면 ABCD, 면 EFGH
(3) 면 AEHD, 면 CGHD
(4) 면 ABFE, 면 CGHD

2 (1) 면 ABC (2) 면 ADEB, 면 BEFC, 면 ADFC
(3) $\overline{EF}$

1 (1)
면 ABCD, 면 BFGC

(2) 면 ABCD, 면 EFGH

(3)
면 AEHD, 면 CGHD

(4)
면 ABFE, 면 CGHD

---

2 ㄱ. 두 직선 l, m은 한 점에서 만나거나 평행하거나 꼬인 위치에 있다.
ㄹ. 직선 m과 평면 P는 평행하거나 직선 m이 평면 P에 포함된다.
따라서 옳은 것은 ㄴ, ㄷ이다.

2-1 ㄱ. 두 평면 Q, R는 한 직선에서 만나거나 평행하다.
ㄴ. 두 평면 P, Q는 한 직선에서 만나거나 평행하다.
ㄹ. 두 평면 P, R는 수직으로 만난다.
따라서 옳은 것은 ㄷ이다.

10 동위각과 엇각 개념북 31쪽

1 (1) $\angle d=80°$ (2) $\angle b=120°$ (3) $\angle f=100°$
(4) $\angle d=80°$

2 (1) $\angle g=70°$, $\angle j=50°$
(2) $\angle f=110°$, $\angle i=130°$

1 (1) ($\angle a$의 동위각)$=\angle d=180°-100°=80°$
(2) ($\angle e$의 동위각)$=\angle b=180°-60°=120°$
(3) ($\angle c$의 엇각)$=\angle f=100°$
(4) ($\angle b$의 엇각)$=\angle d=80°$

2 (1) $\angle b$의 동위각은 $\angle g$, $\angle j$이고 각의 크기는 각각
$\angle g=180°-110°=70°$, $\angle j=50°$
(2) $\angle c$의 엇각은 $\angle f$, $\angle i$이고 각의 크기는 각각
$\angle f=110°$, $\angle i=180°-50°=130°$

✏ 공간에서 직선과 평면의 위치 관계 개념북 30쪽
1 ③, ④   **1-1** 10

1 ① 모서리 BC와 평행한 면은 면 FLKE, 면 GHIJKL의 2개이다.
② 면 ABCDEF와 점 J 사이의 거리는 $\overline{DJ}$이다.
③ 면 BHIC와 평행한 모서리는 모서리 FE, 모서리 LK, 모서리 AG, 모서리 FL, 모서리 EK, 모서리 DJ의 6개이다.
④ 모서리 BH와 수직인 면은 면 ABCDEF, 면 GHIJKL의 2개이다.
⑤ 면 FLKE와 면 AGLF의 교선은 $\overline{FL}$이다.

1-1 면 AEGC와 한 점에서 만나는 모서리는 모서리 AB, 모서리 BC, 모서리 CD, 모서리 AD, 모서리 EF, 모서리 FG, 모서리 GH, 모서리 EH이므로 $a=8$
모서리 CD와 수직인 면은 면 BFGC, 면 AEHD이므로 $b=2$
∴ $a+b=8+2=10$

✏ 동위각, 엇각의 크기 개념북 32쪽
1 200°   **1-1** ⑤

1 $\angle$FGB의 동위각의 크기는 $\angle$DHB$=70°$
$\angle$CHB의 엇각의 크기는 $\angle$AGF$=130°$
∴ $70°+130°=200°$

1-1 ⑤ $\angle e=180°-120°=60°$

✏ 공간에서 여러 가지 위치 관계 개념북 30쪽
2 ㄴ, ㄷ   **2-1** ㄷ

✏ 세 직선이 세 점에서 만날 때 동위각, 엇각의 크기 개념북 32쪽
2 220°   **2-1** ②

2 오른쪽 그림에서 $\angle x$의 엇각의 크 기는 $180°-85°=95°$, $125°$이 므로 $95°+125°=220°$이다.

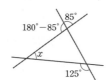

2-1 ② $\angle b$와 $\angle f$는 동위각이지만 크기가 같은지는 알 수 없 다.

11 평행선의 성질
개념북 **33**쪽

1 (1) $\angle x=45°$, $\angle y=60°$ (2) $\angle x=60°$, $\angle y=75°$

2 (1) 직선 n, 직선 k (2) 직선 k

1 (1) 오른쪽 그림에서 $l /\!/ m$이므로
$\angle x=45°$(엇각)
$\angle y=180°-120°=60°$

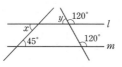

(2) 오른쪽 그림에서 $l /\!/ m$이므로
$\angle x=60°$(동위각)
$\angle y=180°-(45°+60°)$
$\qquad=75°$

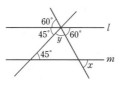

2 (1) 오른쪽 그림에서 세 직선 l, n, k는 동위각의 크기가 $120°$로 같으므로 평행하다.
$\therefore$ 직선 n, 직선 k

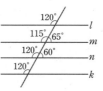

(2) 두 직선 l과 k는 엇각의 크기가 $60°$로 같으므로 평행 하다.
$\therefore$ 직선 k

◆ 평행선에서 동위각, 엇각의 크기
개념북 **34**쪽

1 $55°$ **1-1** $128°$

1 오른쪽 그림에서 $l /\!/ m$이므로
$\angle x=180°-(50°+75°)$
$\qquad=55°$

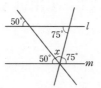

1-1 오른쪽 그림에서 $l /\!/ m$, $n /\!/ k$이므로
$\angle x=180°-52°$
$\qquad=128°$(동위각)

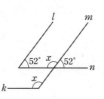

◆ 평행선에서 삼각형의 성질
개념북 **34**쪽

2 $20°$ **2-1** $85°$

2 오른쪽 그림에서 $l /\!/ m$이고 삼각형의 세 내각의 크기의 합이 $180°$이므로
$45°+(2\angle x+25°)$
$\qquad+(6\angle x-50°)=180°$
$8\angle x=160°$
$\therefore \angle x=20°$

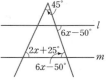

2-1 오른쪽 그림에서 $l /\!/ m$이고 삼각형의 세 내각의 크기의 합이 $180°$이므로
$45°+40°+(180°-\angle x)$
$\qquad\qquad\qquad=180°$
$\therefore \angle x=45°+40°=85°$

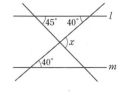

◆ 평행선이 되기 위한 조건
개념북 **35**쪽

3 ④   **3-1** ②

3 ④ 엇각의 크기가 같지 않으므로 두 직선 l, m은 평행 하지 않다.

3-1 오른쪽 그림과 같이 두 직선 l, k 에서 엇각의 크기가 $50°$로 같으 므로 $l /\!/ k$

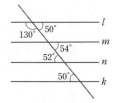

◆ 평행선에서 보조선을 1개 긋는 경우
개념북 **35**쪽

4 $60°$ **4-1** $85°$ **4-2** ④

4 오른쪽 그림과 같이 두 직선 l, m 과 평행한 직선 n을 그으면
$\angle x=25°+35°=60°$

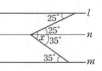

4-1 오른쪽 그림과 같이 두 직선 l, m과 평행한 직선 n을 그으면
$\angle x=65°+20°=85°$

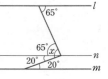

4-2 오른쪽 그림과 같이 두 직선 l, m에 평행한 직선 n을 그으면

$$120° = (2\angle x - 15°) + (3\angle x + 10°)$$

$$5\angle x = 125° \qquad \therefore \angle x = 25°$$

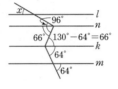

개념북 36쪽

◆ 평행선에서 보조선을 2개 긋는 경우

5 $30°$ **5-1** (1) $111°$ (2) $65°$ **5-2** ②

5-3 ①

---

5 오른쪽 그림과 같이 두 직선 l, m에 평행한 두 직선 n, k를 그으면

$$\angle x = 96° - 66° = 30°(동위각)$$

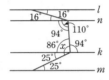

5-1 (1) 오른쪽 그림과 같이 두 직선 l, m에 평행한 두 직선 n, k를 그으면

$$\angle x = 86° + 25° = 111°$$

(2) 오른쪽 그림과 같이 두 직선 l, m에 평행한 두 직선 n, k를 그으면 $\angle x = 20° + 45° = 65°$

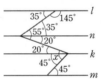

5-2 오른쪽 그림과 같이 두 직선 l, m에 평행한 두 직선 n, k를 그으면

$$180° = (2\angle x + 10°) + (\angle x - 28°)$$

$$3\angle x = 198° \qquad \therefore \angle x = 66°$$

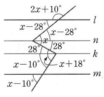

5-3 오른쪽 그림과 같이 두 직선 l, m에 평행한 두 직선 n, k를 그으면 $\angle x = 40°(엇각)$

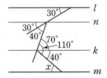

개념북 37쪽

◆ 종이 접기

6 $68°$ **6-1** $26°$ **6-2** $20°$

---

6 오른쪽 그림과 같이

$$\angle GEF = \angle FEC = 56°$$

(접은 각)

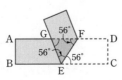

$\overline{AD} /\!/ \overline{BC}$이므로

$$\angle GFE = \angle FEC = 56°(엇각)$$

$\triangle GEF$의 세 내각의 크기의 합이 $180°$이므로

$$\angle EGF + 56° + 56° = 180° \qquad \therefore \angle EGF = 68°$$

6-1 오른쪽 그림과 같이

$$\angle EGF = \angle AGH$$
$$= 128°(맞꼭지각)$$

$$\angle FEC = \angle x(접은 각)$$

$$\angle GFE = \angle FEC = \angle x(엇각)$$

이므로 $\triangle GEF$에서

$$\angle x + \angle x + 128° = 180° \qquad \therefore \angle x = 26°$$

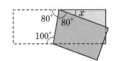

6-2 오른쪽 그림에서

$$100° = 80° + \angle x(엇각)$$

$$\therefore \angle x = 20°$$

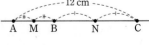

개념북 40~41쪽

◆ 기본 문제

1 2	**2** ③, ④	**3** 6 cm	**4** ③
5 ⑤	**6** ③, ⑤	**7** 11	**8** ⑤
9 ④	**10** 210°	**11** ①	**12** 75°

---

1 교점의 개수는 오각기둥의 꼭짓점의 개수와 같으므로

$a = 10$

교선의 개수는 오각기둥의 모서리의 개수와 같으므로

$b = 15$

면의 개수는 $5 + 2 = 7$이므로 $c = 7$

$$\therefore a - b + c = 10 - 15 + 7 = 2$$

2 ③ $\overline{AC}$: 점 A와 점 C를 양 끝점으로 하는 선분

④ $\overrightarrow{CA}$: 점 C를 시작점으로 하여 점 A의 방향으로 뻗어 나가는 반직선

3 오른쪽 그림에서

$$\overline{MN} = \overline{MB} + \overline{BN}$$

$$= \frac{1}{2}\overline{AB} + \frac{1}{2}\overline{BC}$$

$$= \frac{1}{2}\overline{AC} = \frac{1}{2} \times 12 = 6(cm)$$

4 $90°-\angle x=3\angle x+10°$, $4\angle x=80°$

$\therefore \angle x=20°$

5 ⑤ 점 A와 $\overline{BC}$ 사이의 거리를 나타내는 선분은 $\overline{AB}$이다.

6 두 점 Q, S를 지나는 직선과 평행한 직선은 직선 m이므로 직선 m 위의 점은 점 R, 점 T이다.

7 모서리 BG와 한 점에서 만나는 모서리는 모서리 AB, 모서리 BC, 모서리 FG, 모서리 GH이므로 $a=4$
모서리 AE와 꼬인 위치에 있는 모서리는 모서리 FG, 모서리 GH, 모서리 HI, 모서리 IJ, 모서리 BG, 모서리 CH, 모서리 DI이므로 $b=7$
$\therefore a+b=4+7=11$

8 ⑤ 면 DIJE와 모서리 GF는 평행하다.

9 ① 모서리 AB와 모서리 GH는 평행하다.
② 모서리 FG는 면 BFGC에 포함된다.
③ 모서리 AD와 모서리 CG는 꼬인 위치에 있다.
⑤ 모서리 BF와 면 AEHD는 평행하다.

10 오른쪽 그림과 같이
$l /\!/ m$이므로 $\angle x=100°$(동위각)
$m /\!/ n$이므로
$\angle y+\angle z=180°-70°=110°$
$\therefore \angle x+\angle y+\angle z=100°+110°=210°$

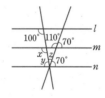

11 $\angle y=26°$(맞꼭지각)
오른쪽 그림과 같이 두 직선 l, m에 평행한 두 직선 n, k를 그으면
$70°=\angle x+24°$ $\therefore \angle x=46°$
$\therefore \angle x+\angle y=46°+26°=72°$

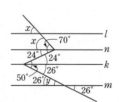

12 오른쪽 그림에서
$\angle x+\angle x+30°=180°$
$2\angle x=150°$
$\therefore \angle x=75°$

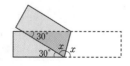

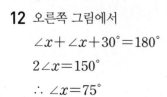

1 10　　**2** ②, ⑤　　**3** ③, ⑤　　**4** 230°

5 180°

6 ① 모서리 AB, 모서리 DC, 모서리 HG / 3
② 면 AEHD, 면 BFGC / 2
③ 5

7 ① $\overline{AP}=\dfrac{2}{5}\overline{AB}$, $\overline{AQ}=\dfrac{2}{3}\overline{AB}$
② $\overline{PQ}=\dfrac{4}{15}\overline{AB}$
③ 30 cm

1 선분은 $\overline{PQ}$, $\overline{PR}$, $\overline{PS}$, $\overline{PT}$, $\overline{QR}$, $\overline{QS}$, $\overline{QT}$, $\overline{RS}$, $\overline{RT}$, $\overline{ST}$로 10개이므로 선분의 개수는 10

2 ② 모서리 AB와 모서리 CG는 꼬인 위치에 있다.
⑤ 모서리 CG와 꼬인 위치에 있는 모서리는 모서리 AB, 모서리 AE, 모서리 BE, 모서리 DE, 모서리 EF의 5개이다.

3 ③ 한 직선에 수직인 서로 다른 두 직선은 한 점에서 만나거나 평행하거나 꼬인 위치에 있다.
⑤ 한 직선과 꼬인 위치에 있는 서로 다른 두 직선은 한 점에서 만나거나 평행하거나 꼬인 위치에 있다.

4 오른쪽 그림과 같이
$k /\!/ l$, $m /\!/ n$이므로
$\angle a=180°-95°=85°$
$k /\!/ l$이므로
$\angle b=180°-60°=120°$
$m /\!/ n$이므로
$\angle c=180°-(95°+60°)=25°$
$\therefore \angle a+\angle b+\angle c$
$=85°+120°+25°=230°$

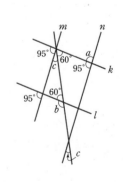

5 오른쪽 그림과 같이 두 직선 l, m에 평행한 세 직선 n, p, q를 그으면
$\angle a+\angle b+\angle c+\angle d+\angle e$
$=180°$

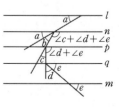

6 ① 모서리 EF와 평행한 모서리는 모서리 AB, 모서리 DC, 모서리 HG이므로 $a=3$

② 모서리 EF와 수직인 면은 면 AEHD, 면 BFGC 이므로 $b=2$

③ $a+b=3+2=5$

7 ① $\overline{AP}=\dfrac{2}{5}\overline{AB}$, $\overline{AQ}=\dfrac{2}{3}\overline{AB}$

② $\overline{PQ}=\overline{AQ}-\overline{AP}=\dfrac{2}{3}\overline{AB}-\dfrac{2}{5}\overline{AB}=\dfrac{4}{15}\overline{AB}$

③ 따라서 $\overline{PQ}=\dfrac{4}{15}\overline{AB}=8\,\text{cm}$이므로

$$\overline{AB}=8\times\dfrac{15}{4}=30(\text{cm})$$

2 작도와 합동

개념 이해 1 작도
개념북 **46**쪽

1 컴퍼스

2 (1) ㉠, ㉣, ㉡ (2) $\overline{OQ}$, $\overline{O'P'}$

✔ 길이가 같은 선분의 작도
개념북 **47**쪽

1 ㉡ → ㉢ → ㉠   **1-1** ㉣ → ㉢ → ㉠ → ㉡

1
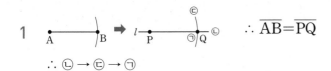

$\therefore \overline{AB}=\overline{PQ}$

$\therefore$ ㉡ → ㉢ → ㉠

1-1 ㉣ 임의의 직선을 긋는다.

㉢ 직선 위에 길이가 a인 $\overline{AB}$를 작도한다.

㉠ 점 A와 점 B를 중심으로 하고 반지름의 길이가 $\overline{AB}$ 인 두 원을 그려 그 교점을 C라 한다.

㉡ $\overline{AC}$, $\overline{BC}$를 긋는다.

$\therefore$ ㉣ → ㉢ → ㉠ → ㉡

✔ 평행선의 작도
개념북 **47**쪽

2 ②   **2-1** ④

2 ② $\overline{CD}=\overline{AB}$

개념 이해 2 삼각형의 작도
개념북 **48**쪽

1 (1) ∠B (2) $\overline{AB}$ (3) ∠C (4) $\overline{AC}$

2 (1) × (2) ○ (3) × (4) ○

✔ 삼각형의 대각과 대변
개념북 **49**쪽

1 6 cm, ∠C   **1-1** ⑤

1 ∠B의 대변의 길이는 $\overline{AC}=6\,\text{cm}$

$\overline{AB}$의 대각은 ∠C

1-1 ⑤ $\overline{QR}$의 대각은 ∠P로 그 크기는 70°이다.

✔ 삼각형이 될 수 있는 조건
개념북 **49**쪽

2 ③   **2-1** 3개

2 ③ $7+2<12$이므로 가장 긴 변의 길이가 나머지 두 변의 길이의 합보다 크다.

따라서 삼각형을 작도할 수 없다.

2-1 네 개의 선분 중 세 개의 선분을 선택하면

(2, 4, 5), (2, 4, 6), (2, 5, 6), (4, 5, 6)이다.

(2, 4, 5)는 $2+4>5$이므로 삼각형을 작도할 수 있다.

(2, 4, 6)은 $2+4=6$이므로 삼각형을 작도할 수 없다.

(2, 5, 6)은 $2+5>6$이므로 삼각형을 작도할 수 있다.

(4, 5, 6)은 $4+5>6$이므로 삼각형을 작도할 수 있다.

따라서 작도할 수 있는 삼각형은 3개이다.

✔ 삼각형에서 미지수의 범위
개념북 **50**쪽

3 7   **3-1** ①

3 삼각형이 만들어지려면 가장 긴 변의 길이가 나머지 두 변의 길이의 합보다 작아야 한다.

(i) $x\,\text{cm}$가 가장 긴 변의 길이이면

$4+7>x$ $\therefore x<11$

(ii) 7 cm가 가장 긴 변의 길이이면

$4+x>7$ $\therefore x>3$

따라서 x의 값의 범위는 $3<x<11$이므로 자연수 x의 개수는 4, 5, 6, 7, 8, 9, 10의 7이다.

3-1 (i) x cm가 가장 긴 변의 길이이면

$$5+11>x \qquad \therefore x<16$$

(ii) 11 cm가 가장 긴 변의 길이이면

$$5+x>11 \qquad \therefore x>6$$

따라서 x의 값의 범위는 $6<x<16$이므로 ①은 x의 값이 될 수 없다.

🖉 **삼각형의 작도**　　　　　　　　　　개념북 50쪽

4 ㉡ → ㉢ → ㉣ → (㉠ ↔ ㉤) → ㉥

4-1 ①, ⑤

---

4 ㉡ → ㉢ → ㉣ ∠B와 크기가 같은 각을 작도한다.

　　㉠ 점 B를 중심으로 하고 반지름의 길이가 $\overline{AB}$인 원을 그려 그 교점을 A라 한다.

　　㉤ 점 B를 중심으로 하고 반지름의 길이가 $\overline{BC}$인 원을 그려 그 교점을 C라 한다.

　　㉥ 점 A와 점 C를 이어 △ABC를 작도한다.

　　$\therefore$ ㉡ → ㉢ → ㉣ → (㉠ ↔ ㉤) → ㉥

4-1 한 변의 길이와 그 양 끝 각의 크기가 주어질 때는 선분을 작도한 후 두 각을 작도하거나 한 각을 작도한 후 선분을 작도하고 나머지 각을 작도한다.

ꠃ 3 삼각형이 하나로 정해질 조건　개념북 51쪽

1 (1) × 　(2) ○ 　(3) × 　(4) ×

2 ①, ⑤

---

1 (1) $10>3+5$이므로 삼각형이 만들어지지 않는다.

　(2) ∠A, ∠B의 크기가 주어지면 ∠C의 크기도 알 수 있으므로 한 변의 길이와 그 양 끝 각의 크기가 주어진 경우이다.

　(3) ∠C는 $\overline{AB}$, $\overline{BC}$의 끼인각이 아니므로 △ABC가 하나로 정해지지 않는다.

　(4) 세 각의 크기가 주어진 경우는 무수히 많은 삼각형이 그려진다.

---

2 한 변의 길이가 주어졌으므로

　(i) 다른 두 변의 길이 ➡ $\overline{BC}$와 $\overline{CA}$

　(ii) 다른 한 변의 길이와 그 두 변의 끼인각의 크기

　　　➡ $\overline{AC}$와 ∠A, $\overline{BC}$와 ∠B

　(iii) 주어진 변의 양 끝 각의 크기

　　　➡ ∠A와 ∠B (주어진 변의 양 끝 각이 아닌 두 각의 크기가 주어져도 나머지 한 각의 크기를 알 수 있다.)

　를 만족하면 △ABC가 하나로 정해진다.

🖉 **삼각형이 하나로 정해지는 경우**　　개념북 52쪽

1 ①, ④　　　　　**1-1** ②, ④

---

1 ① 두 변의 길이와 그 끼인각의 크기가 주어진 경우이다.

　② ∠B+∠C=$120°+60°=180°$이므로 삼각형이 만들어지지 않는다.

　③ 세 각의 크기가 주어진 경우는 무수히 많은 삼각형이 그려진다.

　④ ∠C=$180°-(70°+88°)=22°$이므로 한 변의 길이와 그 양 끝 각의 크기가 주어진 경우이다.

　⑤ $20>8+9$이므로 삼각형이 만들어지지 않는다.

1-1 ② ∠C=$180°-(50°+60°)=70°$이므로 한 변의 길이와 그 양 끝 각의 크기가 주어진 경우이다.

　④ 두 변의 길이와 그 끼인각의 크기가 주어진 경우이다.

🖉 **삼각형이 하나로 정해지지 않는 경우**　　개념북 52쪽

2 ②, ⑤　　　　　**2-1** ㄴ, ㄹ

---

2 ② $21>8+12$이므로 삼각형이 만들어지지 않는다.

　⑤ ∠A는 $\overline{AB}$, $\overline{BC}$의 끼인각이 아니다.

2-1 ㄱ. ∠A의 크기를 알 수 있으므로 한 변의 길이와 그 양 끝 각의 크기가 주어진 경우이다.

　ㄴ. 세 각의 크기가 주어진 경우이므로 무수히 많은 삼각형이 그려진다.

　ㄷ. 두 변의 길이와 그 끼인각의 크기가 주어진 경우이다.

　ㄹ. ∠B가 $\overline{AB}$와 $\overline{AC}$의 끼인각이 아니므로 삼각형이 하나로 정해지지 않는다.

4 도형의 합동
개념북 **53**쪽

1 (1) $\overline{EF}$ (2) $\angle A$ (3) 점 F

2 (1) 80° (2) 10 cm (3) 75°

2 (1) $\angle G = \angle C = 80°$

(2) $\overline{EF} = \overline{AB} = 10$ cm

(3) $\angle D = \angle H = 115°$이므로

$\angle A = 360° - (90° + 80° + 115°) = 75°$

도형의 합동
개념북 **54**쪽

1 ④   **1-1** ㄴ, ㅁ

1 ④ 두 도형 P, Q가 서로 합동일 때, 기호 $P \equiv Q$로 나타낸다.

1-1 ㄴ. 오른쪽 그림과 같이 두 삼각형의 넓이는 같지만 합동이 아닐 수도 있다.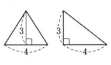

ㅁ. 오른쪽 그림과 같이 두 사각형의 둘레의 길이는 같지만 합동이 아닐 수도 있다.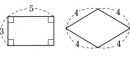

합동인 도형의 성질
개념북 **54**쪽

2 ③   **2-1** ②

2 ③ $\angle B$의 대응각은 $\angle E$이므로

$\angle B = \angle E = 180° - (60° + 70°) = 50°$

2-1 $\overline{EF}$의 대응변은 $\overline{BC}$이므로 $\overline{EF} = \overline{BC} = 4$ cm

$\angle F$의 대응각은 $\angle C$이므로

$\angle F = \angle C = 180° - (45° + 70°) = 65°$

---

5 삼각형의 합동 조건
개념북 **55**쪽

1 $\triangle ABC \equiv \triangle NOM$ (SSS 합동)

$\triangle DEF \equiv \triangle QPR$ (ASA 합동)

$\triangle GHI \equiv \triangle KLJ$ (SAS 합동)

2 (1) ○ (2) ○ (3) × (4) ○

2 (1) ASA 합동 (2) ASA 합동 (4) SSS 합동

두 삼각형이 합동일 조건
개념북 **56**쪽

1 ④   **1-1** ㄱ, ㄹ, ㅂ

1 ① SSS 합동

② $\angle B = \angle E$이므로 ASA 합동

③ SAS 합동

④ $\angle A$, $\angle D$가 두 변의 끼인각이 아니므로 합동이 아니다.

⑤ ASA 합동

1-1 오른쪽 그림에서

ㄱ. $\overline{AC} = \overline{DF}$이면 SAS 합동이다.

ㄹ. $\angle B = \angle E$이면 ASA 합동이다.

ㅂ. $\angle C = \angle F$이면 $\angle B = \angle E$이므로 ASA 합동이다.

삼각형의 합동 조건 (1) – SSS 합동
개념북 **56**쪽

2 SSS 합동

2-1 SSS 합동

2 $\triangle ABC$와 $\triangle ADC$에서

$\overline{AB} = \overline{AD}$, $\overline{BC} = \overline{DC}$, $\overline{AC}$는 공통이므로

$\triangle ABC \equiv \triangle ADC$(SSS 합동)

2-1 $\triangle ABC$와 $\triangle CDA$에서

$\overline{AB} = \overline{CD}$, $\overline{BC} = \overline{DA}$, $\overline{AC}$는 공통이므로

$\triangle ABC \equiv \triangle CDA$(SSS 합동)

삼각형의 합동 조건 (2) – SAS 합동
개념북 **57**쪽

3 ㄱ, ㄷ, ㅁ

3-1 $\triangle ABE \equiv \triangle BCF$, SAS 합동

3-2 정삼각형

3 $\triangle ABC$와 $\triangle DBE$에서

$\overline{AB} = \overline{DB}$(ㄱ), $\angle B$는 공통(ㄷ), $\overline{BC} = \overline{BE}$(ㅁ)

∴ $\triangle ABC \equiv \triangle DBE$ (SAS 합동)

3-1 $\triangle ABE$와 $\triangle BCF$에서

$\overline{AB} = \overline{BC}$, $\angle ABE = \angle BCF = 90°$, $\overline{BE} = \overline{CF}$

∴ $\triangle ABE \equiv \triangle BCF$(SAS 합동)

3-2 $\overline{AB}=\overline{BC}=\overline{CA}$이고 $\overline{AD}=\overline{BE}=\overline{CF}$이므로
$\overline{AF}=\overline{BD}=\overline{CE}$, $\angle A=\angle B=\angle C=60°$
$\therefore \triangle ADF \equiv \triangle BED \equiv \triangle CFE$ (SAS 합동)
따라서 $\overline{DF}=\overline{ED}=\overline{FE}$이므로 $\triangle DEF$는 정삼각형이다.

개념북 58쪽

📝 **삼각형의 합동 조건 ⑶ – ASA 합동**

4 ASA 합동
4-1 ASA 합동　　**4-2** 4 cm

---

4 △ABC와 △ADE에서
$\overline{BC}=\overline{DE}$, $\angle C=\angle E$이고
$\angle BAC=\angle DAE$ (맞꼭지각)이므로 $\angle B=\angle D$
$\therefore \triangle ABC \equiv \triangle ADE$ (ASA 합동)

4-1 △AOP와 △BOP에서
$\angle AOP=\angle BOP$,
$\angle OAP=\angle OBP=90°$이므로 $\angle OPA=\angle OPB$,
$\overline{OP}$는 공통
$\therefore \triangle AOP \equiv \triangle BOP$ (ASA 합동)

4-2 △ABC와 △CDA에서
$\overline{AC}$는 공통, $\angle BAC=\angle DCA=80°+40°=120°$,
$\angle ACB=\angle CAD=40°$이므로
$\triangle ABC \equiv \triangle CDA$ (ASA 합동)
$\therefore \overline{CD}=\overline{AB}=4$ cm

개념
완성 💡 **기본 문제**

개념북 59~60쪽

1 ③	**2** ④	**3** ⑤	**4** ①
5 ㄴ → ㄷ → ㄱ		**6** ㄷ, ㅁ	**7** ④
8 ③	**9** ②	**10** SAS 합동	
11 ②	**12** ④		

1 ③ 눈금 없는 자와 컴퍼스만을 사용하여 도형을 그리는 것을 작도라 한다.

2 $\overline{OP}=\overline{OQ}=\overline{O'P'}=\overline{O'Q'}$, $\overline{PQ}=\overline{P'Q'}$,
$\angle POQ=\angle P'O'Q'$

3 ⑤ $\overline{OC}=\overline{OD}=\overline{PR}=\overline{PQ}$이지만 $\overline{QR}$의 길이는 같은지 알 수 없다.

4 ① $8>2+5$이므로 삼각형을 작도할 수 없다.

6 ㄱ. 세 각의 크기가 주어진 경우는 무수히 많은 삼각형이 그려진다.
ㄴ. $9>2+6$이므로 삼각형이 만들어지지 않는다.
ㄷ. $\angle C=180°-(40°+50°)=90°$이므로 한 변의 길이와 그 양 끝 각의 크기가 주어진 경우이다.
ㄹ. $\angle C$는 $\overline{AB}$, $\overline{BC}$의 끼인각이 아니다.
ㅁ. 세 변의 길이가 주어지고 $8<5+7$이므로 삼각형이 하나로 정해진다.

7 $\overline{DE}=\overline{AB}=6$ cm이므로 $x=6$
$\angle D=\angle A=180°-(100°+40°)=40°$이므로
$y=40$
$\therefore x+y=6+40=46$

8 ① SAS 합동　② ASA 합동
③ 세 각의 크기가 각각 같은 두 삼각형은 모양은 같으나 크기가 다를 수 있으므로 합동이 아니다.
④ ASA 합동　⑤ SSS 합동

9 주어진 삼각형의 나머지 한 각의 크기는
$180°-(70°+60°)=50°$이므로 주어진 삼각형과 합동인 삼각형은 ㄱ(SAS 합동), ㄷ(ASA 합동)이다.

10 △ABE와 △ACD에서
$\overline{AB}=\overline{AC}$, $\angle A$는 공통, $\overline{AE}=\overline{AD}$이므로
$\triangle ABE \equiv \triangle ACD$ (SAS 합동)

11 $\angle AOB=180°-70°=110°$
△OAB와 △OCD에서
$\overline{AO}=\overline{CO}$, $\overline{BO}=\overline{DO}$이고,
$\angle AOB=\angle COD$ (맞꼭지각)이므로
$\triangle OAB \equiv \triangle OCD$ (SAS 합동)
$\therefore \angle A=\angle C=40°$
$\therefore \angle B=180°-(110°+40°)=30°$

12 △ADC에서

$\angle DAC = 180° - (90° + 60°)$
$\qquad = 30°$

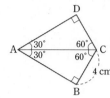

△ABC에서

$\angle BCA = 180° - (30° + 90°) = 60°$

△ABC와 △ADC에서

$\overline{AC}$는 공통, $\angle BAC = \angle DAC = 30°$,

$\angle BCA = \angle DCA = 60°$

$\therefore △ABC \equiv △ADC$ (ASA 합동)

④ $\angle BCD = \angle DCA + \angle BCA = 120°$

---

1 ㉠, ㉡, ㉢, ㉤   **2** ④   **3** ③

4 ①   **5** $4\,\text{cm}^2$

6 ① 9, $(x+2)+7$, $x>0$ ② $x+2$, $7+9$, $x<14$

  ③ $0<x<14$

7 ① $△ABE \equiv △ADC$(SAS 합동) ② $\overline{DC}$

---

2 만들 수 있는 삼각형은 $(4, 4, 6)$, $(4, 6, 6)$, $(4, 6, 8)$, $(4, 8, 10)$, $(6, 6, 8)$, $(6, 6, 10)$, $(6, 8, 10)$의 7개이다.

3

4 △ACD와 △BCE에서 $\overline{AC} = \overline{BC}$, $\overline{CD} = \overline{CE}$,

$\angle ACD = \angle ACE + 60° = \angle BCE$

$\therefore △ACD \equiv △BCE$ (SAS 합동)

②, ③, ④ $△ACD \equiv △BCE$이므로

$\quad \angle CAD = \angle CBE$, $\overline{AD} = \overline{BE}$

⑤ $\angle ACB = \angle ECD = 60°$이므로

$\quad \angle ACE = 180° - 2 \times 60° = 60°$

---

5 △OBH와 △OCI에서

$\overline{OB} = \overline{OC}$, $\angle OBH = \angle OCI = 45°$

$\angle BOH = \angle BOC - \angle HOC = 90° - \angle HOC$
$\qquad = \angle COI$

$\therefore △OBH \equiv △OCI$ (ASA 합동)

따라서 색칠한 부분의 넓이는

$△OHC + △OCI = △OHC + △OBH = △OBC$

$\qquad = \dfrac{1}{4}\square ABCD = \dfrac{1}{4} \times 4 \times 4$

$\qquad = 4\,(\text{cm}^2)$

6 ① 가장 긴 변의 길이가 9일 때

$\quad 9 < (x+2) + 7 \qquad \therefore x > 0$

② 가장 긴 변의 길이가 $x+2$일 때

$\quad x + 2 < 7 + 9 \qquad \therefore x < 14$

③ ①, ②에서 $0 < x < 14$

7 ① △ABE와 △ADC에서

$\quad \overline{AB} = \overline{AD}$, $\overline{AE} = \overline{AC}$

$\quad \angle BAE = \angle BAC + 60° = \angle DAC$

$\quad \therefore △ABE \equiv △ADC$ (SAS 합동)

② $△ABE \equiv △ADC$이므로 $\overline{BE}$에 대응하는 변은 $\overline{DC}$이다.

따라서 $\overline{BE}$와 길이가 같은 선분은 $\overline{DC}$이다.

II 평면도형

1 다각형의 성질

개념이해 1 다각형 ························ 개념북 66쪽

1 ①, ④
2 105°

1 ② 도형 전체 또는 일부가 곡선으로 이루어져 있으므로 다각형이 아니다.
③ 선분의 끝점이 만나지 않으므로 다각형이 아니다.
⑤ 입체도형이므로 다각형이 아니다.

2 오른쪽 그림과 같이 다각형에서 한 내각의 크기와 그와 이웃한 한 외각의 크기의 합은 180°이므로
(∠C의 외각의 크기)
$=180°-75°=105°$

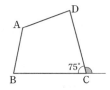

✏ 다각형 ························ 개념북 67쪽

1 ①, ② **1-1** ③, ④

1 ① 사각뿔은 입체도형이므로 다각형이 아니다.
② 부채꼴은 두 개의 선분과 하나의 곡선으로 이루어져 있으므로 다각형이 아니다.

1-1 ① 3개 이상의 선분으로 둘러싸여 있지 않으므로 다각형이 아니다.
② 도형의 일부가 곡선으로 이루어져 있으므로 다각형이 아니다.
⑤ 입체도형이므로 다각형이 아니다.

✏ 정다각형 ························ 개념북 67쪽

2 ③, ⑤ **2-1** ㄱ, ㄷ

2 ① 부채꼴 ② 직사각형 ③ 정삼각형 ④ 마름모 ⑤ 정육각형이므로 모든 변의 길이가 같고, 모든 내각의 크기가 같은 정다각형은 ③, ⑤이다.

2-1 ㄴ. 정육각형의 경우 대각선의 길이가 다르다.

✏ 내각과 외각 ························ 개념북 68쪽

3 (1) ∠CBF (2) 115°
3-1 (1) 130° (2) 100° **3-2** ③ **3-3** ①

3 (1) ∠ABC의 외각은 ∠CBF
(2) $∠ADC=180°-∠HDA=180°-65°=115°$

3-1 (1) $∠x=180°-50°=130°$
(2) $∠x=180°-80°=100°$

3-2 다각형의 한 꼭짓점에서 내각과 외각의 크기의 합은 180°이므로
(구하는 내각의 크기)$=180°-109°=71°$

3-3 다각형의 한 꼭짓점에서 내각과 외각의 크기의 합은 180°이므로 주어진 오각형의 내각의 크기는 오른쪽 그림과 같다.
따라서 주어진 오각형의 내각의 크기가 아닌 것은 ①이다.

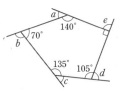

2 다각형의 대각선 ························ 개념북 69쪽

1 (위부터 차례로) 3, 3, 3, 4, 3, 9, 7, 4, 14

1

	사각형	오각형	육각형	칠각형
한 꼭짓점에서 그을 수 있는 대각선의 개수	$4-3=1$	$5-3=2$	$6-\boxed{3}=\boxed{3}$	$7-\boxed{3}=\boxed{4}$
대각선의 개수	$\dfrac{4×1}{2}=2$	$\dfrac{5×2}{2}=5$	$\dfrac{6×\boxed{3}}{2}$ $=\boxed{9}$	$\dfrac{\boxed{7}×\boxed{4}}{2}$ $=\boxed{14}$

✏ 한 꼭짓점에서 그을 수 있는 대각선의 개수 (1) ······ 개념북 70쪽

1 (1) 7 (2) 17 **1-1** ⑤

1 (1) $10-3=7$ (2) $20-3=17$

1-1 $a=7-3=4$

$b=7$

$\therefore a+b=4+7=11$

✏️ 한 꼭짓점에서 그을 수 있는 대각선의 개수 ⑵   개념북 70쪽

2 ④   **2-1** ④   **2-2** 23

2 구하는 다각형을 n각형이라 하면 n각형의 한 꼭짓점에서 그을 수 있는 대각선의 개수는 $(n-3)$이므로

$n-3=8$ $\therefore n=11$

따라서 구하는 다각형은 십일각형이다.

2-1 구하는 다각형을 n각형이라 하면

$n-3=11$ $\therefore n=14$

따라서 십사각형의 꼭짓점의 개수는 14이다.

2-2 구하는 다각형을 n각형이라 하면

$n-3=20$ $\therefore n=23$

따라서 이십삼각형의 변의 개수는 23이다.

✏️ 대각선의 개수 ⑴   개념북 71쪽

3 65   **3-1** 9번

3 구하는 다각형을 n각형이라 하면 n각형의 한 꼭짓점에서 그을 수 있는 대각선의 개수는 $(n-3)$이므로

$n-3=10$ $\therefore n=13$

따라서 십삼각형의 대각선의 개수는 $\dfrac{13\times10}{2}=65$

3-1 양옆의 사람을 제외한 두 사람씩 짝을 지으면 악수를 한 총 횟수는 육각형의 대각선의 개수와 같으므로

$\dfrac{6\times(6-3)}{2}=9$(번)

✏️ 대각선의 개수 ⑵   개념북 71쪽

4 ④   **4-1** 정십이각형

4 구하는 다각형을 n각형이라 하면 대각선의 개수가 90이므로 $\dfrac{n(n-3)}{2}=90$, $n(n-3)=180$

이때 $180=15\times12$이므로 $n=15$

따라서 구하는 다각형은 십오각형이다.

4-1 변의 길이가 모두 같고, 내각의 크기가 모두 같은 다각형은 정다각형이므로 구하는 다각형을 정n각형이라 하면

$\dfrac{n(n-3)}{2}=54$, $n(n-3)=108$

이때 $108=12\times9$이므로 $n=12$

따라서 구하는 다각형은 정십이각형이다

3 삼각형의 내각과 외각의 성질 개념북 72쪽

1 $30°$

2 ⑴ $75°$ ⑵ $77°$

1 $50°+\angle x+100°=180°$,

$\angle x+150°=180°$ $\therefore \angle x=30°$

2 ⑴ $\angle x=40°+35°=75°$

⑵ $\angle x+58°=135°$ $\therefore \angle x=77°$

✏️ 삼각형의 내각의 크기의 합   개념북 73쪽

1 $65°$ **1-1** ⑴ $70°$ ⑵ $122°$

1 $\triangle$ABE에서 $\angle$ABE$=180°-(70°+55°)=55°$

$\angle$CBD$=\angle$ABE$=55°$ (맞꼭지각)

$\therefore \angle x=180°-(55°+60°)=65°$

1-1 ⑴ $\angle$ADB$=180°-\angle$BDC$=180°-80°=100°$

$\angle$DBC$=\angle$ABD$=180°-(50°+100°)=30°$

$\therefore \angle x=180°-(80°+30°)=70°$

⑵ $\triangle$ABC에서 $\angle$ACB$=180°-(70°+90°)=20°$

$\triangle$DBC에서 $\angle$DBC$=180°-(52°+90°)=38°$

따라서 $\triangle$EBC에서

$\angle x=180°-(38°+20°)=122°$

2 ③　　　　**2-1** $55°$

2　삼각형의 세 내각의 크기의 합은 $180°$이므로 가장 작은
　내각의 크기는

$$180° \times \frac{3}{3+4+5} = 180° \times \frac{3}{12} = 45°$$

[다른 풀이]
삼각형의 세 내각의 크기의 비가 $3:4:5$이므로
세 내각의 크기를 각각 $3\angle x$, $4\angle x$, $5\angle x$라 하면
$3\angle x + 4\angle x + 5\angle x = 180°$, $12\angle x = 180°$
$\therefore \angle x = 15°$
따라서 가장 작은 내각의 크기는
$3\angle x = 3 \times 15° = 45°$

2-1　$\angle A = 4\angle C$, $\angle B = \angle C + 30°$이므로
$4\angle C + (\angle C + 30°) + \angle C = 180°$
$6\angle C = 150°$　　$\therefore \angle C = 25°$
$\therefore \angle B = \angle C + 30° = 25° + 30° = 55°$

3 (1) $50°$　(2) $15°$

3-1 (1) $30°$　(2) $60°$　　**3-2** ④　　**3-3** $85°$

3　(1) $\angle x + 2\angle x = 150°$에서
　　　$3\angle x = 150°$　　$\therefore \angle x = 50°$
　(2) $(\angle x + 10°) + 50° = 5\angle x$에서
　　　$4\angle x = 60°$　　$\therefore \angle x = 15°$

3-1　(1) $(3\angle x - 20°) + (\angle x + 10°) = 110°$
　　　$4\angle x = 120°$　　$\therefore \angle x = 30°$
　(2) $80° + (\angle x - 10°) = 2\angle x + 10°$
　　　$\therefore \angle x = 60°$

3-2　$\angle x = 60° + 55° = 115°$
　　$\angle y = 45° + \angle x = 45° + 115° = 160°$
　　$\therefore \angle x + \angle y = 115° + 160° = 275°$

3-3　$\angle BAD = \angle CAD = \dfrac{1}{2}\angle BAC$

　　　　$= \dfrac{1}{2} \times (180° - 110°) = 35°$

　　$\angle ABD = 180° - 130° = 50°$

따라서 $\triangle ABD$에서
$\angle x = \angle BAD + \angle ABD = 35° + 50° = 85°$

4 $95°$　　　　**4-1** (1) $145°$　(2) $70°$

4　삼각형의 세 외각의 크기의 합은 $360°$이므로
　　$\angle x + 130° + 135° = 360°$　　$\therefore \angle x = 95°$

4-1　(1) 삼각형의 세 외각의 크기의 합은 $360°$이므로
　　　$\angle x + 90° + 125° = 360°$　　$\therefore \angle x = 145°$
　(2) 삼각형의 세 외각의 크기의 합은 $360°$이므로
　　　$100° + (2\angle x - 20°) + 2\angle x = 360°$
　　　$4\angle x = 280°$　　$\therefore \angle x = 70°$

5 (1) $90°$　(2) $45°$　(3) $135°$　　　　**5-1** $50°$

5　(1) $\triangle ABC$에서 $\angle B + \angle C = 180° - 90° = 90°$
　(2) 점 D가 $\angle B$와 $\angle C$의 이등분선의 교점이므로

　　　$\angle DBC = \dfrac{1}{2}\angle B$, $\angle DCB = \dfrac{1}{2}\angle C$

　　　$\therefore \angle DBC + \angle DCB = \dfrac{1}{2}(\angle B + \angle C)$

　　　　　　　　　　　　$= \dfrac{1}{2} \times 90° = 45°$

　(3) $\triangle DBC$에서
　　　$\angle x = 180° - (\angle DBC + \angle DCB)$
　　　　$= 180° - 45°$
　　　　$= 135°$

5-1　오른쪽 그림에서
　　$\angle ABI = \angle IBC = \angle a$,
　　$\angle ACI = \angle ICB = \angle b$라 하면
　　$\triangle IBC$에서
　　$\angle a + \angle b = 180° - 115° = 65°$
　　$\therefore \angle x = 180° - 2(\angle a + \angle b)$
　　　　$= 180° - 2 \times 65° = 50°$

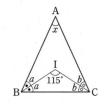

6 $95°$ **6-1** ②   **6-2** ①

6 오른쪽 그림과 같이 $\overline{BC}$를 그으면

$\triangle ABC$에서

$\angle DBC + \angle DCB$

$= 180° - (60° + 24° + 11°)$

$= 85°$

$\triangle DBC$에서

$\angle x = 180° - (\angle DBC + \angle DCB)$

$\quad = 180° - 85°$

$\quad = 95°$

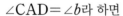

[다른 풀이]

오른쪽 그림과 같이 반직선 AD를

긋고 $\angle BAD = \angle a$,

$\angle CAD = \angle b$라 하면

$\angle a + \angle b = 60°$이므로

$\triangle ABD$와 $\triangle ADC$에서

$\angle x = (\angle a + 24°) + (\angle b + 11°)$

$\quad = \angle a + \angle b + 35°$

$\quad = 60° + 35°$

$\quad = 95°$

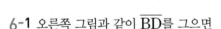

6-1 오른쪽 그림과 같이 $\overline{BD}$를 그으면

$\triangle CBD$에서

$\angle CBD + \angle CDB = 180° - 120°$

$\quad\quad\quad\quad\quad\quad = 60°$

$\triangle ABD$에서

$\angle x = 180° - (25° + \angle CBD + \angle CDB + 30°)$

$\quad = 180° - (25° + 60° + 30°)$

$\quad = 65°$

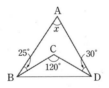

6-2 오른쪽 그림과 같이 $\overline{BC}$를 그으면

$\angle a + \angle b = 180° - 131° = 49°$

$\triangle ABC$에서

$60° + 32° + \angle a + \angle b + \angle x = 180°$

$60° + 32° + 49° + \angle x = 180°$

$\angle x + 141° = 180° \quad \therefore \angle x = 39°$

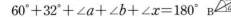

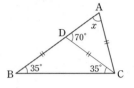
7 ③   **7-1** ⑤

7 $\triangle DBC$에서

$\angle DCB = \angle B = 35°$이고

$\angle ADC = 35° + 35° = 70°$

$\triangle CAD$에서

$\angle x = \angle ADC = 70°$

7-1 $\triangle ABC$에서

$\angle ACB = \angle B = 20°$이고

$\angle EAC = 20° + 20° = 40°$

$\triangle CEA$에서

$\angle CEA = \angle CAE = 40°$

$\triangle EBC$에서

$\angle ECD = \angle EBC + \angle BEC = 20° + 40° = 60°$

$\triangle ECD$에서 $\angle x = \angle ECD = 60°$

삼각형의 외각의 성질의 응용 (2) – 한 내각과 한 외각의 이등분선   개념북 77쪽

8 $15°$ **8-1** ③

8 $\angle ABD = \angle DBC = \angle a$,

$\angle ACD = \angle DCE = \angle b$라 하면

$\triangle ABC$에서

$2\angle b = 2\angle a + 30°$이므로

$\angle b = \angle a + 15° \quad\quad \cdots\cdots \ \bigcirc$

$\triangle DBC$에서 $\angle b = \angle a + \angle x \quad\quad \cdots\cdots \ \bigcirc\!\!\!\bigcirc$

$\bigcirc$, $\bigcirc\!\!\!\bigcirc$에서 $\angle a + 15° = \angle a + \angle x \quad \therefore \angle x = 15°$

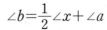

8-1 $\angle ABD = \angle DBC = \angle a$,

$\angle ACD = \angle DCE = \angle b$라 하면

$\triangle ABC$에서 $2\angle b = \angle x + 2\angle a$

이므로

$\angle b = \dfrac{1}{2}\angle x + \angle a \quad\quad \cdots\cdots \ \bigcirc$

$\triangle DBC$에서 $\angle b = \angle a + 20° \quad\quad \cdots\cdots \ \bigcirc\!\!\!\bigcirc$

$\bigcirc$, $\bigcirc\!\!\!\bigcirc$에서 $\dfrac{1}{2}\angle x + \angle a = \angle a + 20°$

$\dfrac{1}{2}\angle x = 20° \quad \therefore \angle x = 40°$

개념북 **78**쪽

4 다각형의 내각의 크기

1 (1) 3 (2) 3, 180°, 3, 540° (3) 540°, 108°

1 (1), (2) 정오각형의 한 꼭짓점에서 대각선을 그으면 삼각형 3개로 나누어지므로 내각의 크기의 합은
$180° \times 3 = 540°$이다.

(3) 정오각형의 내각의 크기는 모두 같으므로 한 내각의 크기는 $\dfrac{540°}{5} = 108°$이다.

✏ 다각형의 내각의 크기의 합
개념북 **79**쪽

1 (1) 360° (2) 1080°

1-1 ④   **1-2** 140°

1 (1) 사각형 내각의 크기의 합은
$180° \times (4-2) = 360°$

(2) 팔각형의 내각의 크기의 합은
$180° \times (8-2) = 1080°$

1-1 구하는 다각형을 n각형이라 하면
$180° \times (n-2) = 1260°$, $n-2 = 7$ ∴ $n = 9$
따라서 구각형의 변의 개수는 9개이다.

1-2 육각형의 내각의 크기의 합은
$180° \times (6-2) = 720°$이므로
$(\angle x - 10°) + 100° + 115° + 110° + \angle x + 125°$
$= 720°$
$2\angle x + 440° = 720°$, $2\angle x = 280°$ ∴ $\angle x = 140°$

✏ 정다각형의 한 내각의 크기
개념북 **79**쪽

2 (1) 120° (2) 135° (3) 144°   **2-1** 정구각형

2 (1) $\dfrac{180° \times (6-2)}{6} = 120°$

(2) $\dfrac{180° \times (8-2)}{8} = 135°$

(3) $\dfrac{180° \times (10-2)}{10} = 144°$

2-1 구하는 정다각형을 정n각형이라 하면
$\dfrac{180° \times (n-2)}{n} = 140°$, $180° \times n - 360° = 140° \times n$
$40° \times n = 360°$ ∴ $n = 9$
따라서 구하는 정다각형은 정구각형이다.

✏ 다각형의 내각의 크기의 응용
개념북 **80**쪽

3 36°

3-1 90°   **3-2** ④   **3-3** 107.5°

3 ∠B는 정오각형의 한 내각이므로
$\angle B = \dfrac{180° \times (5-2)}{5} = 108°$
△ABC는 $\overline{BA} = \overline{BC}$인 이등변삼각형이므로
$\angle x = \dfrac{1}{2} \times (180° - 108°) = 36°$

3-1 정팔각형의 한 내각의 크기는
$\dfrac{180° \times (8-2)}{8} = 135°$
△CDE는 $\overline{DC} = \overline{DE}$인 이등변삼각형이므로
$\angle DEC = \dfrac{1}{2} \times (180° - 135°) = 22.5°$
마찬가지로 $\angle FEG = 22.5°$
∴ $\angle x = 135° - 22.5° \times 2 = 90°$

3-2 $\angle BAD = 180° - 40° = 140°$
사각형의 내각의 크기의 합은 360°이므로
사각형 ABCD에서
$\angle ABC + \angle DCB = 360° - (140° + 100°) = 120°$
∴ $\angle EBC + \angle ECB = \dfrac{1}{2}(\angle ABC + \angle DCB)$
$= \dfrac{1}{2} \times 120° = 60°$
따라서 △EBC에서
$\angle x = 180° - 60° = 120°$

3-3 $\angle BAD = 180° - 80° = 100°$
$\angle ADC = 180° - 65° = 115°$
사각형의 내각의 크기의 합은 360°이므로
사각형 ABCD에서
$\angle ABC + \angle DCB = 360° - (100° + 115°) = 145°$
∴ $\angle EBC + \angle ECB = \dfrac{1}{2}(\angle ABC + \angle DCB)$
$= \dfrac{1}{2} \times 145° = 72.5°$
따라서 △EBC에서
$\angle x = 180° - 72.5° = 107.5°$

5 다각형의 외각의 크기

개념북 **81**쪽

1 (1) 180° (2) 5, 900° (3) 180°, 540°

   (4) 900°, 540°, 360° (5) 360°, 72°

1 (1) 오각형의 각 꼭짓점에서 내각과 외각의 크기의 합은

   180°(평각)이다.

📝 다각형의 외각의 크기의 합

개념북 **82**쪽

1 (1) 77° (2) 65°   **1-1** 137°

1 (1) 다각형의 외각의 크기의 합은 360°이고

   ∠B의 외각의 크기는 $180°-75°=105°$이므로

   $53°+105°+125°+∠x=360°$

   $∠x+283°=360°$

   $∴ ∠x=77°$

   (2) ∠C의 외각의 크기는 $180°-125°=55°$이므로

   $80°+∠x+55°+90°+70°=360°$

   $∠x+295°=360°$

   $∴ ∠x=65°$

1-1 다각형의 외각의 크기의 합은 360°이고

   ∠B의 외각의 크기는 $180°-∠x$이므로

   $(180°-∠x)+80°+77°+75°+85°=360°$

   $497°-∠x=360°$ $∴ ∠x=137°$

📝 정다각형의 한 외각의 크기

개념북 **82**쪽

2 정십각형   **2-1** ①   **2-2** 54

2 구하는 정다각형을 정n각형이라 하면

   $\dfrac{360°}{n}=36°$ $∴ n=10$

   따라서 구하는 정다각형은 정십각형이다.

2-1 내각의 크기의 합이 2340°인 정다각형을 정n각형이라

   하면 $180°×(n-2)=2340°$, $n-2=13$

   $∴ n=15$

   따라서 정십오각형의 한 외각의 크기는 $\dfrac{360°}{15}=24°$

2-2 한 외각의 크기는 $180°×\dfrac{1}{5+1}=30°$

   외각의 크기의 합은 항상 360°이므로 한 외각의 크기가

   30°인 정다각형을 정n각형이라 하면

   $\dfrac{360°}{n}=30°$ $∴ n=12$

   따라서 정십이각형의 대각선의 개수는

   $\dfrac{12×(12-3)}{2}=54$

---

6 다각형의 내각과 외각의 활용

개념북 **83**쪽

1 310°

1 오른쪽 그림과 같이 보조선을 그어 생기

   는 각의 크기를 각각 ∠x, ∠y라 하면

   $∠x+∠y=180°-130°=50°$이므로

   $∠a+∠b+∠c+∠d+∠x+∠y$

   $=360°$

   $∠a+∠b+∠c+∠d+50°=360°$

   $∴ ∠a+∠b+∠c+∠d=360°-50°=310°$

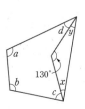

📝 오목한 부분이 있는 다각형에서 각의 크기 구하기

개념북 **84**쪽

1 75°

1-1 ②   **1-2** ①   **1-3** ④

1 오른쪽 그림과 같이 보조선을 그으

   면 오각형의 내각의 크기의 합은

   $180°×(5-2)=540°$이므로

   $50°+∠a+∠b+60°+120°$

   $\qquad +95°+110°=540°$

   $∠a+∠b+435°=540°$ $∴ ∠a+∠b=105°$

   $∠a+∠b+∠x=180°$이므로

   $105°+∠x=180°$ $∴ ∠x=75°$

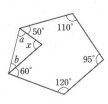

1-1 오른쪽 그림과 같이 보조선을 그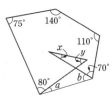
으면 $\angle x+\angle y=\angle a+\angle b$
오각형의 내각의 크기의 합은
$180°\times(5-2)=540°$이므로
$140°+75°+80°+\angle a+\angle b+70°+110°=540°$
$\angle a+\angle b+475°=540°$, $\angle a+\angle b=65°$
$\therefore \angle x+\angle y=65°$

1-2 오른쪽 그림과 같이 보조선을 그으면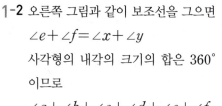
$\angle e+\angle f=\angle x+\angle y$
사각형의 내각의 크기의 합은 $360°$
이므로
$\angle a+\angle b+\angle c+\angle d+\angle e+\angle f$
$=\angle a+\angle b+\angle c+\angle d+\angle x+\angle y=360°$

1-3 오른쪽 그림과 같이 보조선을 그으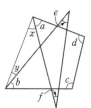
면 $\angle x+\angle y=\angle u+\angle v$이므로
$\angle a+\angle b+\angle c+\cdots+\angle j+\angle k$
의 크기는 칠각형과 사각형의 내
각의 크기의 합과 같다.
칠각형의 내각의 크기의 합은 $180°\times(7-2)=900°$
사각형의 내각의 크기의 합은 $180°\times(4-2)=360°$
따라서 구하는 각의 크기는
$900°+360°=1260°$

2-1 오른쪽 그림의 $\triangle AHD$에서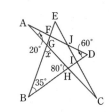
$\angle AHB=20°+60°=80°$
따라서 $\triangle GBH$에서
$\angle x=180°-(35°+80°)=65°$

2-2 오른쪽 그림의 $\triangle BDF$에서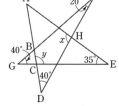
$\angle GBC=20°+40°=60°$
이므로 $\triangle BGC$에서
$\angle y=40°+60°=100°$
$\triangle ACE$에서
$\angle A=180°-(100°+35°)=45°$
이므로 $\triangle ADH$에서
$\angle x=180°-(40°+45°)=95°$
$\therefore \angle x+\angle y=95°+100°=195°$

2-3 오른쪽 그림과 같이 삼각형의 외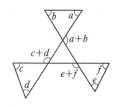
각의 성질에 의해
$\angle a+\angle b+\angle c+\angle d+\angle e+\angle f$
의 크기는 삼각형의 외각의 크기
의 합인 $360°$와 같다.

✏️ 복잡한 도형에서 각의 크기 구하기
개념북 85쪽

2 (1) $360°$　　(2) $540°$

2-1 $65°$　　**2-2** $195°$　　**2-3** ③

2 (1) $\angle a+\angle c+\angle e=180°$, $\angle b+\angle d+\angle f=180°$
　　이므로
　　$\angle a+\angle b+\angle c+\angle d+\angle e+\angle f=360°$
(2) $\angle a+\angle b+\angle c+\angle d+\angle e+\angle f+\angle g$
　　$=(7$개의 삼각형의 내각의 크기의 합$)$
　　　　　$-($칠각형의 외각의 크기의 합$)\times 2$
　　$=180°\times 7-360°\times 2=540°$

🔍 기본 문제
개념북 88~89쪽

1 ②, ⑤　　**2** 풀이 참조　　**3** $\angle x=38°$, $\angle y=125°$

4 ④　　**5** $\angle x=44°$, $\angle y=147°$　　**6** ①

7 ②　　**8** 10　　**9** ①, ③　　**10** $135°$

11 ⑤　　**12** $360°$

1 ② 네 변의 길이가 모두 같다고 정다각형인 것은 아니다.
④ 구각형의 대각선의 개수는 $\dfrac{9\times(9-3)}{2}=27$이다.
⑤ 십칠각형의 한 꼭짓점에서 그을 수 있는 대각선의 개
　수는 $17-3=14$이다.
따라서 옳지 않은 것은 ②, ⑤이다.

2 n각형의 한 꼭짓점에서 그을 수 있는 대각선의 개수는
$n-3$이므로
$n-3=12$ ∴ $n=15$
따라서 십사각형의 대각선의 개수는
$\dfrac{15\times(15-3)}{2}=90$

3 $\angle x+3\angle x+(\angle x-10°)=180°,\ 5\angle x=190°$
∴ $\angle x=38°$
$\angle y=(180°-105°)+50°=125°$

4 오른쪽 그림에서
$\angle ABE=\angle CBD=50°$이므로
△ABE에서
$\angle x+43°+50°=180°$
∴ $\angle x=87°$
△BCD에서 $\angle y=50°+90°=140°$

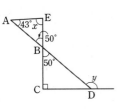

5 △ABC에서
$\angle x=180°-(90°+46°)=44°$
△ACD에서
$\angle y=90°+57°=147°$

6 $\angle ABD=\angle DBC=\angle a,$
$\angle ACD=\angle DCE=\angle b$라 하면
△ABC에서 $2\angle b=2\angle a+60°$
이므로
$\angle b=\angle a+30°$ ······ ㉠
△DBC에서 $\angle b=\angle a+\angle x$ ······ ㉡
㉠, ㉡에서 $\angle a+30°=\angle a+\angle x$
∴ $\angle x=30°$

7 구하는 정다각형을 정n각형이라 하면
$\dfrac{360°}{n}=72°$ ∴ $n=5$
따라서 정오각형의 내각의 크기의 합은
$180°\times(5-2)=540°$

8 구하는 정다각형을 정n각형이라 하면
(정n각형의 한 외각의 크기)$=180°\times\dfrac{1}{4+1}=36°$
이므로
$\dfrac{360°}{n}=36°$ ∴ $n=10$
따라서 정십각형의 꼭짓점의 개수는 10이다.

9 ① 대각선의 개수는 $\dfrac{20\times(20-3)}{2}=170$이다.
② 내각의 크기의 합은 $180°\times(20-2)=3240°$이다.
④ 한 외각의 크기는 $\dfrac{360°}{20}=18°$이다.
⑤ 한 내각의 크기는 $\dfrac{3240°}{20}=162°$이다.
따라서 옳은 것은 ①, ③이다.

10 오른쪽 그림과 같이 보조선을 그
으면
$125°+45°+\angle a+\angle b$
$+35°+110°=360°$
$315°+\angle a+\angle b=360°$ ∴ $\angle a+\angle b=45°$
∴ $\angle x=180°-(\angle a+\angle b)$
$=180°-45°$
$=135°$

11 정육각형과 정팔각형의 한 외각의 크기는 각각
$\dfrac{360°}{6}=60°,\ \dfrac{360°}{8}=45°$이고
$\angle AFG=360°-\angle AFE-\angle GFE$
$=360°-120°-135°$
$=105°$
이므로 사각형 AFGP에서
$\angle APG=360°-(\angle PAF+\angle AFG+\angle PGF)$
$=360°-(60°+105°+45°)$
$=150°$

12 오른쪽 그림과 같이 구하는 각의 크
기의 합은 색칠한 다각형의 외각의
크기의 합과 같으므로 360°이다.

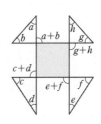

1 $\angle DBC = \angle x$,

$\angle DCE = \angle y$라 하면

$\angle ABD = 2\angle x$,

$\angle ACD = 2\angle y$

$\triangle ABC$에서

$3\angle y = 60° + 3\angle x$, $\angle y = 20° + \angle x$ ...... ㉠

$\triangle DBC$에서 $\angle y = \angle x + \angle BDC$ ...... ㉡

㉠, ㉡에서 $20° + \angle x = \angle x + \angle BDC$

$\therefore \angle BDC = 20°$

2 $\triangle ABC$에서 $\angle ABC = \angle ACB = 73°$이므로

$\angle BAC = 180° - 2 \times 73° = 180° - 146° = 34°$

$\angle BAE = \angle BAC + \angle CAE = 34° + 60° = 94°$

$\triangle ABE$는 $\overline{AB} = \overline{AE}$인 이등변삼각형이므로

$\angle ABE = \dfrac{1}{2} \times (180° - 94°) = \dfrac{1}{2} \times 86° = 43°$

$\therefore \angle DBF = \angle DBA + \angle ABE = 60° + 43° = 103°$

3 $\angle a + \angle b + 30° + 35° + 40°$

$= (삼각형의 내각의 크기의 합) \times 5$

    $- (오각형의 외각의 크기의 합) \times 2$

$= 180° \times 5 - 360° \times 2 = 180°$

$\therefore \angle a + \angle b = 180° - 105° = 75°$

4 오른쪽 그림과 같이 두 점 D, E

를 잇는 보조선을 그으면

$\triangle RDE$에서

$\angle RDE + \angle RED = 30° + 35°$

                $= 65°$

$\angle A + \angle B + \angle C + \angle D + 65° + \angle E + \angle F + \angle G$

$= (칠각형의 내각의 크기의 합)$

$\therefore \angle A + \angle B + \angle C + \angle D + \angle E + \angle F + \angle G$

      $= 180° \times (7 - 2) - 65° = 900° - 65° = 835°$

5 정오각형의 한 내각의 크기는 $\dfrac{180° \times (5-2)}{5} = 108°$

오른쪽 그림과 같이 두 직선 l, m

에 평행한 직선 n을 그으면

$\angle x = 108° - 52° = 56°$(엇각)

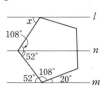

6 오른쪽 그림에서

① $\angle ADB = 70°$이므로

    $\angle BDC = 180° - 70°$

          $= 110°$

$\angle ACE = 140°$이므로

$\angle ACB = 180° - 140° = 40°$

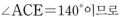

② $\triangle DBC$에서

    $\angle DBC = 180° - (\angle BDC + \angle BCD)$

             $= 180° - (110° + 40°) = 30°$

③ $\triangle ABD$에서 $\angle ABD = \angle DBC = 30°$이므로

    $\angle x = 180° - (30° + 70°) = 80°$

7 ① 정다각형에서 한 내각과 한 외각의 크기의 합은 $180°$

이므로 구하는 정다각형의 한 외각의 크기는

$180° - 156° = 24°$

구하는 정다각형을 정 n각형이라 하면 다각형의 외각

의 크기의 합은 $360°$이므로

$\dfrac{360°}{n} = 24°$ $\therefore n = 15$

② 따라서 정십오각형의 대각선의 개수는

$\dfrac{15 \times (15 - 3)}{2} = 90$

2 원과 부채꼴

1 원과 부채꼴
개념북 94쪽

1 (1) $\overline{BC}$ (2) $\widehat{AB}$ (3) $\overline{AB}, \overline{BC}$ (4) $\angle AOC$

2 (1) 중심, 지름   (2) 활꼴, 부채꼴

✏ **원과 부채꼴**
개념북 95쪽

1 A : 부채꼴, B : 반지름, C : 현, D : 호, E : 활꼴

1-1 ②, ④

1 두 반지름과 호로 이루어진 도형은 부채꼴이고, 호와 현으로 이루어진 도형은 활꼴이므로

A : 부채꼴, B : 반지름, C : 현, D : 호, E : 활꼴

1-1 ② 원에서 같은 중심각에 대한 현과 호로 이루어진 도형은 활꼴이다.

④ 원에서 호의 양 끝점을 이은 선분은 현이다.

✎ 원과 부채꼴의 기본 성질   개념북 95쪽

2 ④   **2-1** ②

---

2 ④ $\overline{AB}$와 $\overarc{AB}$로 이루어진 도형은 활꼴이다.

⑤ 부채꼴이 활꼴이 되는 경우는 반원일 때이므로 부채꼴의 중심각의 크기는 $180°$이다.

2-1 반지름의 길이와 현의 길이가 같을 때, 반지름과 현으로 이루어진 삼각형 AOB는 정삼각형이므로 부채꼴의 중심각의 크기는 $60°$이다.

개념 확인 2 원과 중심각   개념북 96쪽

1 (1) 15   (2) 105

1 (1) $20 : 100 = 3 : x$, $20x = 300$ ∴ $x = 15$

(2) $35 : x = 2 : 6$, $2x = 210$ ∴ $x = 105$

✎ 부채꼴의 중심각의 크기와 호, 현의 길이   개념북 97쪽

1 (1) =   (2) =   (3) ≠   **1-1** ②

---

1 (1) 같은 크기의 중심각에 대한 호의 길이는 같으므로

$\overarc{AB} = \overarc{BC}$

(2) 호의 길이는 중심각의 크기에 정비례하므로

$\overarc{AC} = 2\overarc{AB}$

(3) 현의 길이는 중심각의 크기에 정비례하지 않으므로

$\overline{AC} \neq 2\overline{AB}$

1-1 호의 길이는 중심각의 크기에 정비례하므로

$\angle AOB : \angle BOC : \angle COA = \overarc{AB} : \overarc{BC} : \overarc{CA}$
$= 4 : 3 : 2$

따라서 $\overarc{BC}$에 대한 중심각의 크기는

$\angle BOC = 360° \times \dfrac{3}{4+3+2} = 120°$

✎ 부채꼴의 중심각의 크기와 넓이   개념북 97쪽

2 (1) 35   (2) 40   **2-1** ④

---

2 (1) $30 : 105 = 10 : x$, $30x = 1050$ ∴ $x = 35$

(2) $x : 200 = 5 : 25$, $25x = 1000$ ∴ $x = 40$

2-1 원 O의 넓이를 x cm²라 하면

$150 : 360 = 30 : x$, $150x = 10800$ ∴ $x = 72$

따라서 원의 넓이는 72 cm²이다.

✎ 부채꼴의 중심각의 크기와 호, 현의 길이와 넓이의 응용   개념북 98쪽

3 ②, ⑤   **3-1** ④

---

3 ①, ③ $\overline{CD} < 2\overline{AB}$

④ $\triangle AOB \neq \dfrac{1}{2} \triangle COD$

3-1 ③ $\overarc{BC} = \dfrac{1}{3}\overarc{BE} = \dfrac{1}{3}\overarc{AE}$

④ 한 원에서 현의 길이는 중심각의 크기에 정비례하지 않으므로 $3\overline{CD} > \overline{AE}$, 즉 $3\overline{CD} \neq \overline{AE}$

✎ 원에 평행선이 있는 경우 호의 길이 구하기   개념북 98쪽

4 2 cm   **4-1** ⑤

---

4 $\angle COD = 100°$이고 $\overline{OC} = \overline{OD}$이므로

$\angle OCD = \angle ODC = \dfrac{1}{2} \times (180° - 100°) = 40°$

$\overline{AB} /\!/ \overline{CD}$이므로 $\angle AOC = \angle OCD = 40°$(엇각)

$360 : 40 = 18 : \overarc{AC}$, $360\overarc{AC} = 720$

∴ $\overarc{AC} = 2$(cm)

4-1 오른쪽 그림에서 $\overline{AC} /\!/ \overline{OD}$이므로

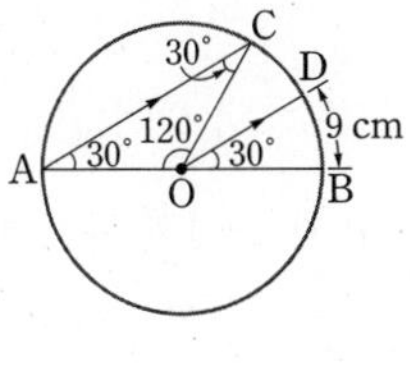

$\angle CAO = \angle DOB = 30°$(동위각)

이고 $\overline{OC}$를 그으면

$\triangle OCA$는 이등변삼각형이므로

$\angle OCA = \angle OAC = 30°$

$\angle AOC = 180° - 2 \times 30° = 120°$이므로

$120 : 30 = \overarc{AC} : 9$, $30\overarc{AC} = 1080$

∴ $\overarc{AC} = 36$(cm)

3 원의 둘레의 길이와 넓이

개념북 99쪽

1 (1) 4π cm, 4π cm^2 (2) 10π cm, 25π cm^2

2 16π cm, 64π cm^2

1 (1) (원의 둘레의 길이)$=2\pi\times 2=4\pi$(cm)

(원의 넓이)$=\pi\times 2^2=4\pi$(cm^2)

(2) (원의 둘레의 길이)$=2\pi\times 5=10\pi$(cm)

(원의 넓이)$=\pi\times 5^2=25\pi$(cm^2)

2 (원의 둘레의 길이)$=2\pi\times 8=16\pi$(cm)

(원의 넓이)$=\pi\times 8^2=64\pi$(cm^2)

✎ 원의 둘레의 길이와 넓이　　　개념북 100쪽

1 ④　　　　**1-1** 18π cm

---

1 $2\pi r=14\pi$　　∴ $r=7$

따라서 원 O의 넓이는 $\pi\times 7^2=49\pi$(cm^2)

1-1 원의 반지름의 길이를 r cm라 하면

$\pi r^2=81\pi$　　∴ $r=9$ ($∵ r>0$)

따라서 원의 둘레의 길이는 $2\pi\times 9=18\pi$(cm)

✎ 색칠한 부분의 둘레의 길이와 넓이　　개념북 100쪽

2 (1) 24π cm　(2) 18π cm^2

2-1 24π cm, 48π cm^2

---

2 (1) $2\pi\times 6+2\pi\times 3\times 2=24\pi$(cm)

(2) $\pi\times 6^2-\pi\times 3^2\times 2=18\pi$(cm^2)

2-1 $\overline{AB}=24$ cm이고 두 점 C, D가 $\overline{AB}$를 삼등분하는 점

이므로

$\overline{AC}=\overline{CD}=\overline{DB}=\dfrac{1}{3}\overline{AB}=\dfrac{1}{3}\times 24=8$(cm)

∴ (색칠한 부분의 둘레의 길이)$=2\pi\times 8+2\pi\times 4$

$=24\pi$(cm)

또, 오른쪽 그림과 같이 색칠한 부

분을 이동하면

(색칠한 부분의 넓이)

$=\pi\times 8^2-\pi\times 4^2$

$=48\pi$(cm^2)

4 부채꼴의 호의 길이와 넓이

개념북 101쪽

1 (1) $\dfrac{5}{2}\pi$ cm　(2) 4π cm

2 (1) 3π cm^2　(2) 30π cm^2

3 20π cm^2

1 (1) $2\pi\times 9\times\dfrac{50}{360}=\dfrac{5}{2}\pi$(cm)

(2) $2\pi\times 3\times\dfrac{240}{360}=4\pi$(cm)

2 (1) $\pi\times 3^2\times\dfrac{120}{360}=3\pi$(cm^2)

(2) $\pi\times 6^2\times\dfrac{300}{360}=30\pi$(cm^2)

3 부채꼴의 반지름의 길이를 r, 호의 길이를 l, 넓이를 S라

하면

$S=\dfrac{1}{2}rl=\dfrac{1}{2}\times 5\times 8\pi=20\pi$(cm^2)

✎ 부채꼴의 호의 길이　　　개념북 102쪽

1 9　　　　**1-1** $90°$

---

1 호의 길이가 3π cm이므로

$2\pi\times x\times\dfrac{60}{360}=3\pi$　　∴ $x=9$

1-1 중심각의 크기를 $x°$라 하면 호의 길이가 6π cm이므로

$2\pi\times 12\times\dfrac{x}{360}=6\pi$　　∴ $x=90$

따라서 중심각의 크기는 $90°$이다.

✎ 부채꼴의 넓이　　　개념북 102쪽

2 $72°$　　　**2-1** 60π cm^2

---

2 중심각의 크기를 $x°$라 하면 넓이가 20π cm^{2}이므로

$\pi\times 10^2\times\dfrac{x}{360}=20\pi$　　∴ $x=72$

따라서 중심각의 크기는 $72°$이다.

2-1 원 O의 둘레의 길이가 $2\pi\times 15=30\pi$(cm)이므로

$\widehat{CA}=30\pi\times\dfrac{4}{6+5+4}=8\pi$(cm)

$$\therefore (\text{색칠한 부분의 넓이})=\frac{1}{2}\times15\times8\pi$$
$$=60\pi(\text{cm}^2)$$

개념북 103쪽

변형된 도형의 둘레의 길이와 넓이 구하기

3 $(6\pi+6)$ cm, $\dfrac{9}{2}\pi$ cm^2

3-1 (1) $(24\pi+24)$ cm, 48π cm^2

(2) $(14\pi+28)$ cm, 98 cm^2

3 $(\text{둘레의 길이})=2\pi\times6\times\dfrac{90}{360}+2\pi\times3\times\dfrac{1}{2}+6$
$$=6\pi+6(\text{cm})$$
$(\text{넓이})=(\text{◩ 의 넓이})-(\text{◠ 의 넓이})$
$$=\pi\times6^2\times\frac{90}{360}-\pi\times3^2\times\frac{1}{2}$$
$$=\frac{9}{2}\pi(\text{cm}^2)$$

3-1 (1) (둘레의 길이)
$$=2\pi\times4\times\frac{240}{360}+2\pi\times8\times\frac{240}{360}$$
$$+2\pi\times12\times\frac{120}{360}+12\times2$$
$$=\frac{16}{3}\pi+\frac{32}{3}\pi+8\pi+24=24\pi+24(\text{cm})$$

오른쪽 그림과 같이 색칠한 부분을
이동하면

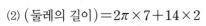

$(\text{넓이})=\pi\times12^2\times\dfrac{120}{360}$
$$=48\pi(\text{cm}^2)$$

(2) $(\text{둘레의 길이})=2\pi\times7+14\times2$
$$=14\pi+28(\text{cm})$$

오른쪽 그림과 같이 색칠한 부분을
이동하면

$(\text{넓이})=\dfrac{1}{2}\times14\times14=98(\text{cm}^2)$

개념북 103쪽

부채꼴의 호의 길이와 넓이의 응용

4 $(12\pi+36)$ cm   **4-1** $(4\pi+52)$ cm^2

4 오른쪽 그림에서 필요한 끈의
최소 길이는

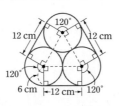

$\left(2\pi\times6\times\dfrac{120}{360}\right)\times3+12\times3$
$$=12\pi+36(\text{cm})$$

4-1 원이 지나간 자리는 오른쪽 그림과
같으므로 구하는 넓이는
$$\pi\times2^2+2\times(2\times8+2\times5)$$
$$=4\pi+52(\text{cm}^2)$$

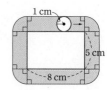

기본 문제

개념북 106~108쪽

1 ①	**2** $110°$	**3** ④	**4** ④
5 12 cm^2	**6** ①	**7** 풀이 참조	**8** ⑤
9 ①	**10** ②	**11** $10\pi+6$	
12 $(36\pi+72)$ cm		**13** ①	**14** ①
15 8π	**16** ②	**17** $(6\pi+36)$ cm	
18 12π cm			

1 ② 한 원에서 중심각의 크기가 $180°$인 부채꼴의 넓이는
그 반원의 넓이와 같다.

③ 한 원에서 중심각의 크기와 그 중심각에 대한 현의 길
이는 정비례하지 않는다.

④ 한 원에서 호의 길이는 그 호에 대한 중심각의 크기에
정비례한다.

⑤ 원의 호와 현으로 둘러싸인 도형을 활꼴이라 한다.

2 $\angle\text{AOB}:\angle\text{BOC}:\angle\text{COA}=\overarc{\text{AB}}:\overarc{\text{BC}}:\overarc{\text{CA}}$
$$=11:12:13$$
$$\therefore \angle\text{AOB}=360°\times\frac{11}{11+12+13}=110°$$

3 $\overarc{\text{AC}}:\overarc{\text{BC}}=10:2=5:1$
$$\therefore \angle\text{AOC}=180°\times\frac{5}{5+1}=150°$$

4 $\angle\text{AOB}+\angle\text{COD}=180°-85°=95°$이고
$\angle\text{AOB}:\angle\text{COD}=\overarc{\text{AB}}:\overarc{\text{CD}}=2:3$이므로
$$\angle\text{AOB}=95°\times\frac{2}{2+3}=38°$$

5 원 O의 원주를 12등분한 것이므로
$$\angle\text{AOJ}:\angle\text{COG}=\overarc{\text{AJ}}:\overarc{\text{CG}}=3:4$$
부채꼴 COG의 넓이를 x cm^{2}라 하면
$$\angle\text{AOJ}:\angle\text{COG}=9:x,\ 3:4=9:x$$
$$3x=36 \quad \therefore x=12$$
따라서 부채꼴 COG의 넓이는 12 cm^{2}이다.

6 오른쪽 그림에서

$\angle BOC = \angle EOF = \angle x$ (맞꼭지각)

로 놓으면 $\angle AOE = 4\angle x$이므로

$\angle AOF = 4\angle x - \angle x = 90°$에서

$\angle x = 30°$

$\therefore$ (부채꼴 AOE의 넓이) : (부채꼴 AOB의 넓이)

$= \angle AOE : \angle AOB = 4\angle x : (90° - \angle x)$

$= 120° : 60° = 2 : 1$

7 미경 : 현의 길이는 중심각의 크기에 정비례하지 않으므로 $\overline{AB} \neq 3\overline{CD}$야.

8 ⑤ 삼각형의 넓이는 중심각의 크기에 정비례하지 않으므로

$\triangle AOC \neq \dfrac{1}{2}\triangle COG$

9 오른쪽 그림에서 $\overline{AC} \parallel \overline{OD}$이므로

$\angle OAC = \angle BOD = 50°$ (동위각)

$\overline{OA} = \overline{OC}$이므로

$\angle OCA = \angle OAC = 50°$

$\angle COD = \angle OCA = 50°$ (엇각)

따라서 $\angle COD = \angle BOD = 50°$이므로

$\widehat{CD} = \widehat{BD} = 4\ cm$

10 (부채꼴의 넓이) $= \dfrac{1}{2} \times 6 \times 5\pi = 15\pi\ (cm^2)$

11 (작은 부채꼴의 호의 길이) $= 2\pi \times 6 \times \dfrac{120}{360} = 4\pi$

(큰 부채꼴의 호의 길이) $= 2\pi \times 9 \times \dfrac{120}{360} = 6\pi$

$\therefore$ (구하는 둘레의 길이) $= 4\pi + 6\pi + 3 \times 2 = 10\pi + 6$

12 (색칠한 부분의 둘레의 길이) $= 2\pi \times 9 \times 2 + 9 \times 8$

$= 36\pi + 72\ (cm)$

13 원 O와 원 O'의 둘레의 길이가 20π로 같으므로 두 원의 반지름의 길이가 같다.

두 원의 반지름의 길이를 r라 하면

$2\pi r = 20\pi$ $\quad \therefore r = 10$

오른쪽 그림과 같이

$\overline{AB},\ \overline{O'A},\ \overline{O'B}$를 그으면

$\triangle AOB$와 $\triangle AO'B$에서

$\overline{OA} = \overline{O'A},\ \overline{OB} = \overline{O'B},$

$\overline{AB}$는 공통이므로

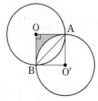

$\triangle AOB \equiv \triangle AO'B$ (SSS 합동)

따라서 $\angle AO'B = 90°$이고 사각형 AOBO'이 정사각형이므로

(색칠한 부분의 넓이)

$=$ (정사각형 AOBO'의 넓이) $-$ (부채꼴 AO'B의 넓이)

$= 10^2 - \pi \times 10^2 \times \dfrac{90}{360} = 100 - 25\pi$

14 (색칠한 부분의 넓이)

$=$ ($\overline{AB}$가 지름인 반원의 넓이)

$\quad +$ ($\overline{AC}$가 지름인 반원의 넓이) $+$ ($\triangle ABC$의 넓이)

$\quad\quad -$ ($\overline{BC}$가 지름인 반원의 넓이)

$= \pi \times 4^2 \times \dfrac{1}{2} + \pi \times 3^2 \times \dfrac{1}{2} + \dfrac{1}{2} \times 8 \times 6 - \pi \times 5^2 \times \dfrac{1}{2}$

$= 8\pi + \dfrac{9}{2}\pi + 24 - \dfrac{25}{2}\pi$

$= 24\ (cm^2)$

15 오른쪽 그림에서

(점 A가 움직인 거리)

$= 2\pi \times 12 \times \dfrac{120}{360} = 8\pi$

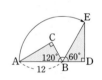

16 색칠한 두 부분의 넓이가 같으므로 직사각형 ABCE와 부채꼴 ABD의 넓이가 같다.

$4 \times x = \pi \times 4^2 \times \dfrac{90}{360}$ $\quad \therefore x = \pi$

17 오른쪽 그림에서 필요한 끈의 최소 길이는

$2\pi \times 3 + 12 \times 3$

$= 6\pi + 36\ (cm)$

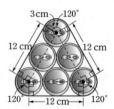

18 점 O가 움직인 모양은 다음 그림과 같다.

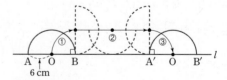

따라서 구하는 거리는

$$\underbrace{2\pi \times 6 \times \dfrac{90}{360}}_{①} + \underbrace{2\pi \times 6 \times \dfrac{180}{360}}_{②} + \underbrace{2\pi \times 6 \times \dfrac{90}{360}}_{③}$$

$= 3\pi + 6\pi + 3\pi$

$= 12\pi\ (cm)$

1 ②   **2** ①   **3** ③   **4** ②

5 6π cm

6 ① $\overset{\frown}{BC}$, $\overset{\frown}{CA}$, $5:2:1$ ② $45°$ ③ $90°$ ④ $45°$

7 ① 3π cm², 3π cm² ② $(36-6\pi)$ cm²

1 오른쪽 그림에서

$\angle BOD=\angle x$라 하면

$\triangle DAO$는 $\overline{DA}=\overline{DO}$인

이등변삼각형이므로

$\angle DAO=\angle DOA=\angle x$

$\angle EDO=\angle DAO+\angle DOA=\angle x+\angle x=2\angle x$

$\overline{OE}$를 그으면 $\triangle ODE$는 $\overline{OD}=\overline{OE}$인 이등변삼각형이

므로

$\angle OED=\angle ODE=2\angle x$

$\triangle EAO$에서

$\angle EOC=\angle EAO+\angle AEO=\angle x+2\angle x=3\angle x$

부채꼴의 호의 길이는 중심각의 크기에 정비례하므로

$\overset{\frown}{BD}:\overset{\frown}{CE}=\angle BOD:\angle EOC$

$\qquad\qquad\quad =\angle x:3\angle x$

$\qquad\qquad\quad =1:3$

2 작은 원의 반지름의 길이를 r cm라 하면

$\pi r^2=4\pi$, $r^2=4$ $\therefore r=2\ (\because r>0)$

큰 원의 반지름의 길이는 $3r=3\times2=6$(cm)

따라서 큰 원의 둘레의 길이는 $2\pi\times6=12\pi$(cm)

3 (색칠한 부분의 넓이)

$=(\diamond\text{의 넓이})+(\cap\text{의 넓이})$

$=\pi\times3^2\times\dfrac{120}{360}+\left(\pi\times6^2\times\dfrac{240}{360}-\pi\times3^2\times\dfrac{240}{360}\right)$

$=3\pi+24\pi-6\pi$

$=21\pi$(cm²)

4 구하는 넓이는 오른쪽 그림에서 색칠한 부

분의 넓이의 8배이다.

따라서 구하는 넓이는

$\left(\pi\times5^2\times\dfrac{90}{360}-\dfrac{1}{2}\times5\times5\right)\times8$

$=\left(\dfrac{25}{4}\pi-\dfrac{25}{2}\right)\times8=50\pi-100$(cm²)

5 점 A가 움직인 모양은 다음 그림과 같다.

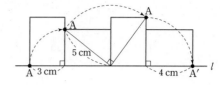

따라서 구하는 거리는

$2\pi\times3\times\dfrac{90}{360}+2\pi\times5\times\dfrac{90}{360}+2\pi\times4\times\dfrac{90}{360}$

$=\dfrac{3}{2}\pi+\dfrac{5}{2}\pi+2\pi$

$=6\pi$(cm)

6 ① $(\overset{\frown}{APB}\text{의 중심각}):(\overset{\frown}{BC}\text{의 중심각})$

$\qquad\qquad\qquad\qquad :(\overset{\frown}{CA}\text{의 중심각})$

$\quad =\overset{\frown}{APB}:\overset{\frown}{BC}:\overset{\frown}{CA}$

$\quad =5:2:1$

② $\angle x=\angle AOC=360°\times\dfrac{1}{5+2+1}=45°$

③ $\angle y=\angle BOC=360°\times\dfrac{2}{5+2+1}=90°$

④ $\angle y-\angle x=90°-45°=45°$

7 ① $\overline{BE}$, $\overline{EC}$는 부채꼴 ABE와 부채꼴 ECD의 반지름

이므로 그 길이는 모두 6 cm이다.

$\triangle BCE$에서 $\overline{BE}=\overline{BC}=\overline{CE}$이므로 $\triangle BCE$는 정

삼각형이다.

즉, $\angle EBC=\angle ECB=60°$에서

$\angle ABE=\angle DCE=90°-60°=30°$

이므로

(부채꼴 ABE의 넓이)$=$(부채꼴 ECD의 넓이)

$\qquad\qquad\qquad\qquad =\pi\times6^2\times\dfrac{30}{360}$

$\qquad\qquad\qquad\qquad =3\pi$(cm²)

② (색칠한 부분의 넓이)

$=$(사각형 ABCD의 넓이)

$\qquad -\{(\text{부채꼴 ABE의 넓이})$

$\qquad\qquad +(\text{부채꼴 ECD의 넓이})\}$

$=6\times6-3\pi\times2$

$=36-6\pi$(cm²)

III 입체도형

1 다면체와 회전체

개념확인 1 다면체   개념북 114쪽

1 (1) 육각기둥, 직사각형, 팔면체

   (2) 오각뿔, 삼각형, 육면체

   (3) 삼각뿔대, 사다리꼴, 오면체

1 (1) 밑면이 육각형인 각기둥이므로 육각기둥이고 각기둥의
옆면은 항상 직사각형이다.

   ∴ 육각기둥, 직사각형, 팔면체

   (2) 밑면이 오각형인 각뿔이므로 오각뿔이고 각뿔의 옆면
은 항상 삼각형이다.

   ∴ 오각뿔, 삼각형, 육면체

   (3) 삼각뿔을 밑면에 평행한 평면으로 자른 도형, 즉 밑면
이 삼각형인 각뿔대이므로 삼각뿔대이고 각뿔대의 옆
면은 항상 사다리꼴이다.

   ∴ 삼각뿔대, 사다리꼴, 오면체

✏️ 다면체의 이해   개념북 115쪽

1 ㄱ: 육면체, ㄷ: 팔면체, ㅁ: 사면체, ㅂ: 육면체

1-1 ㄴ, ㄷ, ㅁ

1 ㄱ. 사각기둥이므로 육면체이다.

   ㄷ. 두 개의 사각뿔의 밑면을 붙인 다면체로 팔면체이다.

   ㅁ. 삼각뿔이므로 사면체이다.

   ㅂ. 사각뿔대이므로 육면체이다.

1-1 ㄱ. 사면체 ㄹ. 육면체 ㅂ. 육면체 ㅅ. 칠면체

   ㅇ. 육면체

   따라서 오면체인 것은 ㄴ, ㄷ, ㅁ이다.

✏️ 다면체의 옆면의 모양   개념북 115쪽

2 ②, ④   **2-1** ④

2 ① 오각기둥 – 직사각형   ③ 삼각뿔대 – 사다리꼴

   ⑤ 칠각뿔 – 삼각형

2-1 ④ 오각뿔대 – 사다리꼴

✏️ 다면체의 꼭짓점, 모서리, 면의 개수   개념북 116쪽

3 $v=10$, $e=15$, $f=7$

3-1 2   **3-2** 24

3 오른쪽 그림과 같은 오각뿔대에서

   꼭짓점은 10개, 즉 $v=10$

   모서리는 15개, 즉 $e=15$

   면은 7개, 즉 $f=7$

3-1 사각뿔에서 $v=5$, $e=8$, $f=5$ ∴ $v-e+f=2$

3-2 구하는 각뿔대를 n각뿔대라 하면

   n각뿔대의 꼭짓점의 개수는 $2n=16$ ∴ $n=8$

   따라서 팔각뿔대의 모서리의 개수는 $8 \times 3 = 24$

✏️ 조건을 만족하는 다면체   개념북 116쪽

4 팔각뿔   **4-1** 칠각뿔대

4 ㈏를 만족하는 입체도형은 각뿔이다.

   이 각뿔을 n각뿔이라 하면 ㈎에서

   $n+1=9$ ∴ $n=8$

   따라서 구하는 입체도형은 팔각뿔이다.

4-1 ㈏, ㈐를 만족하는 입체도형은 각뿔대이다.

   이때 ㈎에 의해 구하는 입체도형은 칠각뿔대이다.

개념확인 2 정다면체   개념북 117쪽

1 풀이 참조

2 각 꼭짓점에 모인 면의 개수가 다르다.

1

	정사면체	정육면체	정팔면체	정십이면체	정이십면체
면의 모양	정삼각형	정사각형	정삼각형	정오각형	정삼각형
한 꼭짓점에 모인 면의 개수	3	3	4	3	5
면의 개수	4	6	8	12	20
꼭짓점의 개수	4	8	6	20	12
모서리의 개수	6	12	12	30	30

✏️ 정다면체의 성질   개념북 118쪽

1 (1) ○   (2) ○   (3) ○   (4) ×   (5) ×

1-1 ④

1 (4) 면의 모양이 정삼각형인 것은 정사면체, 정팔면체, 정이십면체이다.

(5) 모든 면이 합동인 정삼각형이고 각 꼭짓점에 모인 면의 개수가 다르므로 정육면체가 아니다.

1-1 ④ 정십이면체 — 3

🖍 **조건을 만족하는 정다면체**   개념북 118쪽

2 정이십면체   **2-1** 정팔면체

2 모든 면이 합동인 정삼각형이고, 각 꼭짓점에 모인 면의 개수가 5로 같으므로 정다면체이다.
따라서 주어진 조건을 모두 만족하는 입체도형은 정이십면체이다.

2-1 모든 면이 합동인 정삼각형이고, 각 꼭짓점에 모인 면의 개수가 4로 같으므로 정다면체이다.
따라서 주어진 조건을 모두 만족하는 입체도형은 정팔면체이다.

---

3 정다면체의 전개도   개념북 119쪽

1 (1) 정육면체   (2) 3   (3) 점 M, 점 I   (4) $\overline{ML}$

1 합동인 정사각형 6개로 이루어져 있는 입체도형이므로 겨냥도를 그리면 오른쪽 그림과 같은 정육면체이다.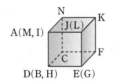

🖍 **정다면체의 전개도** (1)   개념북 120쪽

1 (1) 정사면체, 3   (2) E, $\overline{AF}$

1-1 ⑤

1 주어진 전개도로 만든 정다면체는 오른쪽 그림과 같은 정사면체가 되므로

(1) 정다면체의 이름은 정사면체이고, 한 꼭짓점에 모인 면의 개수는 3이다.

(2) 점 A와 겹치는 꼭짓점은 점 E이고, $\overline{EF}$와 겹치는 모서리는 $\overline{AF}$이다.

1-1 주어진 전개도로 만들어지는 정다면체는 오른쪽 그림과 같은 정팔면체이므로 점 A와 겹치는 꼭짓점은 점 I이다.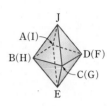

🖍 **정다면체의 전개도** (2)   개념북 120쪽

2 $\overline{BF}$ **2-1** 5

2 주어진 전개도로 만들어지는 정다면체는 오른쪽 그림과 같은 정사면체이므로 $\overline{CD}$와 꼬인 위치에 있는 모서리는 $\overline{BF}$이다.

2-1 주어진 전개도로 만들어지는 정다면체는 정이십면체이므로 한 꼭짓점에 모이는 면의 개수는 5이다.

---

4 회전체   개념북 122쪽

1 (1) 원기둥   (2) 원뿔   (3) 원뿔대   (4) 구

1 (1) 원기둥   (2) 원뿔

(3) 원뿔대   (4) 구

🖍 **회전체**   개념북 123쪽

1 ㄷ, ㄹ   **1-1** 4

1 ㄱ. 원뿔   ㄴ. 구   ㄷ. 사각기둥
ㄹ. 오각뿔대   ㅁ. 원기둥
따라서 회전체인 것은 ㄱ, ㄴ, ㅁ이고, 회전체가 아닌 것은 ㄷ, ㄹ이다.

1-1 회전체인 것의 개수는 ㄷ, ㅁ, ㅅ, ㅇ의 4이다.

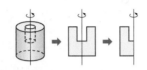

✏ 평면도형을 회전시킨 입체도형의 모양
개념북 123쪽

2 ②　　　**2-1** ⑤

2 오른쪽 그림과 같이 직선 l을 회전축으로 하여 1회전 시키면 평면도형이 회전축에서 떨어져 있는 부분은 회전체의 비어 있는 부분이 된다.

2-1 오른쪽 그림과 같이 회전축을 포함하는 평면으로 자른 단면의 모양을 그리면 회전축에 대하여 선대칭도형이므로 한 쪽의 도형만 남긴다.

✏ 회전축
개념북 124쪽

3 ⑺ $\overline{AC}$　⑼ $\overline{AB}$　⒟ $\overline{BC}$　　　**3-1** ①

3
　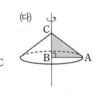

축 : $\overline{AC}$　　축 : $\overline{AB}$　　축 : $\overline{BC}$

3-1
① 　②
③ 　④

✏ 회전체의 단면의 모양
개념북 124쪽

4 원뿔대　　　**4-1** ②, ③

4 회전축에 수직인 평면으로 잘랐을 때 생기는 단면이 원이고, 회전축을 포함하는 평면으로 잘랐을 때 생기는 단면이 두 변의 길이가 같은 사다리꼴이므로 이 회전체는 원뿔대이다.

4-1 ② 원뿔대 - 사다리꼴　　③ 반구 - 반원

✏ 회전체의 단면의 넓이
개념북 125쪽

5 42 cm²　　　**5-1** 24 cm²

5 회전체는 오른쪽 그림과 같으므로 구하는 단면의 넓이는
$(3+3) \times 7 = 42(\text{cm}^2)$
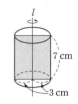

5-1 회전체는 오른쪽 그림과 같으므로 구하는 단면의 넓이는
$\frac{1}{2} \times (4+8) \times 4 = 24(\text{cm}^2)$
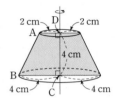

✏ 회전체의 성질
개념북 125쪽

6 ④　　　**6-1** ①, ③

6 ④ 회전체를 회전축을 포함하는 평면으로 자른 단면은 회전축에 대하여 선대칭도형으로 직사각형, 이등변삼각형, 사다리꼴, 원 등 여러 가지이다.

6-1 ① 생기는 회전체는 원뿔이다.
③ 회전체를 회전축에 수직인 평면으로 자른 단면은 모두 원이지만 합동은 아니다.

5 회전체의 전개도
개념북 126쪽

1 4π

1 옆면이 되는 직사각형의 가로의 길이는 원기둥의 밑면인 원의 둘레의 길이와 같으므로 $2\pi \times 2 = 4\pi$

✏ 회전체의 전개도 (1)
개념북 127쪽

1 원뿔, $a=5$, $b=3$　　　**1-1** 원뿔대, $\overset{\frown}{BC}$

1 ⑺의 직각삼각형을 직선 l을 회전축으로 하여 1회전 시키면 오른쪽 그림과 같은 원뿔이 된다.
따라서 a는 원뿔의 모선의 길이이므로 $a=5$이고, b는 밑면인 원의 반지름의 길이이므로 $b=3$이다.

1-1 이 회전체는 원뿔대이고 원뿔대의 밑면인 ⑺의 둘레의 길이는 $\overset{\frown}{BC}$의 길이와 같다.

회전체의 전개도 (2) 개념북 127쪽

2 ④　　　　　**2-1** 20 cm², 4π cm²

2 ① 　② 　③

⑤ 그릴 수 없다.

2-1 전개도로 만든 원기둥은 오른쪽 그림과 같으므로 회전축을 포함하는 평면으로 잘랐을 때 생기는 단면의 넓이는
$4 \times 5 = 20 (\text{cm}^2)$
또, 회전축에 수직인 평면으로 잘랐을 때 생기는 단면의 넓이는 밑면인 원의 넓이와 같으므로
$\pi \times 2^2 = 4\pi (\text{cm}^2)$

기본 문제 개념북 132~133쪽

1 ⑤	**2** ①	**3** 팔면체	**4** 십각기둥
5 ①, ③, ⑤	**6** ③	**7** $\overline{\text{IH}}$	**8** ④
9 ⑤	**10** ⑤	**11** ②	**12** ④

1 다면체의 면의 개수는 각각 다음과 같다.
① 4　② 7　③ 8　④ 8　⑤ 9
따라서 면의 개수가 가장 많은 것은 ⑤이다.

2 ① 옆면과 밑면이 수직으로 만나는 입체도형은 각기둥이다.

3 구하는 각뿔을 n각뿔이라 하면 밑면은 n각형이므로
$\dfrac{n(n-3)}{2} = 14,\ n(n-3) = 28$　∴ $n = 7$
따라서 밑면이 칠각형인 각뿔, 즉 칠각뿔이므로 팔면체이다.

4 ㈏, ㈐를 만족하는 이 입체도형은 각기둥이다.
이 각기둥을 n각기둥이라 하면 ㈎에서
$n + 2 = 12$　∴ $n = 10$
따라서 구하는 입체도형은 십각기둥이다.

5 ①, ③, ⑤ 정삼각형　② 정사각형　④ 정오각형

7 주어진 전개도로 만들어지는 입체도형은 오른쪽 그림과 같은 정팔면체이므로 $\overline{\text{AB}}$와 겹치는 모서리는 $\overline{\text{IH}}$이다.

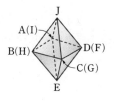

8 주어진 전개도로 만들어지는 정다면체는 정이십면체이다.
④ 모서리의 개수는 30이다.

9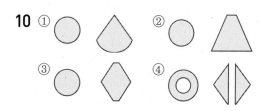

10 ① 　②

12 ④ 원뿔대를 회전축에 수직인 평면으로 자를 때 생기는 단면은 모두 원이지만 그 크기는 다를 수 있으므로 항상 합동인 것은 아니다.

발전 문제 개념북 134~135쪽

1 십오각형　**2** 정육면체　**3** 정이십면체
4 7　　　　　**5** 16π cm²
6 ① 12 cm, 3 cm, 36 cm², 36
　② 6 cm, 36π cm², 36π
　③ π
7 ① 육각뿔대　② 8　③ 12　④ 96

정답과 풀이 **33**

1 주어진 각뿔을 n각뿔이라고 하면 모서리의 개수는 $2n$이고, 면의 개수는 $(n+1)$이므로
$$2n=(n+1)+14 \qquad \therefore n=15$$
따라서 십오각뿔의 밑면의 모양은 십오각형이다.

2 주어진 전개도로 만들어지는 입체도형은 오른쪽 그림과 같은 정팔면체이다. 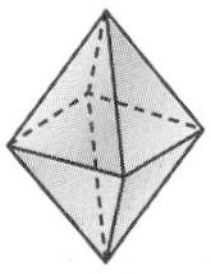
따라서 정팔면체의 각 면의 한가운데에 있는 점을 연결하여 만든 입체도형은 꼭짓점의 개수가 8인 정다면체이므로 정육면체이다.

3 $v-e+f=2$이고
$v=\dfrac{2}{5}e$, $f=\dfrac{2}{3}e$이므로
$$\dfrac{2}{5}e-e+\dfrac{2}{3}e=2, \ \dfrac{1}{15}e=2 \qquad \therefore e=30$$
따라서 $v=12$, $f=20$이므로 구하는 다면체는 정이십면체이다.

4 주어진 전개도로 만들어지는 정육면체에서 마주 보는 두 면에 적힌 수는 각각 a와 2, b와 3, c와 1이므로
$a+2=7$에서 $a=5$
$b+3=7$에서 $b=4$
$c+1=7$에서 $c=6$
$$\therefore a-b+c=5-4+6=7$$

5 주어진 원을 직선 l을 회전축으로 하여 1회전 시킬 때 생기는 회전체는 가운데가 비어 있는 도넛 모양이다.
이때 원의 중심 O를 지나면서 회전축에 수직인 평면으로 자른 단면은 오른쪽 그림과 같으므로 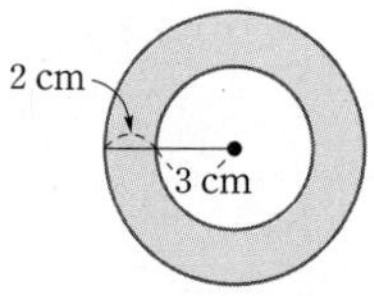
(구하는 단면의 넓이)
=(큰 원의 넓이)−(작은 원의 넓이)
$=\pi \times 5^2 - \pi \times 3^2$
$=25\pi-9\pi=16\pi(\text{cm}^2)$

6 ① 원기둥을 회전축을 포함하는 평면으로 잘랐을 때 생기는 단면은 가로의 길이가 12 cm이고, 세로의 길이가 3 cm인 직사각형이므로
(단면의 넓이)$=12\times3=36(\text{cm}^2)$에서 $a=36$
② 원기둥을 회전축에 수직인 평면으로 잘랐을 때 생기는 단면은 반지름의 길이가 6 cm인 원이므로
(단면의 넓이)$=\pi\times6^2=36\pi(\text{cm}^2)$에서 $b=36\pi$
③ $\dfrac{b}{a}=\pi$

7 ① 주어진 각뿔대를 n각뿔대라 하면 모서리의 개수가 18이므로 $3n=18$ $\qquad \therefore n=6$
따라서 육각뿔대이다.
② 육각뿔대의 면의 개수는 $6+2=8$이므로 $x=8$
③ 꼭짓점의 개수는 $6\times2=12$이므로 $y=12$
④ $\therefore xy=8\times12=96$

2 입체도형의 겉넓이와 부피

1 각기둥의 겉넓이와 부피 개념북 138쪽

1 (1) 6 cm^2 (2) 84 cm^2 (3) 96 cm^2
2 (1) 25 cm^2 (2) 200 cm^3

1 (1) (밑넓이)$=\dfrac{1}{2}\times4\times3=6(\text{cm}^2)$
(2) (옆넓이)$=(4+5+3)\times7=84(\text{cm}^2)$
(3) (겉넓이)$=$(밑넓이)$\times2+$(옆넓이)
$\qquad\qquad =6\times2+84=96(\text{cm}^2)$

2 (1) (넓이)$=5\times5=25(\text{cm}^2)$
(2) (부피)$=$(밑넓이)$\times$(높이)$=25\times8=200(\text{cm}^3)$

각기둥의 겉넓이 구하기 개념북 139쪽

1 294 cm^2 **1-1** 240 cm^2

1 (밑넓이)$=\dfrac{1}{2}\times(5+8)\times4=26(\text{cm}^2)$
(옆넓이)$=(5+4+8+5)\times11=242(\text{cm}^2)$
$\therefore$ (겉넓이)$=26\times2+242=294(\text{cm}^2)$

1-1 (옆넓이)$=(4\times6)\times10=240(\text{cm}^2)$

각기둥의 부피 구하기 개념북 139쪽

2 440 cm^3 **2-1** (1) 300 cm^3 (2) 75 cm^3

2 (부피)$=\left(\dfrac{1}{2}\times6\times8+\dfrac{1}{2}\times8\times5\right)\times10$
$\qquad\quad =440(\text{cm}^3)$

2-1 (1) (부피)$=\left(\dfrac{1}{2}\times 5\times 12\right)\times 10=300(\mathrm{cm}^3)$

(2) (부피)$=\left\{\dfrac{1}{2}\times(4+6)\times 3\right\}\times 5=75(\mathrm{cm}^3)$

✔ **각기둥의 겉넓이를 알 때 높이 구하기**　　개념북 140쪽

3 9 cm　　　**3-1** 4 cm

3 삼각기둥의 높이를 x cm라 하면

$\left(\dfrac{1}{2}\times 9\times 12\right)\times 2+(9+12+15)\times x=432$

$36x=324$　　$\therefore x=9$

따라서 삼각기둥의 높이는 9 cm이다.

3-1 정육면체의 한 모서리의 길이를

a cm라 하면

(겉넓이)$=$(한 면의 넓이)$\times 6$

$\qquad\qquad=a^2\times 6=6a^2$

$6a^2=96,\ a^2=16$　　$\therefore a=4\ (\because a>0)$

따라서 한 모서리의 길이는 4 cm이다.

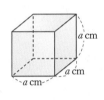

✔ **각기둥의 부피를 알 때 높이 구하기**　　개념북 140쪽

4 16 cm　　　**4-1** ③

4 삼각기둥의 높이를 h cm라 하면

$\left(\dfrac{1}{2}\times 6\times 8\right)\times h=384,\ 24h=384$　　$\therefore h=16$

따라서 높이는 16 cm이다.

4-1 (밑넓이)$=\dfrac{1}{2}\times(4+8)\times 6=36(\mathrm{cm}^2)$이므로

$36x=108$　　$\therefore x=3$

② 원기둥의 겉넓이와 부피　　개념북 141쪽

1 (1) 9π cm²　(2) 6π cm　(3) 42π cm²　(4) 60π cm²

2 (1) 9π cm²　(2) 45π cm³

1 (1) $\pi\times 3^2=9\pi(\mathrm{cm}^2)$

(2) $2\pi\times 3=6\pi(\mathrm{cm})$

(3) $6\pi\times 7=42\pi(\mathrm{cm}^2)$

(4) $9\pi\times 2+42\pi=60\pi(\mathrm{cm}^2)$

2 (1) $\pi\times 3^2=9\pi(\mathrm{cm}^2)$

(2) $9\pi\times 5=45\pi(\mathrm{cm}^3)$

✔ **원기둥의 겉넓이 또는 부피 구하기**　　개념북 142쪽

1 180π cm², 324π cm³

1-1 720π cm³

1 (겉넓이)$=(\pi\times 6^2)\times 2+(2\pi\times 6)\times 9$

$\qquad\qquad=72\pi+108\pi=180(\mathrm{cm}^2)$

(부피)$=(\pi\times 6^2)\times 9=324\pi(\mathrm{cm}^3)$

1-1 오른쪽 그림과 같이 밑면의

반지름의 길이를 r cm라 하면

$2\pi r=12\pi,\ r=6$

$\therefore (\pi\times 6^2)\times 20$

$\qquad=720\pi(\mathrm{cm}^3)$

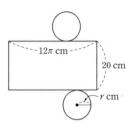

✔ **원기둥의 겉넓이 또는 부피가 주어진 경우**　　개념북 142쪽

2 $\dfrac{5}{2}$ cm　　　**2-1** 8

2 (사각기둥 모양의 수조에 담겨 있는 물의 부피)

$=(4\times 5)\times 8=160(\mathrm{cm}^3)$

원기둥 모양의 수조에 담긴 물의 높이를 h cm라 하면

(원기둥 모양의 수조에 담긴 물의 부피)

$=64h\ \mathrm{cm}^3$

두 수조에 담긴 물의 부피가 같으므로

$160=64h$　　$\therefore h=\dfrac{5}{2}$

따라서 원기둥 모양의 수조에 담긴 물의 높이는 $\dfrac{5}{2}$ cm

이다.

2-1 1회전 시킬 때 생기는 입체도형은

오른쪽 그림과 같으므로

$(\pi\times 5^2)\times 2+(2\pi\times 5)\times h$

$=130\pi$

$10h\pi=80\pi$　　$\therefore h=8$

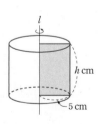

③ 복잡한 기둥의 겉넓이와 부피　　개념북 143쪽

1 (1) 12π cm²　(2) 32π cm²　(3) 16π cm²

(4) 72π cm²　(5) 48π cm³

1 (1) (큰 원기둥의 밑넓이) $-$ (작은 원기둥의 밑넓이)

$\quad = \pi \times 4^2 - \pi \times 2^2 = 12\pi\,(\text{cm}^2)$

(2) $2\pi \times 4 \times 4 = 32\pi\,(\text{cm}^2)$

(3) $2\pi \times 2 \times 4 = 16\pi\,(\text{cm}^2)$

(4) (밑넓이) $\times 2 +$ (큰 원기둥의 옆넓이)

$\qquad\qquad\qquad\qquad + $ (작은 원기둥의 옆넓이)

$\quad = 12\pi \times 2 + 32\pi + 16\pi = 72\pi\,(\text{cm}^2)$

(5) $12\pi \times 4 = 48\pi\,(\text{cm}^3)$

개념북 144쪽

✏️ **속이 뚫린 기둥의 겉넓이와 부피 구하기**

1 $140\pi\ \text{cm}^2$, $147\pi\ \text{cm}^3$

1-1 $112\ \text{cm}^2$, $55\ \text{cm}^3$

---

1 (밑넓이) $= \pi \times 5^2 - \pi \times 2^2 = 21\pi\,(\text{cm}^2)$

(옆넓이) $= (2\pi \times 5) \times 7 + (2\pi \times 2) \times 7 = 98\pi\,(\text{cm}^2)$

$\therefore$ (겉넓이) $=$ (밑넓이) $\times 2 +$ (옆넓이)

$\qquad\qquad = 21\pi \times 2 + 98\pi = 140\pi\,(\text{cm}^2)$

$\therefore$ (부피) $= 21\pi \times 7 = 147\pi\,(\text{cm}^3)$

1-1 (겉넓이) $= (3 \times 4 - 1 \times 1) \times 2$

$\qquad\qquad + (3+4+3+4) \times 5 + (1 \times 4) \times 5$

$\qquad = 22 + 70 + 20 = 112\,(\text{cm}^2)$

(부피) $= (3 \times 4 - 1 \times 1) \times 5 = 55\,(\text{cm}^3)$

개념북 144쪽

✏️ **복잡한 기둥의 겉넓이와 부피 구하기**

2 $(18\pi + 40)\ \text{cm}^2$, $20\pi\ \text{cm}^3$

2-1 (1) $(112\pi + 96)\text{cm}^2$, $192\pi\ \text{cm}^3$

$\qquad$ (2) $170\pi\ \text{cm}^2$, $212\pi\ \text{cm}^3$

---

2 (겉넓이)

$= \left(\pi \times 4^2 \times \dfrac{90}{360} \right) \times 2 + \left(4 + 4 + 2\pi \times 4 \times \dfrac{90}{360} \right) \times 5$

$= 8\pi + 40 + 10\pi = 18\pi + 40\,(\text{cm}^2)$

(부피) $= \left(\pi \times 4^2 \times \dfrac{90}{360} \right) \times 5 = 20\pi\,(\text{cm}^3)$

2-1 (1) (겉넓이)

$= \left(\pi \times 6^2 \times \dfrac{240}{360} \right) \times 2$

$\qquad\qquad + \left(6 + 6 + 2\pi \times 6 \times \dfrac{240}{360} \right) \times 8$

$= 48\pi + 96 + 64\pi = 112\pi + 96\,(\text{cm}^2)$

(부피) $= \left(\pi \times 6^2 \times \dfrac{240}{360} \right) \times 8 = 192\pi\,(\text{cm}^3)$

---

(2) (겉넓이) $= \pi \times 7^2 \times 2 + 2\pi \times 2 \times 4 + 2\pi \times 7 \times 4$

$\qquad\qquad = 98\pi + 16\pi + 56\pi$

$\qquad\qquad = 170\pi\,(\text{cm}^2)$

(부피) $= \pi \times 2^2 \times 4 + \pi \times 7^2 \times 4$

$\qquad\quad = 16\pi + 196\pi = 212\pi\,(\text{cm}^3)$

---

4 각뿔의 겉넓이와 부피

개념북 145쪽

1 $360\ \text{cm}^2$, $400\ \text{cm}^3$

2 $305\ \text{cm}^2$

---

1 (밑넓이) $= 10 \times 10 = 100\,(\text{cm}^2)$

(옆넓이) $= \left(\dfrac{1}{2} \times 10 \times 13 \right) \times 4 = 260\,(\text{cm}^2)$

$\therefore$ (겉넓이) $=$ (밑넓이) $+$ (옆넓이)

$\qquad\qquad = 100 + 260 = 360\,(\text{cm}^2)$

(부피) $= \dfrac{1}{3} \times (10 \times 10) \times 12 = 400\,(\text{cm}^3)$

2 (겉넓이)

$=$ (아랫면의 넓이) $+$ (윗면의 넓이) $+$ (옆넓이)

$= 10 \times 10 + 5 \times 5 + \left\{ \dfrac{1}{2} \times (5+10) \times 6 \right\} \times 4$

$= 100 + 25 + 180 = 305\,(\text{cm}^2)$

개념북 146쪽

✏️ **각뿔의 겉넓이와 부피**

1 $6\ \text{cm}$ $\qquad$ **1-1** 7

1-2 $90\ \text{cm}^2$, $42\ \text{cm}^3$ $\qquad$ **1-3** $\dfrac{64}{3}\ \text{cm}^3$

---

1 오각뿔의 높이를 $h\ \text{cm}$라 하면

$\dfrac{1}{3} \times 27 \times h = 54 \qquad \therefore h = 6$

따라서 오각뿔의 높이는 $6\ \text{cm}$이다.

1-1 $5 \times 5 + \left(\dfrac{1}{2} \times 5 \times h \right) \times 4 = 95$

$25 + 10h = 95 \qquad \therefore h = 7$

1-2 (아랫면의 넓이) $+$ (윗면의 넓이) $= 6 \times 6 + 3 \times 3$

$\qquad\qquad\qquad\qquad\qquad\qquad = 45\,(\text{cm}^2)$

(옆넓이) $= \left\{ \dfrac{1}{2} \times (3+6) \times 2.5 \right\} \times 4 = 45\,(\text{cm}^2)$

$\therefore$ (겉넓이)

$=$ (아랫면의 넓이) $+$ (윗면의 넓이) $+$ (옆넓이)

$= 45 + 45 = 90\,(\text{cm}^2)$

$$(부피)=\frac{1}{3}\times(6\times6)\times4-\frac{1}{3}\times(3\times3)\times2$$
$$=42(\text{cm}^3)$$

1-3 주어진 정사각형을 접었을 때 생기는
입체도형은 오른쪽 그림과 같다.

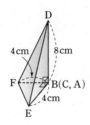

$$\therefore (부피)=\frac{1}{3}\times\left(\frac{1}{2}\times4\times4\right)\times8$$
$$=\frac{64}{3}(\text{cm}^3)$$

✏️ **직육면체에서 잘라낸 각뿔의 부피** 개념북 147쪽

2 ③ **2-1** 10

2-2 10 cm **2-3** $\frac{8}{3}$

---

2 정육면체의 한 모서리의 길이를 a라 하면
(삼각뿔 B−AFC의 부피)
$$=\frac{1}{3}\times\left(\frac{1}{2}\times a\times a\right)\times a=\frac{1}{6}a^3$$
(나머지 입체도형의 부피)$=a^3-\frac{1}{6}a^3=\frac{5}{6}a^3$
따라서 두 입체도형의 부피의 비는
$$\frac{1}{6}a^3:\frac{5}{6}a^3=1:5$$

2-1 $\frac{1}{3}\times\left(\frac{1}{2}\times12\times x\right)\times5=100$ $\therefore x=10$

2-2 $\overline{BC}=2x$ cm라 하면 $\overline{BM}=x$ cm이므로
$$\frac{1}{3}\times\left(\frac{1}{2}\times8\times x\right)\times6=40 \quad \therefore x=5$$
$$\therefore \overline{BC}=2\times5=10(\text{cm})$$

2-3 $\frac{1}{3}\times\left(\frac{1}{2}\times4\times8\right)\times6=\left(\frac{1}{2}\times6\times x\right)\times4$
$$\therefore x=\frac{8}{3}$$

---

5 **원뿔의 겉넓이와 부피** 개념북 148쪽

1 36π cm², 16π cm³

2 90π cm², 84π cm³

1 $(겉넓이)=\pi\times4^2+\pi\times4\times5=36\pi(\text{cm}^2)$
$(부피)=\frac{1}{3}\times\pi\times4^2\times3=16\pi(\text{cm}^3)$

---

2 $(겉넓이)=\pi\times3^2+\pi\times6^2+(\pi\times6\times10-\pi\times3\times5)$
$$=9\pi+36\pi+60\pi-15\pi$$
$$=90\pi(\text{cm}^2)$$
$(부피)=\frac{1}{3}\times(\pi\times6^2)\times8-\frac{1}{3}\times(\pi\times3^2)\times4$
$$=96\pi-12\pi=84\pi(\text{cm}^3)$$

✏️ **원뿔의 전개도로 겉넓이 구하기** 개념북 149쪽

1 16π cm²

1-1 ⑴ 288π cm² ⑵ 468π cm²

---

1 밑면의 반지름의 길이를 r cm라 하면
$$2\pi\times6\times\frac{120}{360}=2\pi\times r \quad \therefore r=2$$
$$\therefore (겉넓이)=\pi\times2^2+\pi\times2\times6=16\pi(\text{cm}^2)$$

1-1 ⑴ $\pi\times12\times32-\pi\times6\times16=288\pi(\text{cm}^2)$
⑵ $\pi\times6^2+\pi\times12^2+288\pi=468\pi(\text{cm}^2)$

✏️ **원뿔의 겉넓이와 부피 구하기** 개념북 149쪽

2 33π cm² **2-1** ④

---

2 (구하는 겉넓이)
$=(밑넓이)+(원기둥의 옆넓이)+(원뿔의 옆넓이)$
$=\pi\times3^2+(2\pi\times3)\times2+\pi\times3\times4$
$=9\pi+12\pi+12\pi=33\pi(\text{cm}^2)$

2-1 (구하는 부피)
$=(원기둥의 부피)-(원뿔의 부피)$
$=\pi\times5^2\times12-\frac{1}{3}\times\pi\times5^2\times12$
$=300\pi-100\pi=200\pi(\text{cm}^3)$

---

6 **구의 겉넓이와 부피** 개념북 150쪽

1 ⑴ 324π cm², 972π cm³
⑵ 300π cm², $\frac{2000}{3}\pi$ cm³

1 ⑴ $(겉넓이)=4\pi\times9^2=324\pi(\text{cm}^2)$
$(부피)=\frac{4}{3}\pi\times9^3=972\pi(\text{cm}^3)$

(2) $(겉넓이)=\dfrac{1}{2}\times4\pi\times10^2+\pi\times10^2=300\pi\,(cm^2)$

　　$(부피)=\dfrac{1}{2}\times\dfrac{4}{3}\pi\times10^3=\dfrac{2000}{3}\pi\,(cm^3)$

✒ **구의 겉넓이와 부피 구하기**　　　　　개념북 151쪽

1 $\pi:6$　　　　　**1-1** ③

---

1 구의 반지름의 길이가 5 cm이므로 정육면체의 한 모서리의 길이는 10 cm이다.

(구의 겉넓이) : (정육면체의 겉넓이)
$=(4\pi\times5^2):(6\times10^2)=\pi:6$

1-1 구의 반지름의 길이를 r cm라 하면
$4\pi r^2=36\pi,\ r^2=9$　　$\therefore r=3\,(\because r>0)$
$\therefore (부피)=\dfrac{4}{3}\pi\times3^3=36\pi\,(cm^3)$

✒ **구의 일부를 포함하는 도형의 겉넓이와 부피 구하기**　개념북 151쪽

2 $\dfrac{224}{3}\pi\,cm^3$　　　　**2-1** $33\pi\,cm^2,\ 30\pi\,cm^3$

---

2 $(부피)=\left(\dfrac{4}{3}\pi\times4^3\right)\times\dfrac{7}{8}=\dfrac{224}{3}\pi\,(cm^3)$

2-1 $(겉넓이)=\pi\times3\times5+(4\pi\times3^2)\times\dfrac{1}{2}$
　　　　　$=15\pi+18\pi=33\pi\,(cm^2)$
　$(부피)=\dfrac{1}{3}\times(\pi\times3^2)\times4+\left(\dfrac{4}{3}\pi\times3^3\right)\times\dfrac{1}{2}$
　　　　　$=12\pi+18\pi=30\pi\,(cm^3)$

✒ **원기둥에 내접하는 원뿔, 구의 관계**　　　개념북 152쪽

3 $18\pi\,cm^3,\ 54\pi\,cm^3$　　　**3-1** $\dfrac{1000}{3}\pi\,cm^3$

---

3 구의 반지름의 길이를 r cm라 하면
$\dfrac{4}{3}\pi r^3=36\pi,\ r^3=27$에서 $r=3$이므로
$(원뿔의 부피)=\dfrac{1}{3}\times\pi\times3^2\times6=18\pi\,(cm^3)$
$(원기둥의 부피)=\pi\times3^2\times6=54\pi\,(cm^3)$

[다른 풀이]
부피의 비는 (원뿔) : (구) : (원기둥)=1 : 2 : 3이므로
$(원뿔의 부피)=\dfrac{1}{2}\times36\pi=18\pi\,(cm^3)$
$(원기둥의 부피)=18\pi\times3=54\pi\,(cm^3)$

3-1 구의 반지름의 길이를 r cm라 하면
$\pi r^2\times2r=2\pi r^3=500\pi$에서 $r^3=250$
$\therefore (구의 부피)=\dfrac{4}{3}\pi\times r^3=\dfrac{4}{3}\pi\times250$
　　　　　　　　$=\dfrac{1000}{3}\pi\,(cm^3)$

[다른 풀이]
(구의 부피) : (원기둥의 부피)=2 : 3이므로
(구의 부피) : $500\pi=2:3$
$\therefore (구의 부피)=\dfrac{1000}{3}\pi\,(cm^3)$

✒ **구의 겉넓이와 부피의 활용**　　　　　개념북 152쪽

4 $1\,cm$　　　　**4-1** $\dfrac{256}{3}\pi\,cm^3$

---

4 수면의 높이가 h cm 더 높아졌다고 하면
(구슬의 부피)=(높아진 수면의 높이 만큼의 물의 부피)
이므로
$\dfrac{4}{3}\pi\times3^3=\pi\times6^2\times h$　　$\therefore h=1$
따라서 수면의 높이는 1 cm 더 높아진다.

4-1 원기둥의 밑면의 반지름의 길이를 r cm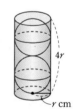
라 하면 원기둥의 높이는 $4r$ cm이므로
$\pi\times r^2\times4r=256\pi$에서 $r^3=64$
즉, 구 1개의 부피는
$\dfrac{4}{3}\pi\times r^3=\dfrac{4}{3}\pi\times64=\dfrac{256}{3}\pi\,(cm^3)$
따라서 원기둥에 남아 있는 물의 부피는
(원기둥의 부피)−(구 2개의 부피)
$=256\pi-\dfrac{256}{3}\pi\times2=\dfrac{256}{3}\pi\,(cm^3)$

---

1 ④	**2** 78π cm^2	**3** ①
4 8 cm	**5** $\dfrac{32}{3}$ cm^3	**6** ④
7 ⑤		
8 ⑤	**9** 6	**10** ⑤
11 126π cm^3		
12 108π cm^2		

1 정육면체의 한 모서리의 길이를 a cm라 하면
$6 \times a^2 = 54$, $a^2 = 9$ $\quad \therefore a = 3$
$\therefore$ (부피)$= 3 \times 3 \times 3 = 27$ (cm^3)

2 주어진 전개도로 만들어지는 입체도형은 원기둥이고, 원기둥의 밑면의 둘레의 길이가 6π cm이므로 반지름의 길이를 r cm라 하면
$2\pi r = 6\pi$ $\quad \therefore r = 3$
따라서 원기둥의 겉넓이는
$(\pi \times 3^2) \times 2 + 6\pi \times 10 = 18\pi + 60\pi = 78\pi$ (cm^2)

3 (부피)
$=$ (직육면체의 부피)$-$(밑면이 부채꼴인 기둥의 부피)
$= (2 \times 2) \times 6 - \left(\pi \times 2^2 \times \dfrac{90}{360}\right) \times 6$
$= 24 - 6\pi$ (cm^3)

4 사각뿔의 높이를 h cm라 하면
$\dfrac{1}{3} \times (9 \times 9) \times h = 216$ $\quad \therefore h = 8$
따라서 사각뿔의 높이는 8 cm이다.

5 △ABC를 밑면, 모서리 BF를 높이로 하는 삼각뿔의 부피를 구하면 된다.
$\therefore$ (삼각뿔 B$-$ACF의 부피)
$= \dfrac{1}{3} \times \left(\dfrac{1}{2} \times 4 \times 4\right) \times 4 = \dfrac{32}{3}$ (cm^3)

6 $\pi \times 8^2 + \pi \times 8 \times r = 136\pi$
$8\pi r = 72\pi$ $\quad \therefore r = 9$

7 원기둥의 부피는 $\pi \times 1^2 \times 2 = 2\pi$ (cm^3)이므로 $a = 2\pi$
원뿔의 부피는 $\dfrac{1}{3} \times \pi \times 2^2 \times 4 = \dfrac{16}{3}\pi$ (cm^3)이므로
$b = \dfrac{16}{3}\pi$
$\therefore a : b = 2\pi : \dfrac{16}{3}\pi = 3 : 8$

8 1회전 시킬 때 생기는 입체도형은 오른쪽 그림과 같으므로
(구하는 부피)
$=$ (원기둥의 부피)$+$(원뿔의 부피)
$= (\pi \times 4^2) \times 2 + \dfrac{1}{3} \times (\pi \times 4^2) \times 4$
$= 32\pi + \dfrac{64}{3}\pi = \dfrac{160}{3}\pi$

9 원뿔 모양의 그릇에 담긴 물의 부피는
$\dfrac{1}{3} \times (\pi \times 6^2) \times 8 = 96\pi$ (cm^3)
원기둥 모양의 그릇에 담긴 물의 부피는
$(\pi \times 4^2) \times h = 16h\pi$ (cm^3)
두 그릇에 담긴 물의 부피는 같으므로
$96\pi = 16h\pi$
$\therefore h = 6$

10 지름의 길이가 2 cm인 쇠구슬 16개의 부피와 지름의 길이가 4 cm인 쇠구슬 x개의 부피가 같다고 하면
$\left(\dfrac{4}{3}\pi \times 1^3\right) \times 16 = \left(\dfrac{4}{3}\pi \times 2^3\right) \times x$ $\quad \therefore x = 2$
따라서 지름의 길이가 4 cm인 쇠구슬을 2개 만들 수 있다.

11 180° 회전 시킬 때 생기는 입체도형은 오른쪽 그림과 같으므로
(구하는 부피)
$=$ (큰 반구의 부피)$-$(작은 반구의 부피)
$= \left(\dfrac{4}{3}\pi \times 6^3\right) \times \dfrac{1}{2} - \left(\dfrac{4}{3}\pi \times 3^3\right) \times \dfrac{1}{2}$
$= 144\pi - 18\pi$
$= 126\pi$ (cm^3)

12 원기둥의 밑면의 반지름의 길이를 r cm라 하면 원기둥의 높이는 $6r$ cm이므로
$\pi r^2 \times 6r = 162\pi$, $r^3 = 27$에서 $r = 3$
$\therefore$ (구 3개의 겉넓이의 합)
$= (4\pi \times 3^2) \times 3$
$= 108\pi$ (cm^2)

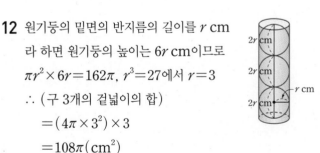

1 ⑤　　　　　**2** ①　　　　　**3** $36\pi\,\mathrm{cm}^2$

4 ⑤　　　　　**5** $22\pi\,\mathrm{cm}^3$

6 ① 6, $12\pi\,\mathrm{cm}$　② 10, 12π, $216°$

　　③ $60\pi\,\mathrm{cm}^2$, $36\pi\,\mathrm{cm}^2$, $96\pi\,\mathrm{cm}^2$

7 ① $128\,\mathrm{cm}^3$　② $384\,\mathrm{cm}^3$　③ 1 : 3

1 1회전 시킬 때 생기는 입체도형은 오른
쪽 그림과 같으므로
(구하는 겉넓이)
= (원뿔의 겉넓이) + (원기둥의 옆넓이)
= $\pi\times5^2+\pi\times5\times13+2\pi\times5\times12$
= $25\pi+65\pi+120\pi$
= $210\pi\,(\mathrm{cm}^2)$

2 작은 밑면의 반지름
의 길이를 r라 하면
$2\pi\times2\times\dfrac{90}{360}$
$=2\pi\times r$
$\therefore r=\dfrac{1}{2}$
큰 밑면의 반지름의 길이를 r'이라 하면
$2\pi\times4\times\dfrac{90}{360}=2\pi\times r'$
$\therefore r'=1$
따라서 두 밑면의 넓이는 각각 $\dfrac{1}{4}\pi$, π이고 원뿔대의 옆
넓이는
$\pi\times4^2\times\dfrac{90}{360}-\pi\times2^2\times\dfrac{90}{360}=4\pi-\pi=3\pi$
이므로 이 원뿔대의 겉넓이는
$\dfrac{1}{4}\pi+\pi+3\pi=\dfrac{17}{4}\pi$

3 원 O의 반지름의 길이를 $r\,\mathrm{cm}$라
하면
(원 O의 둘레의 길이)
= (원뿔의 밑면의 둘레의 길이) $\times8$
이므로
$2\pi r=(2\pi\times2)\times8$　　$\therefore r=16$
$\therefore$ (원뿔의 겉넓이)$=\pi\times2^2+\pi\times2\times16$
$=36\pi\,(\mathrm{cm}^2)$

4 원뿔 모양의 그릇의 부피는
$\dfrac{1}{3}\times(\pi\times2^2)\times6=8\pi\,(\mathrm{cm}^3)$
원기둥 모양의 그릇의 부피는
$(\pi\times4^2)\times8=128\pi\,(\mathrm{cm}^3)$
$\therefore 128\pi\div8\pi=16$
따라서 원뿔 모양의 그릇으로 16번 부었다.

5 정사각뿔의 밑면은 정사각형이므로 반구의
반지름의 길이를 $r\,\mathrm{cm}$라 하면 오른쪽 그림
에서
(정사각뿔의 밑넓이)$=\dfrac{1}{2}\times2r\times2r$
$=2r^2\,(\mathrm{cm}^2)$
이때 정사각뿔의 부피가 $22\,\mathrm{cm}^3$이므로
$\dfrac{1}{3}\times2r^2\times r=22$　　$\therefore r^3=33$
$\therefore$ (반구의 부피)$=\dfrac{1}{2}\times\dfrac{4}{3}\pi r^3$
$=\dfrac{2}{3}\pi\times33$
$=22\pi\,(\mathrm{cm}^3)$

6 ① 부채꼴의 호의 길이는 $2\pi\times6=12\pi\,(\mathrm{cm})$
② 부채꼴의 중심각의 크기를 $\angle x$라 하면
$2\pi\times10\times\dfrac{x}{360}=12\pi$　　$\therefore \angle x=216°$
③ (옆넓이)$=\pi\times10^2\times\dfrac{216}{360}=60\pi\,(\mathrm{cm}^2)$
(밑넓이)$=\pi\times6^2=36\pi\,(\mathrm{cm}^2)$
$\therefore$ (겉넓이)$=60\pi+36\pi=96\pi\,(\mathrm{cm}^2)$

7 ① 삼각기둥의 밑넓이를 $\triangle\mathrm{QGH}$, 높이를 $\overline{\mathrm{PQ}}$라 하면
$V_1=$ (삼각기둥의 부피)
$=$ (밑넓이) $\times$ (높이)
$=\left(\dfrac{1}{2}\times\overline{\mathrm{GH}}\times\overline{\mathrm{QG}}\right)\times\overline{\mathrm{PQ}}$
$=\left(\dfrac{1}{2}\times8\times4\right)\times8$
$=128\,(\mathrm{cm}^3)$
② $V_2=$ (정육면체의 부피)$-V_1$
$=(8\times8\times8)-V_1$
$=512-128$
$=384\,(\mathrm{cm}^3)$
③ $\therefore V_1 : V_2=128 : 384=1 : 3$

1 자료의 정리와 해석

1 (1) ㉠ 4, ㉡ 2, ㉢ 3 (2) 9 (3) 88점

2 (1) 15명 (2) 4명 (3) 30시간

2 (1) $4+6+3+2=15$(명)

(3) $43-13=30$(시간)

✏ **줄기와 잎 그림의 이해** 개념북 **161**쪽

1 ㄷ **1-1** 25 %

1 ㄱ. 전체 학생 수는 $2+4+6+3=15$(명)

ㄴ. 수학 점수가 86점 이상인 학생 수는 $3+3=6$(명)

ㄷ. 수학 점수가 80점 미만인 학생 수는 $2+4=6$(명)

이므로 전체의 $\dfrac{6}{15}\times100=40(\%)$

따라서 옳지 않은 것은 ㄷ이다.

1-1 전체 학생 수는 $6+6+4=16$(명)이고 기록이 14.8초

보다 느린 학생은 15.1초, 15.2초, 15.4초, 15.5초의

4명이므로

전체의 $\dfrac{4}{16}\times100=25(\%)$

✏ **두 집단에서의 줄기와 잎 그림** 개념북 **161**쪽

2 22 kg **2-1** 40 %

2 남학생 중 몸무게가 가장 많이 나가는 학생의 몸무게는

57 kg이고, 여학생 중 몸무게가 가장 적게 나가는 학생

의 몸무게는 35 kg이다.

∴ $57-35=22$(kg)

2-1 남학생 수는 $1+2+3+1=7$(명), 여학생 수는

$4+2+1+1=8$(명)이므로 전체 학생 수는

$7+8=15$(명)

윗몸 일으키기 횟수가 30회 이상인 학생은 32회, 33회,

34회, 38회, 46회, 49회의 6명이므로

전체의 $\dfrac{6}{15}\times100=40(\%)$

---

1 (1) 풀이 참조 (2) 90분 이상 135분 미만 (3) 7명

1 (1)

사용 시간(분)	학생 수(명)
0 ^{이상} ~ 45 ^{미만}	6
45 ~ 90	7
90 ~ 135	4
135 ~ 180	3
합계	20

(2) 도수가 4명인 계급은 90분 이상 135분 이하이다.

(3) 인터넷 사용 시간이 80분인 학생이 속하는 계급은 45

분 이상 90분 미만이므로 도수는 7명이다.

✏ **도수분포표에서의 용어** 개념북 **163**쪽

1 ㄴ, ㄷ **1-1** 2개

1 ㄱ. 계급의 크기는 계급의 양 끝 값의 차, 즉 구간의 너

비이다.

따라서 옳은 것은 ㄴ, ㄷ이다.

1-1 ㄴ. 계급의 개수는 보통 5~15개가 적당하다.

ㄷ. 각 계급에 속하는 도수를 조사하여 나타낸 표를 도

수분포표라 한다.

따라서 옳지 않은 것은 ㄴ, ㄷ의 2개이다.

✏ **도수분포표의 이해** 개념북 **163**쪽

2 ③ **2-1** (1) 5개 (2) 5 (3) 0권 이상 3권 미만

2 ① 계급의 크기는 $50-45=5$(점)이다.

③ 점수가 56점인 학생 수는 알 수 없다.

④, ⑤ 점수가 65점 이상 70점 미만인 계급의 도수는

$20-(3+3+3+4)=7$(명)이므로 도수가 가장

큰 계급은 65점 이상 70점 미만이고 점수가 65점인

학생이 속하는 계급의 도수는 7명이다.

2-1 (1) 계급의 개수는 5개이다.

(2) $A=30-(15+6+3+1)=5$

(3) 도수가 가장 큰 계급은 0권 이상 3권 미만이다.

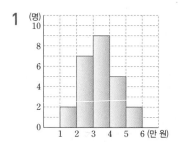

3 숙제를 하는 시간이 20분 이상 40분 미만인 계급의 도수는 $40-(9+8+2+3)=18$(명)이므로

전체의 $\dfrac{18}{40}\times100=45(\%)$

3-1 $A+B=25-(10+4+1)=10$

즉, 허리 둘레가 70 cm 미만인 학생 수는 10명이므로

전체의 $\dfrac{10}{25}\times100=40(\%)$

1
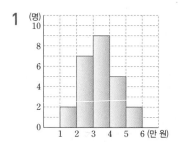

2 도수가 가장 큰 계급은 35세 이상 40세 미만이므로 계급의 크기는 $40-35=5$(세), 그 계급의 도수는 11명이다.

따라서 직사각형의 넓이는 $5\times11=55$

1 ③ 수면 시간이 8시간 이상인 학생 수는 $8+4=12$(명) 이므로 전체의 $\dfrac{12}{40}\times100=30(\%)$

1-1 전체 학생 수는 20명이고 기록이 16초 미만인 학생 수는

$3+4=7$(명)이므로 전체의 $\dfrac{7}{20}\times100=35(\%)$

2 계급의 크기는 $145-140=5$(cm)이고,

도수의 총합은 $4+7+12+15+9+3=50$(명)

이므로 각 직사각형의 넓이의 합은 $5\times50=250$

2-1 도수가 가장 큰 계급의 직사각형의 넓이는

$10\times10=100$

도수가 가장 작은 계급의 직사각형의 넓이는

$10\times2=20$

따라서 그 합은 $100+20=120$

3 (타율이 2할 이상 2.5할 미만인 계급의 도수)
$=35-(1+3+6+8+3)=14$(명)

3-1 일별 최고 기온이 20 ℃ 이상 25 ℃ 미만인 계급의 도수는 $30-(3+9+5+2)=11$(일)

최고 기온이 20 ℃ 이상인 날은 $11+5+2=18$(일)이

므로 전체의 $\dfrac{18}{30}\times100=60(\%)$

[다른 풀이]

일별 최고 기온이 20 ℃ 미만인 날이 $3+9=12$(일)이

므로 일별 최고 기온이 20 ℃ 이상인 날은

$30-12=18$(일)

따라서 전체의 $\dfrac{18}{30}\times100=60(\%)$

1
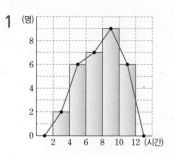

2 현희네 반 전체 학생 수는

$2+7+10+11+5+1=36$(명)이고

영화를 6편 미만 관람한 학생은 $2+7=9$(명)이므로

전체의 $\dfrac{9}{36}\times100=25(\%)$

✏️ 도수분포다각형의 이해   개념북 169쪽

1 ①

1-1 50명, 155 cm 이상 160 cm 미만

1 ① 계급의 개수는 5개이다.

1-1 전체 학생 수는 $3+7+10+11+10+6+3=50$(명)

이고, 키가 160 cm 이상 165 cm 미만인 학생이 3명,

155 cm 이상 160 cm 미만인 학생이 6명이므로 키가

큰 쪽에서 5번째인 학생이 속하는 계급은

155 cm 이상 160 cm 미만이다.

✏️ 도수분포다각형의 넓이   개념북 169쪽

2 (1) 150   (2) 150   **2-1** 240

2 (1) (직사각형의 넓이의 합)

$=5\times(3+5+10+8+4)$

$=150$

(2) (도수분포다각형과 가로축으로 둘러싸인 부분의 넓이)

$=5\times30=150$

2-1 계급의 크기는 5 m이고, 전체 도수는

$3+6+8+11+9+7+4=48$(명)이므로

(도수분포다각형과 가로축으로 둘러싸인 부분의 넓이)

$=5\times48=240$

✏️ 찢어진 도수분포다각형   개념북 170쪽

3 9명   **3-1** 11가구

3 식사 시간이 20분 미만인 학생 수는 18명, 25분 이상인

학생 수는 $5+2+1=8$(명)이므로 20분 이상 25분 미

만인 학생 수는 $35-(18+8)=9$(명)

3-1 전체 가구 수를 x가구라 하면

$x\times\dfrac{20}{100}=6$ $\therefore x=30$

따라서 쓰레기 배출량이 26 kg 이상 30 kg 미만인 가

구 수는 $30-(2+4+8+5)=11$(가구)

5 상대도수   개념북 171쪽

1 (1) 0.6   (2) 0.56   (3) A 지역

2 9명

1 (1) $\dfrac{150}{250}=0.6$ (2) $\dfrac{280}{500}=0.56$

(3) A 지역이 상대적으로 남자 아기가 더 많이 태어났다.

2 (어떤 계급의 도수)$=$(도수의 총합)$\times$(그 계급의 상대도수)

이므로 (구하는 학생 수)$=50\times0.18=9$(명)

✏️ 상대도수   개념북 172쪽

1 0.2   **1-1** 1반

1 전체 학생 수는 $2+5+7+9+8+6+3=40$(명)이고

이용 횟수가 10회 이상 12회 미만인 학생 수는 8명이므로

(상대도수)$=\dfrac{8}{40}=0.2$

1-1 각 반의 전체 학생 수에서 안경을 낀 학생 수가 차지하

는 비율은 각각

1반 : $\dfrac{18}{40}=0.45$, 2반 : $\dfrac{22}{50}=0.44$, 3반 : $\dfrac{18}{45}=0.4$,

4반 : $\dfrac{12}{48}=0.25$, 5반 : $\dfrac{11}{44}=0.25$

따라서 안경을 낀 학생의 비율이 가장 높은 반은 1반이다.

✏️ 상대도수, 도수, 도수의 총합   개념북 172쪽

2 6   **2-1** 100명   **2-2** 0.26

2 (도수의 총합)$=\dfrac{24}{0.6}=40$이므로 상대도수가 0.15인

계급의 도수는 $40\times0.15=6$

2-1 (도수의 총합)$=\dfrac{(그\ 계급의\ 도수)}{(어떤\ 계급의\ 상대도수)}=\dfrac{20}{0.2}$

$=100$(명)

2-2 (통학 시간이 1시간 이상인 남학생 수)$=60 \times 0.3$
$$=18(명)$$
(통학 시간이 1시간 이상인 여학생 수)$=40 \times 0.2$
$$=8(명)$$
(통학 시간이 1시간 이상인 학생 수)$=18+8$
$$=26(명)$$
$\therefore$ (상대도수)$=\dfrac{26}{100}=0.26$

6 상대도수의 분포표 개념북 173쪽

1 (1) 풀이 참조　(2) 4만 원 이상 6만 원 미만
2 (1) $A=0.09$, $B=0.25$, $C=1$　(2) 30명　(3) 30 %

1 (1)

용돈 (만 원)	학생 수 (명)	상대도수
2 이상 ~ 4 미만	12	0.3
4 ~ 6	20	0.5
6 ~ 8	6	0.15
8 ~ 10	2	0.05
합계	40	1

2 (1) $A=\dfrac{9}{100}=0.09$

$B=1-(0.06+0.09+0.15+0.3+0.15)=0.25$

$C=1$

(2) $100 \times 0.3=30(명)$

(3) $(0.06+0.09+0.15) \times 100=30(\%)$

✔ 상대도수의 분포표의 이해 　개념북 174쪽

1 $A=4$, $B=8$, $C=0.24$, $D=25$, $E=1$
1-1 84 %

1 상대도수의 총합은 항상 1이므로 $E=1$

$D=\dfrac{7}{0.28}=25$, $A=25 \times 0.16=4$

$B=25 \times 0.32=8$, $C=\dfrac{6}{25}=0.24$

1-1 전체 학생 수는 $\dfrac{18}{0.36}=50(명)$이고,

60권 이상 90권 미만인 계급의 상대도수는 $\dfrac{14}{50}=0.28$,

90권 이상 120권 미만인 계급의 상대도수는 $\dfrac{10}{50}=0.2$

이므로 전체의 $(0.36+0.28+0.2) \times 100=84(\%)$

[다른 풀이]

전체 학생 수는 $\dfrac{18}{0.36}=50(명)$이고, 한 학기 동안 책을

30권 이상 읽은 학생 수는 $18+14+10=42(명)$이므로

전체의 $\dfrac{42}{50} \times 100=84(\%)$

✔ 찢어진 상대도수의 분포표 　개념북 174쪽

2 0.2　　**2-1** 5명

2 전체 학생 수는 $\dfrac{8}{0.08}=100(명)$이므로 5개 이상 10개

미만인 계급의 상대도수는 $\dfrac{20}{100}=0.2$

2-1 전체 학생 수는 $\dfrac{3}{0.12}=25(명)$이므로 70점 이상 80점

미만인 학생 수는 $25 \times 0.2=5(명)$

✔ 전체 도수가 다른 두 집단의 상대도수 　개념북 175쪽

3 여학생　　**3-1** ①

3 5시간 이상 7시간 미만인 계급의 상대도수는 각각

(남학생의 상대도수)$=\dfrac{6}{40}=0.15$

(여학생의 상대도수)$=\dfrac{8}{50}=0.16$

이므로 여학생이 더 높다.

3-1 전체 도수를 각각 $2a$, $3a$라 하고 어떤 계급의 도수를 각

각 $4b$, $3b$라 하면 상대도수의 비는 $\dfrac{4b}{2a} : \dfrac{3b}{3a}=2 : 1$

7 상대도수의 분포를 나타낸 그래프 개념북 176쪽

1 풀이 참조　　**2** (1) 10명　(2) 0.3

1

팔굽혀펴기 횟수 (회)	학생 수 (명)	상대도수
5 이상 ~ 10 미만	2	0.05
10 ~ 15	14	0.35
15 ~ 20	16	0.4
20 ~ 25	6	0.15
25 ~ 30	2	0.05
합계	40	1

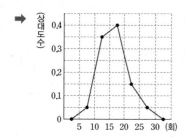

2 (1) 맥박 수가 70회 이상 75회 미만인 계급의 상대도수는
0.2이므로 학생 수는 $50 \times 0.2 = 10$(명)

(2) 맥박 수가 85회 이상 90회 미만인 학생 수는
$50 \times 0.1 = 5$(명)이고, 맥박 수가 80회 이상 85회 미
만인 학생 수는 $50 \times 0.3 = 15$(명)이므로 맥박 수가 높
은 쪽에서 15번째인 학생이 속하는 계급의 상대도수는
0.3이다.

✏ 상대도수의 분포를 나타낸 그래프의 이해　　　개념북 177쪽

1 150명　　　　**1-1** 23명

1 상대도수가 두 번째로 큰 계급은 80점 이상 90점 미만
이므로 (전체 학생 수) $= \dfrac{30}{0.2} = 150$(명)

1-1 전체 학생 수는 $\dfrac{10}{0.2} = 50$(명)이고 25 m 이상 던진 학
생의 상대도수가 $0.26 + 0.14 + 0.06 = 0.46$이므로
구하는 학생 수는 $50 \times 0.46 = 23$(명)

✏ 전체 도수가 다른 두 집단의 비교　　　개념북 177쪽

2 B반　　　　**2-1** 480명

2 A반은 $80 \times 0.4 = 32$(명)이고
B반은 $120 \times 0.3 = 36$(명)이므로 B반이 더 많다.

2-1 (남학생 수) $= \dfrac{11}{0.05} = 220$(명)

(여학생 수) $= \dfrac{39}{0.15} = 260$(명)

∴ (전체 학생 수) $= 220 + 260 = 480$(명)

개념완성 💡 기본 문제　　　개념북 180~181쪽

1 ④	**2** ②	**3** ③	**4** ⑤
5 ④	**6** ②	**7** 6	**8** ③
9 ③	**10** ⑤	**11** ⑤	**12** ④

1 줄기 5, 6, 7, 8, 9의 잎의 개수는 각각 5개, 4개, 5개,
9개, 7개이므로 잎이 가장 많은 줄기는 8이다.

2 67점 이상 85점 미만인 학생의 점수는 67점, 74점,
77점, 78점, 79점, 79점, 80점, 81점, 82점, 82점,
83점이므로 학생 수는 11명이다.

3 $A = 40 - (1 + 3 + 18 + 4) = 14$
계급의 크기는 $13 - 11 = 2$(초)이므로 $a = 2$
∴ $A + a = 14 + 2 = 16$

4 달리기 기록이 11초 이상 15초 미만인 학생 수는
$1 + 3 = 4$(명)이고 11초 이상 17초 미만인 학생 수는
$1 + 3 + 18 = 22$(명)이므로 달리기 기록이 좋은 쪽에서 10
번째인 학생이 속하는 계급은 15초 이상 17초 미만이다.
따라서 이 계급의 도수는 18명이다.

5 ㄱ. 줄기와 잎 그림에서 중복된 자료의 값을 중복된 횟수
만큼 나열해야 한다.
따라서 바르게 정리한 것은 ㄴ, ㄷ이다.

6 전체 학생 수는 $4 + 10 + 9 + 6 + 1 = 30$(명)이고,
수면 시간이 6시간 이상 8시간 미만인 학생 수는
$9 + 6 = 15$(명)이므로
전체의 $\dfrac{15}{30} \times 100 = 50(\%)$

7 도수가 가장 큰 계급의 직사각형의 넓이는 $1 \times 10 = 10$
이고, 도수가 4명인 계급의 직사각형의 넓이는 $1 \times 4 = 4$
이므로 넓이의 차는 $10 - 4 = 6$

8 계급의 크기는 10분이므로 $a = 10$
가장 작은 도수는 3명이므로 $b = 3$
전체 학생 수는 $3 + 5 + 6 + 9 + 4 + 3 = 30$(명)이므로
$c = 30$
∴ $a + b + c = 10 + 3 + 30 = 43$

9 ① $A=\dfrac{9}{50}=0.18$ ② $B=50\times0.24=12$

③ $C=\dfrac{6}{50}=0.12$ ④ $D=50\times0.1=5$

⑤ 상대도수의 총합은 항상 1이므로 $E=1$

10 걸린 시간이 6분 이상인 계급의 상대도수는

$0.12+0.1=0.22$이므로 전체의 $0.22\times100=22(\%)$

11 ① 10대 남자 관람객은 $150\times0.12=18$(명)이다.

② 20대 남자 관람객은 $150\times0.2=30$(명), 여자 관람객은 $100\times0.15=15$(명)이므로 20대 관람객은 전체의 $\dfrac{30+15}{150+100}\times100=18(\%)$

③ 30대 남자 관람객은 $150\times0.3=45$(명), 여자 관람객은 $100\times0.3=30$(명)이므로 남녀 관람객의 수는 같지 않다.

④ 남자는 30대 관람객의 비율이 가장 높고, 여자는 40대 관람객의 비율이 가장 높다.

⑤ 40세 이상 여자 관람객의 상대도수는

$0.38+0.12=0.5$이므로 전체 여자 관람객의 $0.5\times100=50(\%)$이다.

12 지출한 금액이 10만 원 이상인 계급의 상대도수는

$0.24+0.1=0.34$이므로 구하는 소비자 수는

$50\times0.34=17$(명)

개념완성 발전 문제

개념북 182~183쪽

1 7점 **2** ② **3** 32명 **4** ㄴ, ㄹ

5 ① 10, 40 ② $1+3+8+6+2$, 20, 11, 9

③ 9, 6, 2, 17

6 ① 40명 ② 0.15 ③ 15 %

1 전체 학생 수는 $5+6+6+7=24$(명)이므로

전체 학생의 $\dfrac{1}{4}$은 $24\times\dfrac{1}{4}=6$(명)

따라서 출전하는 학생 중에서 점수가 가장 좋은 학생은 89점, 가장 안 좋은 학생은 82점이므로 두 점수의 차는

$89-82=7$(점)

2 몸무게가 50 kg 이상인 학생 수는

$20\times\dfrac{40}{100}=8$(명)이므로

$B+3=8$ ∴ $B=5$

∴ $A=20-(2+6+5+3)=4$

[다른 풀이]

몸무게가 50 kg 이상인 학생이 전체의 40 %이므로 몸무게가 50 kg 미만인 학생은 전체의 60 %이다.

즉, $20\times\dfrac{60}{100}=12$(명)이므로

$2+6+A=12$ ∴ $A=4$

3 대화 시간이 60분 이상인 계급의 상대도수가 0.1이고 도수가 5명이므로

(도수의 총합)$=\dfrac{5}{0.1}=50$(명)

대화 시간이 40분 이상인 계급의 상대도수는

$0.16+0.1+0.1=0.36$

따라서 대화 시간이 40분 미만인 학생 수는

$50\times(1-0.36)=50\times0.64=32$(명)

4 ㄱ. 상대도수의 그래프로는 학생 수를 알 수 없다.

ㄷ. B반이 A반보다 성적이 대체로 더 우수하다.

따라서 옳은 것은 ㄴ, ㄹ이다.

5 ① 계급의 크기가 10분이고 모든 직사각형의 넓이의 합이 400이므로 도수의 총합은 $\dfrac{400}{10}=40$(편)이다.

② 상영 시간이 100분 이상 120분 미만인 계급의 도수는 $40-(1+3+8+6+2)=20$(편)이므로 100분 이상 110분 미만인 계급의 도수는 11편이고, 110분 이상 120분 미만인 계급의 도수는 9편이다.

③ 상영 시간이 110분 이상인 영화는

$9+6+2=17$(편)이다.

6 ① TV 시청 시간이 40분 이상 60분 미만인 계급의 도수가 14명, 상대도수가 0.35이므로 전체 학생 수는

$\dfrac{14}{0.35}=40$(명)

② 20분 이상 40분 미만인 계급의 상대도수는

$\dfrac{8}{40}=0.2$

상대도수의 총합은 항상 1이므로 80분 이상 100분 미만인 계급의 상대도수는

$1-(0.2+0.35+0.3)=0.15$

③ 시청 시간이 80분 이상 100분 미만인 계급의 학생은 전체의 $0.15\times100=15(\%)$이다.

수학은 개념이다!

개념기본

중 **1** **1/2**

익힘북
정답과 풀이

'아! 이걸 묻는거구나' 출제의 의도를
단박에 알게해주는 정답과 풀이

디딤돌 수학

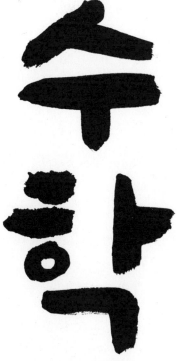

1 기본 도형

1 ㄴ   **2** ④   **3** ⑤   **4** ㄱ, ㄷ

5 ④   **6** ㄱ, ㄴ, ㄷ   **7** ①   **8** ⑤

9 ⑤   **10** ②   **11** ④

12 $\overrightarrow{AB}$, $\overrightarrow{AC}$, $\overrightarrow{BC}$ / $\overrightarrow{CA}$, $\overrightarrow{CB}$ / $\overleftrightarrow{AC}$, $\overleftrightarrow{CA}$

13 ⑤   **14** ③   **15** ③   **16** 30

17 $a=1$, $b=4$, $c=3$ **18** ③   **19** 10개

20 14   **21** ④

22 (1) $\dfrac{1}{2}$ (2) $\dfrac{1}{2}$ (3) 4   (4) $\dfrac{3}{4}$ **23** 풀이 참조

24 ②   **25** ④   **26** 8 cm   **27** ③

28 5 cm   **29** ②   **30** 16 cm   **31** ③

32 (1) ㄱ, ㅂ   (2) ㄴ   (3) ㄷ, ㅁ   (4) ㄹ   **33** ④

34 ㄷ   **35** ②   **36** ②   **37** 18°

38 35°   **39** ①   **40** ⑤   **41** ④

42 30°   **43** 60°   **44** ②   **45** ②

46 30°   **47** ②

48 (1) 40° (2) 60° (3) 80° (4) 140°   **49** 90°

50 (1) 30° (2) 20°   **51** 60°   **52** 2쌍

53 ④   **54** ③   **55** ③   **56** ②, ⑤

57 (1) 점 C (2) 4.8 cm   **58** ⑤   **59** ④

60 ③   **61** ⑤   **62** ⑤   **63** ㄷ, ㄹ

64 ⑤   **65** ③   **66** 평행하다.   **67** 6개

68 ②, ③

69 모서리 BC, 모서리 CD, 모서리 DE, 모서리 GH, 모서리 HI, 모서리 IJ

70 ⑤

71 (1) 한 점에서 만난다.   (2) 평행하다.
    (3) 꼬인 위치에 있다.

72 모서리 AB, 모서리 AE, 모서리 FG, 모서리 FJ

73 3개   **74** 모서리 BF, 모서리 DH

75 11   **76** -2 **77** ⑤   **78** 4

79 ①, ⑤   **80** ㄱ, ㄴ, ㄷ   **81** ③   **82** ①, ④

---

83 ②, ④   **84** ㄴ, ㄹ   **85** 6   **86** ②, ⑤

87 ①   **88** ⑤   **89** ⑤   **90** ②

91 ②   **92** ①, ⑤   **93** ④, ⑤   **94** ③, ④

95 ④   **96** (1) 65° (2) 125°   **97** ④

98 ③   **99** ③   **100** ②   **101** ②

102 240°   **103** ④   **104** ③   **105** 70°

106 ①   **107** ①   **108** 38°   **109** 100°

110 35°   **111** 92°   **112** ③   **113** ③, ⑤

114 ①, ④   **115** ③   **116** ④   **117** ②

118 100°   **119** 118°   **120** 50°   **121** ②

122 100°   **123** 50°   **124** ④   **125** 95°

1 ㄱ, ㄹ은 교선이 모두 직선이고, ㄷ은 교선이 없다.

2 (교점의 개수)=(꼭짓점의 개수)=8
(교선의 개수)=(모서리의 개수)=12
(면의 개수)=6

3 교점의 개수는 6, 교선의 개수는 12, 면의 개수는 8이므로
$a=6$, $b=12$, $c=8$
∴ $a-b+c=6-12+8=2$

4 ㄴ. 교선은 모두 8개이다.
ㄹ. 면 BCDE와 면 AED가 만나서 생기는 교선은 모서리 DE이다.

5 ④ 면과 면이 만나서 생기는 교선은 직선 또는 곡선이다.
⑤ 오각뿔에서 면의 개수는 6, 꼭짓점의 개수는 6이다.

6 ㄹ. 입체도형에서 교점의 개수는 꼭짓점의 개수와 같다.

7 ② 두 반직선이 같으려면 시작점과 방향이 모두 같아야
한다.
③ 서로 다른 두 점을 지나는 직선은 오직 하나뿐이다.
④ 직선과 반직선은 한없이 뻗어 나가는 선이므로 그 길이를 생각할 수 없다.
⑤ 한 점을 지나는 직선은 무수히 많다.

8 ⑤ $\overrightarrow{AB} \neq \overrightarrow{BA}$

9 ⑤ 방향이 같아도 시작점이 다른 두 반직선은 같지 않다.

13 ⑤ $\overrightarrow{BA}$는 점 B를 시작점으로 하여 점 A의 방향으로 가는 반직선이므로 $\overline{BC}$를 포함하지 않는다.

14 직선은 $\overleftrightarrow{AB}$, $\overleftrightarrow{AC}$, $\overleftrightarrow{BC}$의 3개이다.

15 선분은 $\overline{AB}$, $\overline{AC}$, $\overline{AD}$, $\overline{BC}$, $\overline{BD}$, $\overline{CD}$의 6개이다.

16 직선은 $\overleftrightarrow{PQ}$, $\overleftrightarrow{PR}$, $\overleftrightarrow{PS}$, $\overleftrightarrow{PT}$, $\overleftrightarrow{QR}$, $\overleftrightarrow{QS}$, $\overleftrightarrow{QT}$, $\overleftrightarrow{RS}$, $\overleftrightarrow{RT}$, $\overleftrightarrow{ST}$의 10개이므로 $a=10$
반직선의 개수는 직선의 개수의 2배이므로
$b=10\times2=20$
$\therefore a+b=10+20=30$

17 직선은 l의 1개이므로 $a=1$
반직선은 $\overrightarrow{AB}$, $\overrightarrow{BA}$, $\overrightarrow{BC}$, $\overrightarrow{CA}$의 4개이므로 $b=4$
선분은 $\overline{AB}$, $\overline{AC}$, $\overline{BC}$의 3개이므로 $c=3$

18 만들 수 있는 서로 다른 직선은 $\overleftrightarrow{AD}$, $\overleftrightarrow{BD}$, $\overleftrightarrow{CD}$, $\overleftrightarrow{AB}$의 4개이다.

19 만들 수 있는 서로 다른 선분은 $\overline{AB}$, $\overline{AC}$, $\overline{AD}$, $\overline{AE}$, $\overline{BC}$, $\overline{BD}$, $\overline{BE}$, $\overline{CD}$, $\overline{CE}$, $\overline{DE}$의 10개이다.

20 한 점을 시작점으로 하여 만들 수 있는 반직선은 4개씩 이므로
$4\times5=20$(개)
이 중에서 $\overrightarrow{AB}=\overrightarrow{AC}=\overrightarrow{AD}$, $\overrightarrow{BC}=\overrightarrow{BD}$, $\overrightarrow{CA}=\overrightarrow{CB}$, $\overrightarrow{DA}=\overrightarrow{DB}=\overrightarrow{DC}$이므로 서로 다른 반직선의 개수는
$20-(2+1+1+2)=14$

21 ④ $\overline{PR}=2\overline{PQ}$

22 (1) $\overline{BM}=\overline{AM}=\dfrac{1}{2}\overline{AB}$

(2) $\overline{MN}=\overline{AN}=\dfrac{1}{2}\overline{AM}$

(3) $\overline{AM}=2\overline{AN}$이므로
$\overline{AB}=2\overline{AM}=2\times2\overline{AN}=4\overline{AN}$

(4) $\overline{NM}=\dfrac{1}{2}\overline{AM}=\dfrac{1}{2}\times\dfrac{1}{2}\overline{AB}=\dfrac{1}{4}\overline{AB}$

$\overline{MB}=\dfrac{1}{2}\overline{AB}$

$\therefore \overline{BN}=\overline{NM}+\overline{MB}=\dfrac{1}{4}\overline{AB}+\dfrac{1}{2}\overline{AB}=\dfrac{3}{4}\overline{AB}$

23

24 $\overline{NM}=\dfrac{1}{2}\overline{AM}=\dfrac{1}{2}\times\dfrac{1}{2}\overline{AB}=\dfrac{1}{4}\overline{AB}$
$=\dfrac{1}{4}\times8=2$(cm)

25 $\overline{PQ}=2\overline{MQ}=2\times2\overline{MN}=4\overline{MN}=4\times3=12$(cm)

26 $\overline{MB}=\overline{AM}=3$ cm, $\overline{BN}=\overline{NC}=5$ cm
$\therefore \overline{MN}=\overline{MB}+\overline{BN}=3+5=8$(cm)

27 $\overline{AC}=2\overline{MC}$, $\overline{CB}=2\overline{CN}$
$\therefore \overline{AB}=\overline{AC}+\overline{CB}=2\overline{MC}+2\overline{CN}$
$=2(\overline{MC}+\overline{CN})=2\overline{MN}$
$=2\times6=12$(cm)

28 $\overline{AB}=\overline{BC}$이고 $\overline{BC}=\overline{CD}$이므로
$\overline{AB}=\overline{BC}=\overline{CD}=\dfrac{1}{3}\overline{AD}=\dfrac{1}{3}\times15=5$(cm)

29 $\overline{AD}=\overline{AC}+\overline{CD}=2\overline{CD}+\overline{CD}=3\overline{CD}=18$(cm)
$\therefore \overline{CD}=6$ cm
$\overline{AC}=2\overline{CD}=2\times6=12$(cm)
$\overline{AC}=\overline{AB}+\overline{BC}=3\overline{BC}+\overline{BC}=4\overline{BC}=12$(cm)
$\therefore \overline{BC}=3$ cm

30 $\overline{AB}=2\overline{AM}=2\times12=24$(cm)
$\overline{BC}=\dfrac{1}{3}\overline{AB}=\dfrac{1}{3}\times24=8$(cm)
$\overline{BN}=\dfrac{1}{2}\overline{BC}=\dfrac{1}{2}\times8=4$(cm)
$\therefore \overline{MN}=\overline{BM}+\overline{BN}=\overline{AM}+\overline{BN}=12+4$
$=16$(cm)

[다른 풀이]
$\overline{AB}=2\overline{AM}=2\times12=24$(cm),
$\overline{BC}=\dfrac{1}{3}\overline{AB}=\dfrac{1}{3}\times24=8$(cm)이므로
$\overline{AC}=\overline{AB}+\overline{BC}=24+8=32$(cm)
$\therefore \overline{MN}=\dfrac{1}{2}\overline{AC}=\dfrac{1}{2}\times32=16$(cm)

31 $\overline{AO}:\overline{OB}=2:3$이므로
$\overline{AO}=\dfrac{2}{2+3}\times\overline{AB}=\dfrac{2}{5}\times20=8$(cm)
$\therefore \overline{AM}=\dfrac{1}{2}\overline{AO}=\dfrac{1}{2}\times8=4$(cm)

33 (예각)<(직각)<(둔각)<(평각)이므로
크기가 작은 것부터 차례로 나열하면 ㄴ, ㄱ, ㄹ, ㄷ이다.

34

ㄱ. 예각 ㄴ. 예각 ㄷ. 둔각 ㄹ. 직각

35 $\angle x + (3\angle x + 10°) = 90°$

$4\angle x = 80°$ ∴ $\angle x = 20°$

36 $\angle BOC + 40° = 90°$ ∴ $\angle BOC = 50°$

$\angle BOC + \angle x = 90°$이므로 $50° + \angle x = 90°$

∴ $\angle x = 40°$

[다른 풀이]

$\angle AOB + \angle BOC = 90°$, $\angle BOC + \angle COD = 90°$이므로

$\angle AOB = \angle COD$

∴ $\angle x = \angle COD = \angle AOB = 40°$

37 $\angle x + 2\angle x + 3\angle x + 4\angle x = 180°$

$10\angle x = 180°$ ∴ $\angle x = 18°$

38 $(\angle x + 30°) + (2\angle x + 10°) + \angle x = 180°$

$4\angle x = 140°$ ∴ $\angle x = 35°$

39 $25° + \angle x = 90°$ ∴ $\angle x = 65°$

$60° + 90° + \angle y = 180°$ ∴ $\angle y = 30°$

∴ $\angle x - \angle y = 65° - 30° = 35°$

40 $\angle AOC = 90°$, $\angle BOD = 90°$이므로

$\angle AOB + \angle BOC + \angle BOC + \angle COD = 180°$

$\angle AOB + \angle COD + 2\angle BOC = 180°$

$50° + 2\angle BOC = 180°$, $2\angle BOC = 130°$

∴ $\angle BOC = 65°$

[다른 풀이]

$\angle AOB + \angle BOC = 90°$, $\angle BOC + \angle COD = 90°$이므로

$\angle AOB = \angle COD$

이때 $\angle AOB + \angle COD = 50°$이므로

$2\angle AOB = 50°$ ∴ $\angle AOB = 25°$

∴ $\angle BOC = \angle AOC - \angle AOB$

$= 90° - 25° = 65°$

41 $\angle BOD = \angle BOC + \angle COD$

$= \dfrac{1}{2}(\angle AOC + \angle COE)$

$= \dfrac{1}{2} \times 180° = 90°$

[다른 풀이]

$\angle AOB = \angle BOC = \angle a$, $\angle COD = \angle DOE = \angle b$라 하면

$2\angle a + 2\angle b = 180°$, $2(\angle a + \angle b) = 180°$

∴ $\angle a + \angle b = 90°$

∴ $\angle BOD = \angle a + \angle b = 90°$

42 $\angle AOB + \angle BOC + \angle COD = 180°$

$\angle AOB + 90° + 2\angle AOB = 180°$

$3\angle AOB = 90°$ ∴ $\angle AOB = 30°$

43 $\angle AOC = 4\angle BOC$에서 $\angle AOB = 3\angle BOC$이므로

$90° = 3\angle BOC$ ∴ $\angle BOC = 30°$

$\angle COE = 60°$이므로

$\angle COD = \dfrac{1}{2}\angle COE = \dfrac{1}{2} \times 60° = 30°$

∴ $\angle BOD = \angle BOC + \angle COD = 30° + 30° = 60°$

44 $\angle BOD$

$= \angle BOC + \angle COD$

$= \dfrac{1}{4}\angle AOC + \dfrac{1}{4}\angle COE$

$= \dfrac{1}{4}(\angle AOC + \angle COE) = \dfrac{1}{4} \times 180° = 45°$

[다른 풀이]

$\angle BOC = \angle a$, $\angle COD = \angle b$라 하면

$\angle AOC = 4\angle a$, $\angle COE = 4\angle b$이므로

$4\angle a + 4\angle b = 180°$, $4(\angle a + \angle b) = 180°$

∴ $\angle a + \angle b = 45°$

∴ $\angle BOD = \angle a + \angle b = 45°$

45 $\angle x + \angle y + \angle z = 180°$이고

$\angle x : \angle y : \angle z = 3 : 2 : 5$이므로

$\angle y = \dfrac{2}{3+2+5} \times 180° = 36°$

[다른 풀이]

$\angle x : \angle y : \angle z = 3 : 2 : 5$이므로

$\angle x = 3k$, $\angle y = 2k$, $\angle z = 5k$라 하면

$3k + 2k + 5k = 180°$, $10k = 180°$ ∴ $k = 18°$

∴ $\angle y = 2k = 2 \times 18° = 36°$

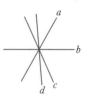

64 ④ 서로 직교하는 경우는 한 점에서 만나는 특수한 경우이다.

⑤ 한 평면 위에 있는 두 직선은 평행하거나 만난다.

65 ③ 점 A는 $\overleftrightarrow{CD}$ 위에 있지 않다.

66 $l \perp m$, $m \perp n$이므로 오른쪽 그림과 같이 나타낼 수 있다.

따라서 두 직선 l과 n은 **평행하다.**

즉, $l /\!/ n$

67 직선 AB와 한 점에서 만나는 직선은 $\overleftrightarrow{BC}$, $\overleftrightarrow{CD}$, $\overleftrightarrow{DE}$, $\overleftrightarrow{FG}$, $\overleftrightarrow{GH}$, $\overleftrightarrow{AH}$의 6개이다.

68 모서리 DF와 꼬인 위치에 있는 모서리는 모서리 AB, 모서리 BC, 모서리 BE이다.

70 모서리 BG와 꼬인 위치에 있는 모서리는 모서리 AD, 모서리 AE, 모서리 DH, 모서리 EF, 모서리 EH의 5개이다.

72 모서리 AF와 수직으로 만나는 모서리는 모서리 AB, 모서리 AE, 모서리 FG, 모서리 FJ이다.

73 모서리 BC와 평행한 모서리는 모서리 AD, 모서리 FG, 모서리 EH의 3개이다.

75 모서리 BC와 한 점에서 만나는 모서리는 모서리 AB, 모서리 DC, 모서리 BF, 모서리 CG의 4개이므로 $a=4$

모서리 AD에 평행한 모서리는 모서리 BC, 모서리 FG, 모서리 EH의 3개이므로 $b=3$

모서리 DH와 꼬인 위치에 있는 모서리는 모서리 AB, 모서리 EF, 모서리 BC, 모서리 FG의 4개이므로 $c=4$

$\therefore a+b+c=4+3+4=11$

76 모서리 BC와 평행한 모서리는 모서리 AD, 모서리 EH, 모서리 FG의 3개이므로 $a=3$

모서리 AB와 꼬인 위치에 있는 모서리는 모서리 DH, 모서리 CG, 모서리 EH, 모서리 HG, 모서리 FG의 5개이므로 $b=5$

$\therefore a-b=3-5=-2$

77 주어진 전개도로 만든 정육면체는 오른쪽 그림과 같으므로 모서리 BC와 꼬인 위치에 있는 모서리는 모서리 NK이다.

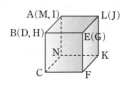

78 주어진 전개도로 만든 삼각기둥은 오른쪽 그림과 같으므로 모서리 AB와 평행한 모서리는 모서리 JC, 모서리 HE의 2개이므로 $a=2$

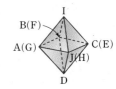

모서리 HE와 꼬인 위치에 있는 모서리는 모서리 JI($=$AJ), 모서리 CD($=$BC)의 2개이므로 $b=2$

$\therefore a+b=2+2=4$

79 주어진 전개도로 만든 정팔면체는 오른쪽 그림과 같으므로 모서리 AJ와 꼬인 위치에 있는 모서리는 모서리 BD, 모서리 CD($=$DE), 모서리 FI, 모서리 EI이다.

① 모서리 AJ와 모서리 BC는 평행하다.

⑤ 모서리 AJ와 모서리 GI는 한 점에서 만난다.

80 ㄹ. 공간에서 만나지 않는 두 직선은 평행하거나 꼬인 위치에 있다.

81 ① 한 직선에 수직인 서로 다른 두 직선은 한 점에서 만나거나 평행하거나 꼬인 위치에 있다.

② 서로 다른 두 직선이 만나지 않으면 평행하거나 꼬인 위치에 있다.

④ 꼬인 위치에 있는 두 직선을 포함하는 평면은 없다.

⑤ 한 직선과 꼬인 위치에 있는 서로 다른 두 직선은 한 점에서 만나거나 평행하거나 꼬인 위치에 있다.

82 ① 공간에서 서로 만나지 않는 두 직선은 평행하거나 꼬인 위치에 있다.

④ 꼬인 위치에 있는 두 직선은 한 평면 위에 있지 않다.

83 ① 면 BGFA, 면 AFJE, 면 DIJE의 3개이다.

③ 모서리 CD는 면 CHID에 포함된다.

⑤ 모서리 AE는 면 FGHIJ와 평행하다.

84 ㄱ. 면 BFGC와 수직인 모서리는 모서리 AB, 모서리 CD, 모서리 EF, 모서리 GH의 4개이다.

ㄴ. 점 A와 $\overline{EF}$를 포함하는 면은 면 ABFE의 1개이다.

ㄷ. $\overline{BD}$와 평행한 면은 면 EFGH이다.

ㄹ. $\overline{CG}$와 수직인 면은 면 ABCD, 면 EFGH의 2개이다.

85 면 ABC에 포함되는 모서리는 모서리 AB, 모서리 BC, 모서리 CA이므로 $a=3$

면 DEF와 수직인 모서리는 모서리 AD, 모서리 BE, 모서리 CF이므로 $b=3$

$\therefore a+b=3+3=6$

86 주어진 전개도로 만든 삼각기둥은 오른쪽 그림과 같다.

② 모서리 BC는 면 CDE에 포함된다.

⑤ 모서리 HE는 면 CDE와 수직이다.

87 면 CGHD와 평행한 모서리는 모서리 BF, 모서리 AE의 2개이다.

88 ① 면 AEF, 면 DHG, 면 AEHD의 3개

② 모서리 EH의 1개

③ 모서리 EH, 모서리 DH, 모서리 GH의 3개

④ 모서리 DH, 모서리 DG, 모서리 GH의 3개

⑤ 면 AFE에 수직인 모서리는 모서리 AD, 모서리 EH, 모서리 FG의 3개이다.

89 주어진 전개도로 만든 정육면체는 오른쪽 그림과 같다.

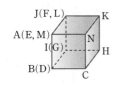

⑤ 면 ABCN과 면 KHIJ는 평행하다.

91 오른쪽 그림과 같이 수직으로 만난다.

즉, $P/\!\!/Q$, $P\perp R$이면 $Q\perp R$이다.

92 ② 한 평면에 평행한 서로 다른 두 직선은 한 점에서 만나거나 평행하거나 꼬인 위치에 있다.

③ 한 직선에 수직인 서로 다른 두 직선은 한 점에서 만나거나 평행하거나 꼬인 위치에 있다.

④ 한 평면에 수직인 서로 다른 두 평면은 한 직선에서 만나거나 평행하다.

94 ① $l/\!\!/P$, $m/\!\!/P$이면 오른쪽 그림과 같이 두 직선 l, m은

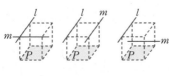

한 점에서 만나거나 평행하거나 꼬인 위치에 있다.

② $l/\!\!/P$, $m\perp P$이면 오른쪽 그림과 같이 두 직선 l, m은 한 점에서 만나거나 꼬인 위치에 있다.

⑤ $P\perp Q$, $Q\perp R$이면 오른쪽 그림과 같이 두 평면 P, R는 한 직선에서 만나거나 평행하다.

95 ① $\angle a$의 동위각은 $\angle e$이고, $\angle a$의 엇각은 존재하지 않는다.

② $\angle d$의 엇각은 존재하지 않는다.

③ $\angle b$의 동위각은 $\angle f$이다.

⑤ $\angle b$의 엇각은 $\angle h$이다.

96 (2) $180°-55°=125°$

97 ④ $\angle b$의 동위각의 크기는 $30°$이다.

98 두 직선 l, n이 다른 한 직선 m과 만나서 생기는 각 중에서 $\angle d$의 동위각은 $\angle h$이고,

두 직선 m, n이 다른 한 직선 l과 만나서 생기는 각 중에서 $\angle d$의 동위각은 $\angle r$이다.

100 오른쪽 그림과 같이 $\angle a$의 모든 동위각의 크기의 합은 $95°+60°=155°$

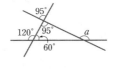

101 $l/\!\!/m$이므로

$\angle x=70°$(엇각), $\angle y=110°$(동위각)

$\therefore \angle x+\angle y=70°+110°=180°$

102 오른쪽 그림에서 $l/\!\!/m$이므로

$\angle a=180°-60°=120°$

$\angle b=\angle a=120°$(맞꼭지각)

$\therefore \angle a+\angle b=120°+120°=240°$

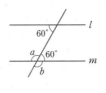

103 오른쪽 그림에서 $l/\!\!/m$이므로

$\angle x=180°-40°=140°$

$\angle y=70°$(동위각)

$\therefore \angle x+\angle y=140°+70°$

$\qquad =210°$

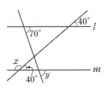

104 오른쪽 그림에서 $n \, /\!/ \, k$이므로

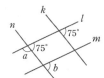

$\angle a = 180° - 75° = 105°$

$l \, /\!/ \, m$이므로

$\angle b = 75°$(동위각)

$\therefore \angle a - \angle b = 105° - 75° = 30°$

105 오른쪽 그림에서 $l \, /\!/ \, m$이므로

$\angle x = 70° + \angle y$(동위각)

$\therefore \angle x - \angle y = 70°$

106 오른쪽 그림에서 $l \, /\!/ \, m \, /\!/ \, n$이므로

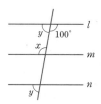

$\angle x = 100°$(엇각)

$\angle y = 180° - 100° = 80°$(동위각)

$\therefore \angle x - \angle y = 100° - 80° = 20°$

107 오른쪽 그림에서 $l \, /\!/ \, m$이므로

$\angle x = 180° - 125° = 55°$(동위각)

$n \, /\!/ \, k$이므로

$\angle y = 180° - (50° + 60°)$

$\quad\quad = 70°$(동위각)

$\therefore \angle x + \angle y = 55° + 70° = 125°$

108 오른쪽 그림에서 $l \, /\!/ \, m$이고 삼각

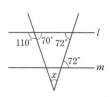

형의 세 내각의 크기의 합은 $180°$

이므로

$\angle x = 180° - (70° + 72°)$

$\quad\quad = 38°$

109 오른쪽 그림에서 $l \, /\!/ \, m$이고 삼각

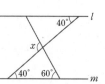

형의 세 내각의 크기의 합은 $180°$

이므로

$40° + 60° + (180° - \angle x) = 180°$

$\therefore \angle x = 40° + 60° = 100°$

110 오른쪽 그림에서 $l \, /\!/ \, m$이고, 삼

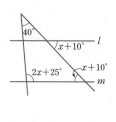

각형의 세 내각의 크기의 합은

$180°$이므로

$40° + (2\angle x + 25°) + (\angle x + 10°)$

$\quad = 180°$

$3\angle x = 105° \quad \therefore \angle x = 35°$

111 오른쪽 그림에서 $l \, /\!/ \, m$이고,

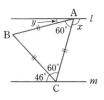

정삼각형 ABC의 한 내각의 크기

는 $60°$이므로

$\angle x = 46° + 60° = 106°$(엇각)

$\angle y + 60° + \angle x = 180°$이므로

$\angle y + 60° + 106° = 180° \quad \therefore \angle y = 14°$

$\therefore \angle x - \angle y = 106° - 14° = 92°$

112 ③ 오른쪽 그림에서 동위각의 크기가

같지 않으므로 두 직선 l과 m은

평행하지 않다.

④ 오른쪽 그림에서 동위각의 크기가

같으므로 두 직선 l과 m은 평행

하다.

113 두 직선 m, n에서 $180° - 102° = 78°$

즉, 동위각(또는 엇각)의 크기가 $78°$로 같으므로

$m \, /\!/ \, n$

또, 두 직선 p, q에서 엇각의 크기가 $78°$로 같으므로

$p \, /\!/ \, q$

114 오른쪽 그림과 같이

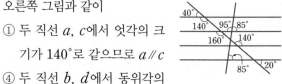

① 두 직선 a, c에서 엇각의 크

기가 $140°$로 같으므로 $a \, /\!/ \, c$

④ 두 직선 b, d에서 동위각의

크기가 $85°$로 같으므로 $b \, /\!/ \, d$

115 오른쪽 그림과 같이 두 직선 l,

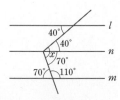

m에 평행한 직선 n을 그으면

$\angle x = 40° + 70° = 110°$

116 오른쪽 그림과 같이 두 직선 l,

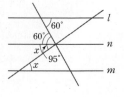

m에 평행한 직선 n을 그으면

$95° = 60° + \angle x$

$\therefore \angle x = 35°$

117 오른쪽 그림과 같이 점 C를 지나고 두 직선 l, m에 평행한 직선 n을 긋고 $\angle DAC = \angle a$, $\angle CBE = \angle b$ 라 하면

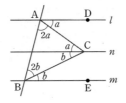

삼각형 ABC에서 $2\angle a + 2\angle b + \angle a + \angle b = 180°$

$3\angle a + 3\angle b = 180°$, $\angle a + \angle b = 60°$

$\therefore \angle ACB = \angle a + \angle b = 60°$

118 오른쪽 그림과 같이 두 직선 l, m에 평행한 두 직선 n, p를 그으면

$\angle x = 60° + 40° = 100°$

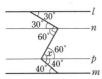

119 오른쪽 그림과 같이 두 직선 l, m에 평행한 두 직선 n, p를 그으면

$\angle x = 92° + 26° = 118°$

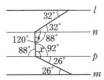

120 오른쪽 그림과 같이 두 직선 l, m에 평행한 두 직선 n, p를 그으면

$30° + \angle x + 100° = 180°$

$\therefore \angle x = 50°$

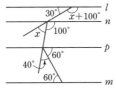

121 오른쪽 그림과 같이 두 직선 l, m에 평행한 두 직선 n, p를 그으면

$\angle x + \angle y = 180° + 25° + 40°$
$\qquad\qquad = 245°$

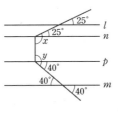

122 오른쪽 그림에서

$\angle EGF = 180° - 130°$
$\qquad\quad = 50°$

이고

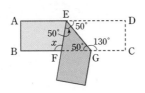

$\angle DEG = \angle EGF = 50°$ (엇각)

$\angle FEG = \angle DEG = 50°$ (접은 각)

$\angle x = \angle DEF$ (엇각)이므로 $\angle x = 50° + 50° = 100°$

123 오른쪽 그림에서

$\angle EFG = 180° - 115°$
$\qquad\quad = 65°$

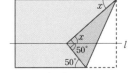

$\angle FGC = \angle EFG = 65°$ (엇각)

$\angle EGF = \angle FGC = 65°$ (접은 각)

$\triangle EGF$에서 $\angle x = 180° - (65° + 65°) = 50°$

124 오른쪽 그림과 같이 두 변에 평행한 직선 l을 그으면

$\angle x + 50° = 90°$

$\therefore \angle x = 40°$

125 오른쪽 그림에서

$2\angle y = 60°$ (동위각)

$\therefore \angle y = 30°$

$2\angle y + 70° = 2\angle x$ (엇각)

$2\angle x = 2 \times 30° + 70° = 130°$

$\therefore \angle x = 65°$

$\therefore \angle x + \angle y = 65° + 30° = 95°$

1 오각뿔에서 교점의 개수는 꼭짓점의 개수와 같으므로 6, 교선의 개수는 모서리의 개수와 같으므로 10이다.

따라서 교점과 교선의 개수의 합은 $6 + 10 = 16$

2 ④ $\overrightarrow{CB}$와 $\overrightarrow{CD}$는 시작점은 같으나 방향이 다르므로 같지 않다.

3 $\angle AOC + \angle COD + \angle DOE + \angle EOB = 180°$이므로

$2\angle COD + \angle COD + \angle DOE + 2\angle DOE = 180°$

$3(\angle COD + \angle DOE) = 180°$

$\therefore \angle COD + \angle DOE = 60°$

$\therefore \angle COE = \angle COD + \angle DOE = 60°$

4 ∠AOC의 맞꼭지각은 ∠DOF이므로
∠DOF=∠DOE+∠EOF=70°+30°=100°

5 ③ $\overline{AO}=\overline{BO}$인지 아닌지 알 수 없다.

6 ⑤ 두 점 P, S는 직선 m 위에 있지 않다.

7 ④, ⑤ 꼬인 위치에 있는 두 직선, 한 직선 위에 있는 세 점은 한 평면을 결정할 수 없다.

8 점 D와 면 BFGC 사이의 거리는 $\overline{CD}=5$ cm이다.

9 ① ∠a의 동위각은 ∠d이므로 ∠d=105°
② ∠e의 동위각은 ∠b이므로 ∠b=95°
③ ∠b의 동위각은 ∠e이므로 ∠e=180°−105°=75°
④ ∠c의 엇각은 ∠d이므로 ∠d=105°
⑤ ∠d의 엇각은 ∠c이므로 ∠c=180°−95°=85°

10 $l /\!/ m$이므로 ∠x=60°(엇각), ∠x+∠y=100°(엇각)
∴ ∠y=100°−∠x=40°
∴ ∠x−∠y=60°−40°=20°

11 오른쪽 그림과 같이 두 직선 l, m에 평행한 두 직선 n, p를 그으면
∠x=20°(엇각)

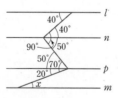

12 $\overline{AM}=\overline{MB}=\dfrac{1}{2}\overline{AB}=\dfrac{1}{2}\times16=8(\text{cm})$ ⋯⋯ ①
$\overline{NM}=\dfrac{1}{2}\overline{AM}=\dfrac{1}{2}\times8=4(\text{cm})$ ⋯⋯ ②
∴ $\overline{NB}=\overline{NM}+\overline{MB}=4+8=12(\text{cm})$ ⋯⋯ ③

단계	채점 기준	비율
①	$\overline{AM}$, $\overline{MB}$의 길이 구하기	40 %
②	$\overline{NM}$의 길이 구하기	40 %
③	$\overline{NB}$의 길이 구하기	20 %

13 모서리 AB와 수직으로 만나는 모서리는 모서리 AF, 모서리 BG의 2개이므로 $a=2$ ⋯⋯ ①
모서리 AB와 평행한 모서리는 모서리 FG의 1개이므로 $b=1$ ⋯⋯ ②
모서리 AB와 꼬인 위치에 있는 모서리는 모서리 CH, 모서리 DI, 모서리 EJ, 모서리 GH, 모서리 HI, 모서리 IJ, 모서리 JF의 7개이므로 $c=7$ ⋯⋯ ③
∴ $a+b+c=2+1+7=10$ ⋯⋯ ④

단계	채점 기준	비율
①	$\overline{AB}$와 수직으로 만나는 모서리를 모두 찾고 a의 값 구하기	25 %
②	$\overline{AB}$와 평행한 모서리를 모두 찾고 b의 값 구하기	25 %
③	$\overline{AB}$와 꼬인 위치에 있는 모서리를 모두 찾고 c의 값 구하기	40 %
④	$a+b+c$의 값 구하기	10 %

14 오른쪽 그림에서
∠GEF=∠DEF
　　　=70°(접은 각)
이므로 ⋯⋯ ①
∠AEG=180°−2×70°=40° ⋯⋯ ②
∴ ∠EGF=∠AEG=40°(엇각) ⋯⋯ ③

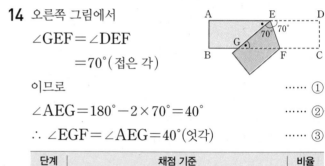

단계	채점 기준	비율
①	∠GEF의 크기 구하기	40 %
②	∠AEG의 크기 구하기	30 %
③	∠EGF의 크기 구하기	30 %

2 작도와 합동

개념적용익힘 　　　　　　　　익힘북 25~32쪽

1 ㉢ → ㉠ → ㉡　　　**2** ④　　　**3** ㄱ

4 ③　　　　**5** 풀이 참조　**6** (1) $\overline{AC}$ (2) ∠C

7 (1) 10 cm　(2) 30°　(3) 90°　　　**8** ④

9 (1) × (2) × (3) ○ (4) ○ (5) ×　**10** ①, ④

11 3개　　**12** ④　　**13** ⑤　　**14** ⑤

15 ②   **16** (1) ○ (2) × (3) ○ (4) ×

17 ②, ④   **18** ③   **19** ㄱ, ㄹ, ㅁ

20 ①   **21** 3개   **22** 풀이 참조

23 ②   **24** ⑤   **25** 풀이 참조

26 75°   **27** 12 cm   **28** ④   **29** ③

30 ㄴ, ㄷ   **31** ㄴ, ㄷ, ㄹ

32 △ABD≡△ACD, SSS 합동   **33** ③

34 ①   **35** SAS 합동

36 $\overline{BC}$, ∠ABD, 60, SAS   **37** ④

38 △ABO≡△DCO, △ABC≡△DCB,

     △ABD≡△DCA

39 ③   **40** ⑤

41 △DCB, $\overline{BC}$, ∠DBC, ∠DCB, △DCB, ASA

42 ㄱ, ㄹ, ㅂ   **43** ③

44 △CEM, ASA 합동   **45** 풀이 참조

46 ④

3 ㄴ. 눈금 없는 자와 컴퍼스가 사용된다.

    ㄷ. 작도 순서는 ⓑ → ⓓ → ⓒ → ⓔ → ⓒ → ⓐ이다.

4 $\overline{AC}=\overline{AB}=\overline{PR}=\overline{PQ}$, $\overline{BC}=\overline{QR}$

5 서로 다른 두 직선이 한 직선과 만날 때 엇각의 크기가
    같으면 두 직선은 평행하다.

8 ④ $\overline{BC}$의 대각은 ∠A이다.

9 (1) 1+4<7이므로 삼각형을 만들 수 없다. (×)

    (2) 3+3=6이므로 삼각형을 만들 수 없다. (×)

    (3) 6+8>9이므로 삼각형을 만들 수 있다. (○)

    (4) 9+9>9이므로 삼각형을 만들 수 있다. (○)

    (5) 5+6<15이므로 삼각형을 만들 수 없다. (×)

10 ① 3+8<12이므로 삼각형을 만들 수 없다.

    ② 2+3>4이므로 삼각형을 만들 수 있다.

    ③ 7+7>12이므로 삼각형을 만들 수 있다.

    ④ 2+4=6이므로 삼각형을 만들 수 없다.

    ⑤ 5+7>10이므로 삼각형을 만들 수 있다.

11 (1, 2, 3), (1, 2, 4), (1, 2, 5), (1, 3, 4), (1, 3, 5),
    (1, 4, 5), (2, 3, 4), (2, 3, 5), (2, 4, 5), (3, 4, 5)
    중에서
    (가장 긴 변의 길이)<(나머지 두 변의 길이의 합)을
    만족하는 것을 고르면 (2, 3, 4), (2, 4, 5), (3, 4, 5)
    의 3개이다.

12 가장 긴 변의 길이가 x일 때, $x<3+4$ ∴ $x<7$
    가장 긴 변의 길이가 4일 때, $4<3+x$ ∴ $x>1$
    따라서 x의 값의 범위는 $1<x<7$

13 가장 긴 변의 길이가 a일 때, $a<4+7$ ∴ $a<11$
    가장 긴 변의 길이가 7일 때, $7<4+a$ ∴ $a>3$
    따라서 a의 값의 범위는 $3<a<11$

14 가장 긴 변의 길이는 $x+8$이므로
    $x+8<x+(x+4)$, $8<x+4$
    ∴ $x>4$

15 ② c

16 (2), (4) 두 변의 길이와 주어진 각이 그 끼인각이 아니므
    로 △ABC를 하나로 작도할 수 없다.

17 ① 8>2+5이므로 삼각형이 만들어지지 않는다.

    ② 두 변의 길이와 그 끼인각의 크기가 주어진 경우이다.

    ③ $\overline{BC}=5$ cm이고 ∠B=90°인 경우는 무수히 많은
        삼각형이 그려진다.

    ④ 한 변의 길이와 그 양 끝 각의 크기가 주어진 경우이
        다.

    ⑤ ∠A+∠B=180°이므로 삼각형이 만들어지지 않는
        다.

18 ① 10>4+5이므로 삼각형이 만들어지지 않는다.

    ② 세 각의 크기가 주어진 경우는 무수히 많은 삼각형이
        그려진다.

    ③ ∠B=180°-(30°+110°)=40°이므로 한 변의 길
        이와 그 양 끝 각의 크기가 주어진 경우이다.

    ④, ⑤ ∠B가 주어진 두 변의 끼인각이 아니다.

19 ㄱ. 두 변의 길이와 그 끼인각의 크기가 주어진 경우이다.
　ㄹ, ㅁ. 한 변의 길이와 그 양 끝 각의 크기가 주어진 경우이다.

20 ① ∠A+∠B=120°+90°=210°이므로 삼각형이 만들어지지 않는다.

21 나머지 한 각의 크기는 180°−(40°+60°)=80°
한 변의 길이가 7 cm이고, 그 양 끝 각의 크기가 40°, 60° 또는 40°, 80° 또는 60°, 80°인 3개의 삼각형이 정해진다.

22 다음의 예와 같이 네 변의 길이가 주어진 경우 사각형은 하나로 정해지지 않는다.

23 ② 오른쪽 그림의 두 삼각형은 넓이가 같지만 합동은 아니다.

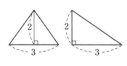

24 ⑤ 중심각의 크기와 반지름의 길이가 각각 같아야 두 부채꼴은 합동이다.

25 오른쪽 그림과 같은 두 사각형은 넓이가 같지만 합동은 아니다.

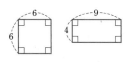

26 ∠D의 대응각은 ∠A이므로
∠D=∠A=180°−(40°+65°)=75°

27 $\overline{BC}=\overline{EF}=4$ cm, $\overline{DE}=\overline{AB}=8$ cm이므로
$\overline{BC}+\overline{DE}=4+8=12(cm)$

28 ④ 점 B의 대응점은 점 E이다.

29 ① SAS 합동
②, ④ ASA 합동
③ 세 각의 크기가 각각 같은 두 삼각형은 모양은 같으나 크기가 다를 수 있으므로 합동이 아니다.
⑤ SSS 합동

30 ㄱ, ㅁ. 주어진 한 각이 두 변의 끼인각이 아니므로 합동이 아니다.
ㄴ. ASA 합동
ㄷ. SAS 합동
ㄹ. 세 각의 크기가 각각 같은 두 삼각형은 모양은 같으나 크기가 다를 수 있으므로 합동이 아니다.

31 ㄴ. SAS 합동　ㄷ. ASA 합동　ㄹ. ASA 합동

32 △ABD와 △ACD에서
$\overline{AB}=\overline{AC}$, $\overline{BD}=\overline{CD}$, $\overline{AD}$는 공통
∴ △ABD≡△ACD(SSS 합동)

33 △ABD와 △CDB에서
$\overline{AB}=\overline{CD}$, $\overline{AD}=\overline{CB}$, $\overline{BD}$는 공통
∴ △ABD≡△CDB(SSS 합동)

35 △AEC와 △BED에서
$\overline{AE}=\overline{BE}$, $\overline{CE}=\overline{DE}$, ∠AEC=∠BED(맞꼭지각)
∴ △AEC≡△BED(SAS 합동)

37 △GBC와 △EDC에서
$\overline{BC}=\overline{DC}$(ㄱ), $\overline{GC}=\overline{EC}$(ㄴ),
∠GCB=∠ECD=90°
∴ △GBC≡△EDC(SAS 합동)(ㅁ)
따라서 옳은 것은 ㄱ, ㄴ, ㅁ이다.

38 △ABO와 △DCO에서
$\overline{AO}=\overline{DO}$, ∠AOB=∠DOC(맞꼭지각), $\overline{BO}=\overline{CO}$
∴ △ABO≡△DCO(SAS 합동)
△ABC와 △DCB에서
$\overline{AC}=\overline{DB}$, $\overline{BO}=\overline{CO}$이므로 ∠ACB=∠DBC
$\overline{BC}$는 공통
∴ △ABC≡△DCB (SAS 합동)
△ABD와 △DCA에서
$\overline{BD}=\overline{CA}$, $\overline{AO}=\overline{DO}$이므로 ∠ADB=∠DAC
$\overline{AD}$는 공통
∴ △ABD≡△DCA(SAS 합동)

39 △EBC와 △EDC에서

$\overline{BC}=\overline{DC}$, $\overline{EC}$는 공통, ∠BCE=∠DCE=45°

∴ △EBC≡△EDC(SAS 합동)

∠BEC=∠DEC=65°이므로

∠EBC=180°−(65°+45°)=70°

∴ ∠x=90°−70°=20°

40 △BCE와 △ACD에서

$\overline{BC}=\overline{AC}$(①), $\overline{CE}=\overline{CD}$(②)

∠BCE=60°+∠ACE=∠ACD(③)

따라서 △BCE≡△ACD(SAS 합동)이므로

$\overline{BE}=\overline{AD}$(④)

42 △AED와 △BEC에서

$\overline{AD} /\!/ \overline{CB}$이므로 ∠DAE=∠CBE(엇각)(ㄹ)

∠AED=∠BEC(맞꼭지각)(ㅂ), $\overline{AE}=\overline{BE}$(ㄱ)

∴ △AED≡△BEC(ASA 합동)

43 △AOP와 △BOP에서

$\overline{OP}$는 공통, ∠AOP=∠BOP

∠OAP=∠OBP=90°이므로

∠APO=∠BPO

∴ △AOP≡△BOP(ASA 합동)

44 △BDM과 △CEM에서

$\overline{BM}=\overline{CM}$, ∠BMD=∠CME(맞꼭지각)

∠BDM=∠CEM=90°이므로

∠MBD=∠MCE

∴ △BDM≡△CEM(ASA 합동)

45 △ABC와 △CDA에서

$\overline{AD} /\!/ \overline{BC}$이므로 ∠BCA=∠DAC(엇각)

$\overline{AB} /\!/ \overline{DC}$이므로 ∠BAC=∠DCA(엇각)

$\overline{AC}$는 공통

∴ △ABC≡△CDA(ASA 합동)

46 ∠DBA=∠a, ∠DAB=∠b라 하면

∠a+∠b=90°이므로 ∠a=90°−∠b

∠b+90°+∠EAC=180°이므로

∠EAC=90°−∠b=∠a

∠ECA=90°−∠EAC=90°−∠a=∠b

∴ ∠DBA=∠EAC=∠a, ∠DAB=∠ECA=∠b

△ADB와 △CEA에서

$\overline{AB}=\overline{CA}$, ∠DBA=∠EAC, ∠DAB=∠ECA

∴ △ADB≡△CEA(ASA 합동)

즉, $\overline{AD}=\overline{CE}$=8 cm, $\overline{AE}=\overline{BD}$=3 cm

∴ $\overline{DE}=\overline{AD}+\overline{AE}$=8+3=11(cm)

개념완성익힘   익힘북 33~34쪽

1 ⑤	**2** ④	**3** ①, ③	**4** ④
5 ④	**6** ③	**7** ⑤	

8 (가) $\overline{OM}$ (나) $\overline{OB}$ (다) SSS (라) 90°   **9** 60°

10 4   **11** 109   **12** 90°

1 ⑤ 주어진 선분의 길이를 재어 다른 직선 위로 옮길 때 컴퍼스를 사용한다.

2 ④ $\overline{AC}$와 $\overline{BC}$의 길이는 같은 지 알 수 없다.

4 ④ 3+4<9이므로 삼각형을 작도할 수 없다.

5 ㄱ. 세 각의 크기가 주어진 경우는 무수히 많은 삼각형이 그려진다.

ㄴ. 3+4=7이므로 삼각형이 만들어지지 않는다.

ㄹ. ∠C는 $\overline{AB}$, $\overline{BC}$의 끼인각이 아니므로 △ABC가 하나로 정해지지 않는다.

6 나머지 한 각의 크기는 180°−(60°+75°)=45°

한 변의 길이가 5 cm이고, 그 양 끝 각의 크기가 60°, 75° 또는 60°, 45° 또는 75°, 45°인 3개의 삼각형을 만들 수 있다.

7 ⑤ 오른쪽 그림에서

$180° - (40° + 80°) = 60°$

따라서 주어진 삼각형과 한 변의 길
이와 그 양 끝 각의 크기가 각각 같으므로 합동이다.

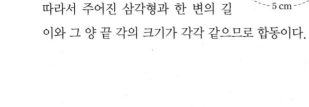

9 △ABE, △BCF, △CAD에서

$\overline{AB} = \overline{BC} = \overline{CA}, \overline{BE} = \overline{CF} = \overline{AD}$

∠ABE = ∠BCF = ∠CAD = 60°이므로

△ABE ≡ △BCF ≡ △CAD(SAS 합동)

따라서 ∠BAE = ∠CBF = ∠ACD이고

∠BEA = ∠CFB = ∠ADC이므로

△BEQ ≡ △CFR ≡ △ADP(ASA 합동)

따라서 ∠BQE = ∠CRF = ∠APD이므로

∠PQR = ∠QRP = ∠QPR

∴ ∠PQR = 60°

10 (개)에서 세 변의 길이를 a, b, b라 하면

(내), (대)에서 $a + 2b = 20(a, b$는 자연수)인 순서쌍
(a, b, b)는 $(18, 1, 1), (16, 2, 2), (14, 3, 3),$
$(12, 4, 4), (10, 5, 5), (8, 6, 6), (6, 7, 7),$
$(4, 8, 8), (2, 9, 9)$ ⋯⋯ ①

이 중에서 삼각형을 만들 수 있는 순서쌍 (a, b, b)는
$(8, 6, 6), (6, 7, 7), (4, 8, 8), (2, 9, 9)$ ⋯⋯ ②

따라서 만들 수 있는 삼각형의 개수는 4이다. ⋯⋯ ③

단계	채점 기준	비율
①	합이 20이 되는 순서쌍 (a, b, b) 구하기	30 %
②	삼각형을 만들 수 있는 순서쌍 구하기	50 %
③	삼각형의 개수 구하기	20 %

11 $\overline{DF} = \overline{BA}$이므로 $x = 4$ ⋯⋯ ①

∠B = ∠D이므로 $y = 105$ ⋯⋯ ②

∴ $x + y = 4 + 105 = 109$ ⋯⋯ ③

단계	채점 기준	비율
①	x의 값 구하기	40 %
②	y의 값 구하기	40 %
③	$x + y$의 값 구하기	20 %

12 △ABE와 △BCF에서

$\overline{AB} = \overline{BC}, \overline{BE} = \overline{CF}$, ∠B = ∠C = 90°이므로

△ABE ≡ △BCF(SAS 합동) ⋯⋯ ①

∠BAE = ∠CBF = $\angle a$, ∠AEB = ∠BFC = $\angle b$라
하면

△ABE에서 $\angle a + \angle b = 90°$이므로

△PBE에서 ∠BPE = 90° ⋯⋯ ②

∴ ∠APF = ∠BPE = 90°(맞꼭지각) ⋯⋯ ③

단계	채점 기준	비율
①	△ABE ≡ △BCF임을 보이기	40 %
②	∠BPE = 90°임을 구하기	40 %
③	∠APF의 크기 구하기	20 %

대단원 마무리 ──────── 익힘북 35~36쪽

1 ③	**2** ②	**3** 12 cm	**4** ③
5 ④	**6** ②	**7** 50°	**8** ④
9 ⑤	**10** ①, ②	**11** ②	**12** ㄱ, ㄷ
13 75°			

1 ③ 한 점을 지나는 직선은 무수히 많다.

2 ② 같은 반직선이려면 시작점과 방향이 모두 같아야 한다.

$∴ \overrightarrow{CA} \neq \overrightarrow{BA}$

3 점 P는 $\overline{AB}$의 중점이므로 $\overline{PB} = \frac{1}{2}\overline{AB}$ ⋯⋯ ①

점 Q는 $\overline{BC}$의 중점이므로 $\overline{BQ} = \frac{1}{2}\overline{BC}$ ⋯⋯ ②

$∴ \overline{PQ} = \overline{PB} + \overline{BQ} = \frac{1}{2}\overline{AB} + \frac{1}{2}\overline{BC} = \frac{1}{2}\overline{AC}$

$= \frac{1}{2} \times 24 = 12 (cm)$ ⋯⋯ ③

단계	채점 기준	비율
①	$\overline{PB}$의 길이를 $\overline{AB}$를 사용하여 나타내기	30 %
②	$\overline{BQ}$의 길이를 $\overline{BC}$를 사용하여 나타내기	30 %
③	$\overline{PQ}$의 길이 구하기	40 %

4 오른쪽 그림에서

$(3\angle x+10°)+(40°-\angle x)$
$\quad\quad\quad+(2\angle y+30°)=180°$

$2\angle x+2\angle y=100°$

$\therefore \angle x+\angle y=50°$

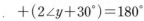

5 ④ 면 ABCD와 선분 EG는 평행하다.

6 ①, ② $l /\!/ m$, $m /\!/ n$이면 $l /\!/ n$

③ $l /\!/ m$, $l \perp n$이면 두 직선 m, n은 한 점
에서 만나거나 꼬인 위치에 있다.

④, ⑤ $l \perp m$, $l \perp n$이면 두 직선 m, n은 한
점에서 만나거나 평행하거나 꼬인 위치에
있다.

7 오른쪽 그림에서 $l /\!/ m$이므로

$\angle x=180°-50°=130°$

$\angle y=30°+50°=80°$(동위각)

$\therefore \angle x-\angle y=130°-80°=50°$

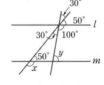

8 오른쪽 그림과 같이 두 직선 l, m
에 평행한 직선을 그으면

$\angle y=\angle x+60°$

$\angle x : \angle y=1 : 4$이므로 $\angle y=4\angle x$

$4\angle x=\angle x+60°$에서 $3\angle x=60°$ $\quad\therefore \angle x=20°$

따라서 $\angle y=4\angle x=80°$이므로

$\angle x+\angle y=20°+80°=100°$

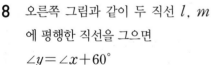

9 작도 순서는 ㉠ → ㉤ → ㉡ → ㉥ → ㉢ → ㉣이므로 ㉡
을 작도한 다음에 작도해야 할 것은 ㉥이다.

10 ① 세 각의 크기가 주어진 경우는 무수히 많은 삼각형이
그려진다.

② $\angle A$가 주어진 두 변의 끼인각이 아니다.

11 ② 넓이가 같은 두 도형이 항상 합동인 것은 아니다.

12 ㄱ. SAS 합동 ㄴ. SSS 합동

ㄷ. SAS 합동 ㄹ. ASA 합동

13 △ABE와 △DCE에서

사각형 ABCD는 정사각형이므로 $\overline{AB}=\overline{DC}$

△EBC가 정삼각형이므로 $\overline{BE}=\overline{CE}$

$\angle ABE=90°-\angle EBC=90°-60°=30°$이고,

$\angle DCE=90°-\angle ECB=90°-60°=30°$이므로

$\angle ABE=\angle DCE$

따라서 △ABE≡△DCE(SAS 합동) ……… ①

이때 △ABE는 $\overline{BA}=\overline{BE}$인 이등변삼각형이므로

$\angle BAE=\dfrac{1}{2}\times(180°-30°)=75°$ ……… ②

단계	채점 기준	비율
①	△ABE≡△DCE임을 보이기	60 %
②	$\angle BAE$의 크기 구하기	40 %

II 평면도형

1 다각형의 성질

개념적용익힘   익힘북 37~47쪽

1 ⑤	**2** ③, ⑤	**3** ③	
4 (1) × (2) × (3) ○	**5** ④, ⑤	**6** 정십각형	
7 125°	**8** 95°	**9** 70°	
10 ∠x=60°, ∠y=75°	**11** ④	**12** 12	
13 11	**14** 5	**15** ②	**16** 정팔각형
17 ②	**18** ④	**19** ④	
20 (1) 20 (2) 65 (3) 90	**21** ①	**22** ②	
23 십칠각형	**24** ③	**25** 11	**26** 30°
27 ∠x=50°, ∠y=40°	**28** ④	**29** 100°	
30 90°	**31** 40°	**32** 90°	**33** 80°
34 (1) 105° (2) 65° (3) 65° (4) 85°			
35 (1) 40° (2) 25°	**36** ④	**37** ④	
38 (1) 135° (2) 120° (3) 113° (4) 150°	**39** ③		
40 ③	**41** ④	**42** ③	**43** 58°
44 ③	**45** ①	**46** 35°	**47** ③
48 90°	**49** 40°	**50** ①	**51** 40°
52 156°	**53** 0°	**54** ④	
55 (1) 85° (2) 130°	**56** (1) 60° (2) 102°		
57 14	**58** (1) 140° (2) 156°		
59 (1) 정육각형 (2) 정팔각형	**60** ②		
61 ④	**62** ④	**63** 35°	**64** 150°
65 36°	**66** 360°	**67** 90°	**68** 90°
69 ④	**70** 정삼각형	**71** 30°	**72** ③
73 ③	**74** 670°	**75** 360°	**76** ②
77 ②	**78** ④		

1 ⑤ 다각형의 각 꼭짓점에서 한 변과 그 변에 이웃하는 변의 연장선이 이루는 각을 외각이라 한다.

2 ③ 부채꼴은 두 개의 선분과 하나의 곡선으로 이루어져 있으므로 다각형이 아니다.
⑤ 삼각기둥은 입체도형이므로 다각형이 아니다.

3 ①, ⑤ 도형의 일부가 곡선으로 이루어져 있으므로 다각형이 아니다.
② 3개 이상의 선분으로 둘러싸여 있지 않으므로 다각형이 아니다.
④ 입체도형이므로 다각형이 아니다.

4 (1) 네 변의 길이가 모두 같은 사각형은 마름모이다.
(2) 네 각의 크기가 모두 같은 사각형은 직사각형이다.

5 ④ 모든 외각의 크기는 항상 같다.
⑤ 한 꼭짓점에서 내각과 외각의 크기의 합은 180°이다.

6 10개의 변으로 이루어진 정다각형은 정십각형이다.

7 180°−55°=125°

8 180°−85°=95°

9 180°−110°=70°

10 ∠x=180°−120°=60°
∠y=180°−105°=75°

11 9−3=6

12 꼭짓점의 개수가 15인 다각형은 십오각형이므로 한 꼭짓점에서 그을 수 있는 대각선의 개수는
15−3=12

13 내부의 한 점에서 각 꼭짓점에 선분을 그었을 때 생기는 삼각형의 개수가 14인 다각형은 십사각형이므로 한 꼭짓점에서 그을 수 있는 대각선의 개수는
14−3=11

14 오른쪽 그림과 같이 정십삼각형은 선분 AB를 기준으로 좌우 대칭이다.
따라서 길이가 서로 다른 대각선의 개수는 5이다.

15 구하는 다각형을 n각형이라 하면

$n-3=7$ ∴ $n=10$

따라서 구하는 다각형은 십각형이다.

16 모든 변의 길이가 같고 모든 내각의 크기가 같은 다각형
은 정다각형이므로 구하는 다각형을 정n각형이라 하면

$n-3=5$ ∴ $n=8$

따라서 구하는 다각형은 정팔각형이다.

17 구하는 다각형을 n각형이라 하면

$n-3=9$ ∴ $n=12$

따라서 십이각형의 꼭짓점의 개수는 12이다.

18 구하는 다각형을 n각형이라 하면

$n-3=17$ ∴ $n=20$

따라서 이십각형의 개수와 변의 개수는 각각 20이므로

$20+20=40$

19 $\dfrac{14\times(14-3)}{2}=\dfrac{14\times11}{2}=77$

20 구하는 다각형을 n각형이라 하면

(1) $n-3=5$이므로 $n=8$

따라서 팔각형의 대각선의 개수는

$\dfrac{8\times(8-3)}{2}=20$

(2) $n-3=10$이므로 $n=13$

따라서 십삼각형의 대각선의 개수는

$\dfrac{13\times(13-3)}{2}=65$

(3) $n-3=12$이므로 $n=15$

따라서 십오각형의 대각선의 개수는

$\dfrac{15\times(15-3)}{2}=90$

21 구하는 씨름 경기의 총 판수는 구각형의 대각선의 개수와
같으므로 $\dfrac{9\times(9-3)}{2}=27$(판)

22 구하는 다각형을 n각형이라 하면

$\dfrac{n(n-3)}{2}=20$, $n(n-3)=40$

이때 $40=8\times5$이므로 $n=8$

따라서 구하는 다각형은 팔각형이다.

23 구하는 다각형을 n각형이라 하면

$\dfrac{n(n-3)}{2}=119$, $n(n-3)=238$

이때 $238=17\times14$이므로 $n=17$

따라서 구하는 다각형은 십칠각형이다.

24 구하는 다각형을 n각형이라 하면

$\dfrac{n(n-3)}{2}=35$, $n(n-3)=70$

이때 $70=10\times7$이므로 $n=10$

따라서 십각형의 꼭짓점의 개수는 10이다.

25 구하는 다각형을 n각형이라 하면

$\dfrac{n(n-3)}{2}=44$, $n(n-3)=88$

이때 $88=11\times8$이므로 $n=11$

따라서 십일각형의 변의 개수는 11이다.

26 $\angle ACB=180°-(45°+60°)=75°$

$\angle DCE=\angle ACB=75°$(맞꼭지각)

∴ $\angle x=180°-(75°+75°)=30°$

27 $\triangle AHC$에서

$\angle x=180°-(40°+90°)=50°$

$\triangle ABC$에서

$\angle y=180°-(90°+\angle x)=180°-(90°+50°)=40°$

28 $2\angle BAD+2\angle CAD=180°$이므로

$\angle BAD+\angle CAD=90°$

$\triangle ABC$에서

$\angle x=180°-(90°+55°)=35°$

29 $\angle ACB=180°-(75°+55°)=50°$이므로

$\angle DCB=\dfrac{1}{2}\angle ACB=\dfrac{1}{2}\times50°=25°$

$\triangle DBC$에서

$\angle x=180°-(55°+25°)=100°$

30 가장 큰 내각의 크기는

$180° \times \dfrac{9}{4+5+9} = 180° \times \dfrac{9}{18} = 90°$

[다른 풀이]

삼각형의 세 내각의 크기의 비가 4 : 5 : 9이므로

세 내각의 크기를 각각 $4\angle x$, $5\angle x$, $9\angle x$라 하면

$4\angle x + 5\angle x + 9\angle x = 180°$, $18\angle x = 180°$

$\therefore \angle x = 10°$

따라서 가장 큰 내각의 크기는

$9\angle x = 9 \times 10° = 90°$

31 가장 큰 내각의 크기는

$180° \times \dfrac{4}{2+3+4} = 180° \times \dfrac{4}{9} = 80°$

가장 작은 내각의 크기는

$180° \times \dfrac{2}{2+3+4} = 180° \times \dfrac{2}{9} = 40°$

따라서 가장 큰 내각의 크기와 가장 작은 내각의 크기의

차는 $80° - 40° = 40°$

[다른 풀이]

삼각형의 세 내각의 크기의 비가 2 : 3 : 4이므로

세 내각의 크기를 각각 $2\angle x$, $3\angle x$, $4\angle x$라 하면

$2\angle x + 3\angle x + 4\angle x = 180°$, $9\angle x = 180°$

$\therefore \angle x = 20°$

가장 큰 내각의 크기는 $4\angle x = 4 \times 20° = 80°$

가장 작은 내각의 크기는 $2\angle x = 2 \times 20° = 40°$

따라서 가장 큰 내각의 크기와 가장 작은 내각의 크기의

차는 $80° - 40° = 40°$

32 $\angle A + \angle B + \angle C = 180°$이므로

$3\angle C + 60° + \angle C = 180°$, $4\angle C = 120°$

$\therefore \angle C = 30°$

$\therefore \angle A = 3\angle C = 3 \times 30° = 90°$

33 $\angle C = \angle A - 20°$에서 $\angle A = \angle C + 20°$이고

$\angle B = 2\angle C$

$\angle A + \angle B + \angle C = 180°$이므로

$(\angle C + 20°) + 2\angle C + \angle C = 180°$

$4\angle C = 160°$ $\therefore \angle C = 40°$

$\therefore \angle B = 2\angle C = 2 \times 40° = 80°$

34 (1) $\angle x = 45° + 60° = 105°$

(2) $\angle x + 50° = 115°$ $\therefore \angle x = 65°$

(3) $25° + \angle x = 90°$ $\therefore \angle x = 65°$

(4) $45° + \angle x = 130°$ $\therefore \angle x = 85°$

35 (1) $\angle x + 2\angle x = 120°$에서 $3\angle x = 120°$

$\therefore \angle x = 40°$

(2) $3\angle x + 50° = 5\angle x$에서 $2\angle x = 50°$

$\therefore \angle x = 25°$

36 오른쪽 그림에서

$\angle x = 55° + 45° = 100°$

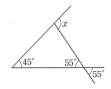

37 △BDE에서

$\angle AEF = \angle B + \angle D = 70° + 25° = 95°$

△AEF에서

$\angle x = \angle A + \angle AEF = 45° + 95° = 140°$

38 삼각형의 세 외각의 크기의 합은 360°이다.

(1) $110° + 115° + \angle x = 360°$이므로

$\angle x = 360° - 225° = 135°$

(2) $120° + 120° + \angle x = 360°$이므로

$\angle x = 360° - 240° = 120°$

(3) $107° + 140° + \angle x = 360°$이므로

$\angle x = 360° - 247° = 113°$

(4) $90° + 120° + \angle x = 360°$이므로

$\angle x = 360° - 210° = 150°$

39 삼각형의 세 외각의 크기의 합은 360°이므로

$(145° - \angle x) + (210° - 2\angle x) + (165° - \angle x) = 360°$

$520° - 4\angle x = 360°$, $4\angle x = 160°$

$\therefore \angle x = 40°$

40 $(\angle C$의 외각의 크기$) = 180° - (\angle x + 60°)$

$= 120° - \angle x$

삼각형의 세 외각의 크기의 합은 360°이므로

$5\angle x + 4\angle x + (120° - \angle x) = 360°$

$8\angle x = 240°$

$\therefore \angle x = 30°$

41 $\angle ABD = \angle DBC = \angle a$, $\angle ACD = \angle DCB = \angle b$라 하면

$\triangle ABC$에서 $60° + 2\angle a + 2\angle b = 180°$

$2\angle a + 2\angle b = 120°$ $\therefore \angle a + \angle b = 60°$

따라서 $\triangle DBC$에서

$\angle x = 180° - (\angle a + \angle b) = 180° - 60° = 120°$

42 $\angle ABE = \angle EBC = \angle x$, $\angle DCE = \angle ECB = \angle y$라 하면

사각형 $ABCD$에서

$120° + 2\angle x + 2\angle y + 70° = 360°$

$2\angle x + 2\angle y = 170°$ $\therefore \angle x + \angle y = 85°$

따라서 $\triangle EBC$에서

$\angle BEC = 180° - (\angle x + \angle y) = 180° - 85° = 95°$

43 $\angle BAE = \angle CAE = \angle a$, $\angle ABF = \angle CBF = \angle b$라 하면

$\triangle ABC$에서 $2\angle a + 2\angle b + 64° = 180°$

$2\angle a + 2\angle b = 116°$ $\therefore \angle a + \angle b = 58°$

$\angle x$는 $\triangle ABD$의 한 외각이므로

$\angle x = \angle a + \angle b = 58°$

44 오른쪽 그림과 같이 $\overline{AB}$를 그으면

$\triangle ABD$에서

$\angle DAB + \angle DBA = 180° - 110°$

$= 70°$

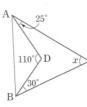

$\triangle ABC$에서

$\angle x = 180° - (25° + \angle DAB + \angle DBA + 30°)$

$= 180° - (25° + 70° + 30°) = 55°$

45 오른쪽 그림과 같이 $\overline{BC}$를 그으면

$\triangle DBC$에서

$\angle DBC + \angle DCB$

$= 180° - 125° = 55°$

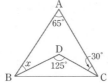

$\triangle ABC$에서

$65° + \angle x + \angle DBC + \angle DCB + 30° = 180°$

$65° + \angle x + 55° + 30° = 180°$

$\angle x + 150° = 180°$ $\therefore \angle x = 30°$

46 오른쪽 그림과 같이 $\overline{AC}$를 그으면

$\triangle ADC$에서

$\angle ADC = \angle EDF$

$= 180° - (20° + 25°)$

$= 135°$(맞꼭지각)

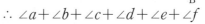

이므로 $\angle a + \angle b = 180° - 135° = 45°$

$\triangle ABC$에서

$\angle x = 180° - (49° + \angle b + \angle a + 51°)$

$= 180° - (49° + 45° + 51°) = 35°$

47 오른쪽 그림과 같이 $\overline{EF}$, $\overline{BC}$를 그으면

$\angle FEG + \angle EFG$

$= \angle GBC + \angle GCB$

$\therefore \angle a + \angle b + \angle c + \angle d + \angle e + \angle f$

$= (2개의 삼각형의 내각의 크기의 합)$

$= 180° \times 2 = 360°$

48 $\triangle ABC$에서 $\angle ACB = \angle B = 30°$이므로

$\angle DAC = 30° + 30° = 60°$

$\triangle DAC$에서

$\angle D = \angle DAC = 60°$

$\triangle DBC$에서

$\angle x = \angle D + \angle B = 60° + 30° = 90°$

49 $\triangle ABC$에서 $\angle BAC = \angle B = \angle x$이므로

$\angle ACD = \angle x + \angle x = 2\angle x$

$\triangle ACD$에서

$\angle DAC = \angle ADC = 180° - 130° = 50°$

이므로 $2\angle x + 50° + 50° = 180°$

$2\angle x = 80°$ $\therefore \angle x = 40°$

50 $\triangle ABC$에서 $\angle ACB = \angle B = \angle x$이므로

$\angle CAD = \angle x + \angle x = 2\angle x$

$\triangle ACD$에서

$\angle CDA = \angle CAD = 2\angle x$

$\triangle DBC$에서

$\angle CDB + \angle B = 123°$이므로

$2\angle x + \angle x = 123°$, $3\angle x = 123°$

$\therefore \angle x = 41°$

51 $\angle ABD = \angle DBC = \angle a$,

$\angle ACD = \angle DCE = \angle b$라

하면

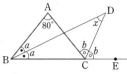

$\triangle ABC$에서 $2\angle b = 80° + 2\angle a$이므로

$\angle b = 40° + \angle a$ ...... ㉠

$\triangle DBC$에서 $\angle b = \angle x + \angle a$ ...... ㉡

㉠, ㉡에서 $40° + \angle a = \angle x + \angle a$

$\therefore \angle x = 40°$

52 $\angle ABI = \angle IBC = \angle a$,

$\angle ACI = \angle ICB = \angle b$,

$\angle ACD = \angle DCE = \angle c$라

하면

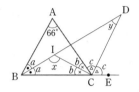

$\triangle ABC$에서 $66° + 2\angle a + 2\angle b = 180°$이므로

$2\angle a + 2\angle b = 114°$ $\therefore \angle a + \angle b = 57°$

$\triangle IBC$에서

$\angle x = 180° - (\angle a + \angle b)$

$= 180° - 57°$

$= 123°$

$\angle ACE = \angle A + \angle ABC$이므로 $2\angle c = 66° + 2\angle a$

$\therefore \angle c = 33° + \angle a$ ...... ㉠

$\triangle DBC$에서 $\angle DCE = \angle D + \angle DBC$이므로

$\angle c = \angle y + \angle a$ ...... ㉡

㉠, ㉡에서

$33° + \angle a = \angle y + \angle a$ $\therefore \angle y = 33°$

$\therefore \angle x + \angle y = 123° + 33° = 156°$

[다른 풀이]

$\angle ABI = \angle IBC = \angle a$, $\angle ACI = \angle ICB = \angle b$,

$\angle ACD = \angle DCE = \angle c$라 하면

$\triangle ABC$에서 $66° + 2\angle a + 2\angle b = 180°$이므로

$2\angle a + 2\angle b = 114°$ $\therefore \angle a + \angle b = 57°$

$\triangle IBC$에서

$\angle x = 180° - (\angle a + \angle b)$

$= 180° - 57° = 123°$

이때 $\angle DIC = 180° - 123° = 57°$

$2\angle b + 2\angle c = 180°$ $\therefore \angle b + \angle c = 90°$

$\triangle DIC$에서

$\angle y = 180° - (57° + \angle b + \angle c)$

$= 180° - (57° + 90°)$

$= 33°$

$\therefore \angle x + \angle y = 123° + 33° = 156°$

53 $\angle ABD = \angle DBC = \angle a$,

$\angle ACD = \angle DCE = \angle b$라

하면

$\triangle ABC$에서

$\angle x + 2\angle a = 2\angle b$

$\therefore \angle x = 2\angle b - 2\angle a$

$\triangle DBC$에서

$\angle y + \angle a = \angle b$ $\therefore \angle y = \angle b - \angle a$

$\therefore \angle x - 2\angle y = (2\angle b - 2\angle a) - 2(\angle b - \angle a) = 0°$

54 구하는 다각형을 n각형이라 하면

$180° \times (n - 2) = 1620°$

$n - 2 = 9$ $\therefore n = 11$

따라서 구하는 다각형은 십일각형이다.

55 (1) 사각형의 내각의 크기의 합은 $180° \times (4 - 2) = 360°$

이므로

$80° + 85° + 110° + \angle x = 360°$

$275° + \angle x = 360°$ $\therefore \angle x = 85°$

(2) 오각형의 내각의 크기의 합은 $180° \times (5 - 2) = 540°$

이므로

$100° + \angle x + 110° + 120° + 80° = 540°$

$410° + \angle x = 540°$ $\therefore \angle x = 130°$

56 (1) 사각형의 내각의 크기의 합은 $180° \times (4 - 2) = 360°$

이므로

$2\angle x + \angle x + \angle x + 2\angle x = 360°$

$6\angle x = 360°$ $\therefore \angle x = 60°$

(2) 오각형의 내각의 크기의 합은 $180° \times (5 - 2) = 540°$

이므로

$120° + 100° + \angle x + (180° - 80°) + 118° = 540°$

$\angle x + 438° = 540°$ $\therefore \angle x = 102°$

57 구하는 다각형을 n각형이라 하면

$180° \times (n - 2) = 900°$

$n - 2 = 5$ $\therefore n = 7$

따라서 칠각형의 대각선의 개수는

$\dfrac{7 \times (7 - 3)}{2} = 14$

58 (1) $\dfrac{180° \times (9-2)}{9} = 140°$

(2) $\dfrac{180° \times (15-2)}{15} = 156°$

59 (1) 구하는 정다각형을 정n각형이라 하면

$\dfrac{180° \times (n-2)}{n} = 120°$

$180° \times n - 360° = 120° \times n$

$60° \times n = 360°$ $\therefore n = 6$

따라서 구하는 정다각형은 정육각형이다.

(2) 구하는 정다각형을 정n각형이라 하면

$\dfrac{180° \times (n-2)}{n} = 135°$

$180° \times n - 360° = 135° \times n$

$45° \times n = 360°$ $\therefore n = 8$

따라서 구하는 정다각형은 정팔각형이다.

60 구하는 정다각형을 정n각형이라 하면

$\dfrac{180° \times (n-2)}{n} = 150°$

$180° \times n - 360° = 150° \times n$

$30° \times n = 360°$ $\therefore n = 12$

따라서 정십이각형의 대각선의 개수는

$\dfrac{12 \times (12-3)}{2} = 54$

61 구하는 정다각형을 정n각형이라 하면

$\dfrac{n(n-3)}{2} = 20$, $n(n-3) = 40$

이때 $40 = 8 \times 5$이므로 $n = 8$

따라서 정팔각형의 한 내각의 크기는

$\dfrac{180° \times (8-2)}{8} = 135°$

62 사각형의 내각의 크기의 합은 $360°$이므로

사각형 ABCD에서

$\angle \text{EBC} + \angle \text{ECB}$

$= 360° - (115° + 35° + 30° + 120°)$

$= 60°$

따라서 △EBC에서

$\angle x = 180° - 60° = 120°$

63 △EBC에서

$\angle \text{EBC} + \angle \text{ECB} = 180° - 130° = 50°$

사각형의 내각의 크기의 합은 $360°$이므로

사각형 ABCD에서

$110° + 45° + \angle \text{EBC} + \angle \text{ECB} + \angle x + 120° = 360°$

$110° + 45° + 50° + \angle x + 120° = 360°$

$\angle x + 325° = 360°$ $\therefore \angle x = 35°$

64 사각형의 내각의 크기의 합은 $360°$이므로

사각형 ABCD에서

$70° + \angle \text{ABC} + 130° + \angle \text{CDA} = 360°$이므로

$\angle \text{ABC} + \angle \text{CDA} = 360° - (70° + 130°) = 160°$

$\therefore \angle \text{EBC} + \angle \text{EDC} = \dfrac{1}{2}(\angle \text{ABC} + \angle \text{CDA})$

$= \dfrac{1}{2} \times 160° = 80°$

따라서 사각형 EBCD에서

$\angle x + \angle \text{EBC} + \angle \text{EDC} + 130° = 360°$

$\angle x + 80° + 130° = 360°$

$\angle x + 210° = 360°$ $\therefore \angle x = 150°$

65 정오각형의 한 내각의 크기는

$\dfrac{180° \times (5-2)}{5} = 108°$

△ABC에서 $\overline{\text{BA}} = \overline{\text{BC}}$이므로

$\angle \text{BAC} = \dfrac{1}{2} \times (180° - 108°) = 36°$

마찬가지로 $\angle \text{EAD} = 36°$이므로

$\angle x = 108° - 2 \times 36° = 36°$

66 다각형의 외각의 크기의 합은 $360°$이므로

$\angle a + \angle b + \angle c + \angle d + \angle e + \angle f + \angle g + \angle h = 360°$

67 다각형의 외각의 크기의 합은 $360°$이므로 오른쪽 그림에서

$120° + 45° + 60° + \angle x + 45° = 360°$

$270° + \angle x = 360°$

$\therefore \angle x = 90°$

68 다각형의 외각의 크기의 합은 $360°$이므로 오른쪽 그림에서

$80° + (180° - \angle x) + 77°$

$\qquad + 50° + 18° + 45° = 360°$

$450° - \angle x = 360°$

$\therefore \angle x = 90°$

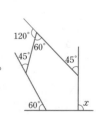

69 구하는 정다각형을 정n각형이라 하면

$$\frac{360°}{n}=24° \qquad \therefore n=15$$

따라서 구하는 정다각형은 정십오각형이다.

70 (가), (나)에 의해 구하는 다각형은 정다각형이다.

구하는 정다각형을 정n각형이라 하면 (다)에 의해

$$\frac{360°}{n}>90°$$이므로 n은 4보다 작다.

즉, 한 외각의 크기가 둔각인 정다각형은 정삼각형뿐이다.

따라서 조건을 모두 만족하는 다각형은 정삼각형이다.

71 구하는 정다각형을 정n각형이라 하면

$$\frac{n(n-3)}{2}=54, \ n(n-3)=108$$

이때 $108=12\times9$이므로 $n=12$

따라서 정십이각형의 한 외각의 크기는 $\dfrac{360°}{12}=30°$

72 구하는 정다각형을 정n각형이라 하면

$$(\text{정}n\text{각형의 한 외각의 크기})=180°\times\frac{1}{3+1}=45°$$

즉, $\dfrac{360°}{n}=45°$이므로 $n=8$

따라서 구하는 정다각형은 정팔각형이다.

73 오른쪽 그림과 같이 보조선을 그으면

오각형의 내각의 크기의 합은

$$180°\times(5-2)=540°$$

이므로

$$118°+92°+44°+\angle a+\angle b+74°+89°=540°$$

$$\angle a+\angle b+417°=540° \qquad \therefore \angle a+\angle b=123°$$

$$\angle x+\angle a+\angle b=180°$$이므로

$$\angle x+123°=180° \qquad \therefore \angle x=57°$$

74 오른쪽 그림과 같이 보조선을 그으면

$$\angle x+\angle y=20°+30°=50°$$

육각형의 내각의 크기의 합은

$$180°\times(6-2)=720°$$이므로

$$\angle a+\angle b+\angle c+\angle d+\angle e+\angle f$$

$$=720°-(\angle x+\angle y)$$

$$=720°-50°$$

$$=670°$$

75 오른쪽 그림과 같이 보조선을 그으면

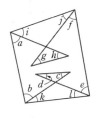

$$\angle c+\angle d=\angle k+\angle l$$

$$\angle g+\angle h=\angle i+\angle j$$

사각형의 내각의 크기의 합은 $360°$이므로

$$\angle a+\angle b+\angle c+\angle d+\angle e+\angle f+\angle g+\angle h$$

$$=\angle a+\angle b+\angle k+\angle l+\angle e+\angle f+\angle i+\angle j$$

$$=360°$$

76 오른쪽 그림에서

$$\angle x=(\angle a+\angle c)+\angle d$$

$$=\angle a+\angle c+\angle d$$

77 오른쪽 그림에서

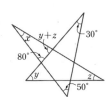

$$\angle x+80°+(\angle y+\angle z)=180°$$

$$\therefore \angle x+\angle y+\angle z=100°$$

[다른 풀이]

$$\angle x+\angle y+50°+\angle z+30°$$

$$=180°\times5-360°\times2=180°$$

$$\therefore \angle x+\angle y+\angle z=100°$$

78 $\angle a+\angle b-\angle c+\angle d+\angle e$의 크기는 삼각형의 내각의 크기의 합인 $180°$와 같다.

개념완성익힘 익힘북 48~49쪽

1 ②, ④	**2** 15	**3** ②	**4** ②
5 ④	**6** 99°	**7** ⑤	**8** ②
9 ⑤	**10** 19°	**11** 58°	**12** 135

1 ② 십이각형은 12개의 꼭짓점과 12개의 변을 가지고 있다.

④ 다각형에서 이웃한 두 변으로 이루어지는 각을 내각이라 한다.

⑤ $\dfrac{15\times(15-3)}{2}=90$

2 6개의 위성도시 사이에 만들 수 있는 통신선의 개수는 육각형의 변의 개수와 대각선의 개수의 합과 같다.

육각형의 변의 개수는 6

대각선의 개수는 $\dfrac{6 \times (6-3)}{2} = 9$

따라서 통신선의 개수는 $6+9=15$

3 $\triangle ABC$에서 $2\angle x + 3\angle x + (2\angle x - 9°) = 180°$

$7\angle x = 189°$ $\therefore \angle x = 27°$

$\triangle DEF$에서 $\angle y = (180° - 115°) + 55° = 120°$

4 $\angle ABD = \angle DBC = \angle a$,

$\angle ACD = \angle DCE = \angle b$라

하면

$\triangle ABC$에서

$2\angle b = 2\angle a + 58°$이므로

$\angle b = \angle a + 29°$ …… ㉠

$\triangle DBC$에서 $\angle b = \angle a + \angle x$ …… ㉡

㉠, ㉡에서 $\angle a + 29° = \angle a + \angle x$

$\therefore \angle x = 29°$

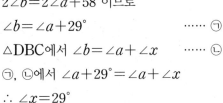

5 오른쪽 그림과 같이 보조선을 그으면

$\angle g + \angle f = \angle x + \angle y$

오각형의 내각의 크기의 합은

$180° \times (5-2) = 540°$이므로

$\angle a + \angle b + \angle c + \angle d + \angle e + \angle f + \angle g$

$= \angle a + \angle b + \angle c + \angle d + \angle e + \angle x + \angle y$

$= 540°$

6 $\triangle ABC$에서 $\angle ABC = \angle ACB = 69°$이므로

$\angle BAC = 180° - 2 \times 69° = 180° - 138° = 42°$

$\angle BAE = \angle BAC + \angle CAE = 42° + 60° = 102°$

$\triangle ABE$는 $\overline{AB} = \overline{AE}$인 이등변삼각형이므로

$\angle ABE = \dfrac{1}{2} \times (180° - 102°) = \dfrac{1}{2} \times 78° = 39°$

$\therefore \angle DBF = \angle DBA + \angle ABE = 60° + 39° = 99°$

7 주어진 정다각형을 정n각형이라 하면

$\dfrac{360°}{n} = 60°$ $\therefore n = 6$

따라서 정육각형의 내각의 크기의 합은

$180° \times (6-2) = 720°$

8 $\angle EBD = \angle CBD = \angle a$, $\angle BCD = \angle DCF = \angle b$라 하면

$\angle ABC = 180° - 2\angle a$, $\angle ACB = 180° - 2\angle b$

$\triangle ABC$에서

$60° + (180° - 2\angle a) + (180° - 2\angle b) = 180°$

$2\angle a + 2\angle b = 240°$ $\therefore \angle a + \angle b = 120°$

따라서 $\triangle BDC$에서

$\angle x = 180° - (\angle a + \angle b) = 180° - 120° = 60°$

[다른 풀이]

$\triangle ABC$에서

$\angle ABC + \angle ACB = 180° - 60° = 120°$이므로

$\angle EBC + \angle FCB = 180° \times 2 - (\angle ABC + \angle ACB)$

$= 360° - 120° = 240°$

$\therefore \angle DBC + \angle DCB = \dfrac{1}{2}(\angle EBC + \angle FCB)$

$= \dfrac{1}{2} \times 240° = 120°$

따라서 $\triangle BDC$에서

$\angle x = 180° - (\angle DBC + \angle DCB)$

$= 180° - 120° = 60°$

9 $\angle a + \angle b + \angle c + \angle d + \angle e + \angle f + \angle g + \angle h$

$= ($사각형의 내각의 크기의 합$) \times 3$

$\qquad\qquad + ($삼각형의 내각의 크기의 합$) \times 2$

$\qquad\qquad - ($오각형의 외각의 크기의 합$) \times 2$

$= 360° \times 3 + 180° \times 2 - 360° \times 2$

$= 720°$

10 $\angle DBC = \angle x$, $\angle DCE = \angle y$

라 하면

$\angle ABD = 2\angle x$,

$\angle ACD = 2\angle y$

$\triangle ABC$에서 $3\angle y = 57° + 3\angle x$이므로

$\angle y = 19° + \angle x$ …… ㉠ …… ①

$\triangle DBC$에서 $\angle y = \angle BDC + \angle x$ …… ㉡ …… ②

㉠, ㉡에서 $19° + \angle x = \angle BDC + \angle x$

$\therefore \angle BDC = 19°$ …… ③

단계	채점 기준	비율
①	$\triangle ABC$에서 삼각형의 외각의 성질을 이용하여 $\angle DBC$와 $\angle DCE$의 식으로 나타내기	30 %
②	$\triangle DBC$에서 삼각형의 외각의 성질을 이용하여 $\angle DBC$와 $\angle DCE$의 식으로 나타내기	30 %
③	$\angle BDC$의 크기 구하기	40 %

11 정오각형의 한 내각의 크기는

$$\frac{180° \times (5-2)}{5} = 108° \quad \cdots\cdots ①$$

오른쪽 그림과 같이 두 직선 l, m
에 평행한 직선 n을 그으면

$$\angle x = 108° - 50° = 58°(엇각)$$

$$\cdots\cdots ②$$

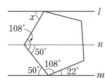

단계	채점 기준	비율
①	정오각형의 한 내각의 크기 구하기	50 %
②	두 직선 l, m에 평행한 직선을 그어 $\angle x$의 크기 구하기	50 %

12 정다각형에서 한 내각과 한 외각의 크기의 합은 $180°$이
므로 구하는 정다각형의 한 외각의 크기는

$$180° \times \frac{1}{8+1} = 20°$$

구하는 정다각형을 정n각형이라 하면 다각형의 외각의
크기의 합은 $360°$이므로

$$\frac{360°}{n} = 20° \quad \therefore n = 18 \quad \cdots\cdots ①$$

따라서 정십팔각형의 대각선의 개수는

$$\frac{18 \times (18-3)}{2} = 135 \quad \cdots\cdots ②$$

단계	채점 기준	비율
①	주어진 정다각형 구하기	60 %
②	주어진 정다각형의 대각선의 개수 구하기	40 %

2 원과 부채꼴

개념적용익힘　　　　　익힘북 50~56쪽

1 (1) $\overline{OA}$, $\overline{OB}$, $\overline{OE}$　(2) $\overline{AB}$　(3) $\widehat{CD}$　(4) $\angle BOE$
　(5) $\overline{AE}$

2 ①　　**3** ④　　**4** ④, ⑤　　**5** ④

6 ⑤　　**7** (1) $80°$　(2) $45°$　　**8** ③

9 ③　　**10** (1) 3　(2) 90　　**11** $\frac{4}{3}$ cm²

12 $144°$, 20 cm²　　**13** ②　　**14** 6배

15 1 : 2　　**16** (1) $50°$　(2) $80°$　(3) $50°$　(4) 16 cm

17 ②　　**18** 100 cm　**19** 7 cm

20 (1) 22π cm　(2) 121π cm²

21 (1) 4 cm　(2) 12 cm　　**22** 25π cm²

23 (1) 20π cm　(2) 50π cm²　　**24** ⑤

25 16π cm, 32π cm²　　**26** ②　　**27** ④

28 ④　　　　**29** 4π cm　**30** $\frac{55}{4}\pi$ cm²

31 $\frac{28}{3}\pi$ cm²　　　　**32** $10\pi + 10$

33 (1) $(6\pi + 12)$ cm, 18π cm²

　(2) $(5\pi + 20)$ cm, $(100 - 25\pi)$ cm²

　(3) 12π cm, $(72\pi - 144)$ cm²

　(4) 9π cm, $(9\pi - 18)$ cm²　　**34** ②

35 (1) 40π cm, $(200\pi - 400)$ cm²

　(2) $(8\pi + 32)$ cm, $(192 - 32\pi)$ cm²

36 ④　　**37** $\frac{16}{3}\pi$ cm **38** $(20\pi + 80)$ cm

39 2 cm　　**40** $(4\pi + 36)$ cm²　　**41** ⑤

42 $(216\pi + 432)$ cm²　　**43** $\frac{113}{2}\pi$ m²

2 ① $\overline{BC}$를 현이라 한다.

3 ④ 지름 AC가 가장 긴 현이다.

4 ④ 호와 현으로 이루어진 도형을 활꼴이라 한다.
　⑤ 원 위의 두 점을 잇는 선분을 현이라 한다.

5 ① $\overline{OA}$는 반지름이다.
　② $\widehat{AB}$에 대한 중심각은 $\angle AOB$이다.
　③ 부채꼴은 $\overline{OA}$, $\overline{OB}$, $\widehat{AB}$로 이루어진 도형이다.
　④ $\angle AOB = 180°$일 때, 부채꼴 AOB는 원 O의 반원
　　이므로 $\overline{AB}$는 원 O의 지름이다.
　⑤ 원의 중심 O를 지나는 현이 가장 긴 현이다.
　따라서 옳은 것은 ④이다.

6 부채꼴이 활꼴일 때는 부채꼴의 모양이 반원일 때이므로
　중심각의 크기는 $180°$이다.

7 (1) $20° : \angle x = 2 : 8$, $2\angle x = 160°$　$\therefore \angle x = 80°$
　(2) $135° : \angle x = 12 : 4$, $12\angle x = 540°$
　　$\therefore \angle x = 45°$

8 $30 : 150 = 4 : \widehat{CD}, \ 30\widehat{CD} = 600$

∴ $\widehat{CD} = 20 \, (\text{cm})$

9 호의 길이는 중심각의 크기에 정비례하므로

$\angle AOB : \angle BOC : \angle COA = \widehat{AB} : \widehat{BC} : \widehat{CA}$
$= 3 : 4 : 5$

따라서 $\widehat{AC}$에 대한 중심각의 크기는

$\angle AOC = 360° \times \dfrac{5}{3+4+5} = 150°$

10 (1) $15 : 150 = x : 30, \ 150x = 450$ ∴ $x = 3$

(2) $45 : x = 15 : 30, \ 15x = 1350$ ∴ $x = 90$

11 호의 길이는 중심각의 크기에 정비례하므로

$\angle AOB : \angle COD = \widehat{AB} : \widehat{CD} = 3 : 1$

부채꼴 COD의 넓이를 $x \, \text{cm}^2$라 하면 부채꼴의 넓이는 중심각의 크기에 정비례하므로

$4 : x = 3 : 1, \ 3x = 4$ ∴ $x = \dfrac{4}{3}$

따라서 부채꼴 COD의 넓이는 $\dfrac{4}{3} \, \text{cm}^2$이다.

12 $\angle AOB : \angle BOC : \angle COA = \angle a : 4\angle a : 5\angle a$
$= 1 : 4 : 5$

이므로

$\angle BOC = 360° \times \dfrac{4}{1+4+5} = 144°$

부채꼴 BOC의 넓이를 $x \, \text{cm}^2$라 하면 부채꼴의 넓이는 중심각의 크기에 정비례하므로

$\angle a : 4\angle a = 5 : x, \ 1 : 4 = 5 : x$ ∴ $x = 20$

따라서 부채꼴 BOC의 넓이는 $20 \, \text{cm}^2$이다.

13 ② 현의 길이는 중심각의 크기에 정비례하지 않으므로

$\overline{AD} < 2\overline{CD}, \ $ 즉 $\overline{AD} \neq 2\overline{CD}$

14 $\angle AOC = \angle COD = \angle DOB = 180° \times \dfrac{1}{3} = 60°$

(원의 둘레의 길이) : $\widehat{BD} = 360 : 60 = 6 : 1$

따라서 원의 둘레의 길이는 $\widehat{BD}$의 길이의 6배이다.

15 오른쪽 그림과 같이 $\overline{OC}$를 그으면

△COB에서 $\overline{OC} = \overline{OB}$이므로

$\angle OCB = \angle OBC = 30°$

$\angle COB = 180° - (30° + 30°)$
$= 120°$

$\angle COA = 180° - 120° = 60°$

∴ $\widehat{AC} : \widehat{CB} = 60 : 120 = 1 : 2$

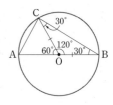

16 오른쪽 그림에서

(1) $\overline{OA} = \overline{OB}$이므로

$\angle OBA = \angle OAB = 50°$

(2) △AOB에서

$\angle AOB = 180° - (50° + 50°) = 80°$

(3) $\overline{AB} /\!/ \overline{CD}$이므로

$\angle BOD = \angle ABO = 50°$(엇각)

(4) $50 : 80 = 10 : \widehat{AB}, \ 50\widehat{AB} = 800$

∴ $\widehat{AB} = 16 \, \text{cm}$

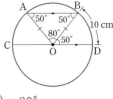

17 $\overline{OC} /\!/ \overline{AB}$이므로 $\angle OBA = \angle BOC = 40°$(엇각)

$\overline{OA} = \overline{OB}$이므로 $\angle OAB = \angle OBA = 40°$

△OAB에서 $\angle AOB = 180° - (40° + 40°) = 100°$

$40 : 100 = 5 : \widehat{AB}, \ 40\widehat{AB} = 500$

∴ $\widehat{AB} = \dfrac{25}{2} \, (\text{cm})$

18 △OCD에서 $\overline{OC} = \overline{OD}$이므로

$\angle OCD = \angle ODC = \dfrac{1}{2} \times (180° - 150°) = 15°$

$\overline{AB} /\!/ \overline{CD}$이므로 $\angle AOC = \angle OCD = 15°$(엇각)

$15 : 150 = 10 : \widehat{CD}, \ 15\widehat{CD} = 1500$

∴ $\widehat{CD} = 100 \, (\text{cm})$

19 $\overline{AC} /\!/ \overline{OD}$이므로

$\angle CAO = \angle DOB = 60°$(동위각)

오른쪽 그림과 같이 $\overline{OC}$를 그으면

△OAC에서 $\overline{OA} = \overline{OC}$이므로

$\angle OCA = \angle OAC = 60°$

∴ $\angle COA = 180° - (60° + 60°) = 60°$

즉, $\angle COD = 180° - (60° + 60°) = 60°$

$\angle COD = \angle DOB = 60°$이므로 $\widehat{CD} = \widehat{BD} = 7 \, \text{cm}$

20 (1) $2\pi \times 11 = 22\pi$(cm)

(2) $\pi \times 11^2 = 121\pi$(cm^2)

21 원의 반지름의 길이를 r cm라 하면

(1) $\pi r^2 = 16\pi$에서 $r^2 = 16$

$\therefore r = 4\,(\because r > 0)$

따라서 원의 반지름의 길이는 4 cm이다.

(2) $\pi r^2 = 144\pi$에서 $r^2 = 144$

$\therefore r = 12\,(\because r > 0)$

따라서 원의 반지름의 길이는 12 cm이다.

22 원의 반지름의 길이를 r cm라 하면

$2\pi r = 10\pi$　　$\therefore r = 5$

따라서 원의 넓이는 $\pi \times 5^2 = 25\pi$(cm^2)

23 (1) (색칠한 부분의 둘레의 길이)

$= 2\pi \times 10 \times \dfrac{1}{2} + 2\pi \times 5$

$= 20\pi$(cm)

(2) 오른쪽 그림과 같이 이동하면

(색칠한 부분의 넓이)

$=$ (반 원의 넓이)

$= \pi \times 10^2 \times \dfrac{1}{2} = 50\pi$(cm^2)

24 (색칠한 부분의 넓이)

$=$ (정사각형의 넓이)

　　$-$ (반지름의 길이가 4 cm인 원의 넓이)

$= 8 \times 8 - \pi \times 4^2 = 64 - 16\pi$(cm^2)

25 (색칠한 부분의 둘레의 길이)

$=$ (지름의 길이가 12 cm인 원의 둘레의 길이)

　　$+$ (지름의 길이가 4 cm인 원의 둘레의 길이)

$= 2\pi \times 6 + 2\pi \times 2 = 16\pi$(cm)

오른쪽 그림과 같이 이동하면

(색칠한 부분의 넓이)

$=$ (지름의 길이가 12 cm인

　원의 넓이)

$-$ (지름의 길이가 4 cm인 원의 넓이)

$= \pi \times 6^2 - \pi \times 2^2 = 32\pi$(cm^2)

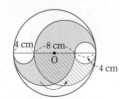

26 중심각의 크기를 $x°$라 하면

$2\pi \times 12 \times \dfrac{x}{360} = 4\pi$　　$\therefore x = 60$

따라서 중심각의 크기는 60°이다.

27 (둘레의 길이) $= 2\pi \times 15 \times \dfrac{20}{360} + 15 \times 2$

$= \dfrac{5}{3}\pi + 30$(cm)

28 점 A가 움직인 거리는 부채꼴 ABC의 호의 길이의 4배이므로

$\left(2\pi \times 4 \times \dfrac{60}{360}\right) \times 4 = \dfrac{16}{3}\pi$(cm)

29 부채꼴의 호의 길이를 l cm라 하면

$\dfrac{1}{2} \times 7 \times l = 14\pi$　　$\therefore l = 4\pi$

따라서 부채꼴의 호의 길이는 4π cm이다.

30 정오각형의 한 내각의 크기는 $\dfrac{180° \times (5-2)}{5} = 108°$

정사각형의 한 내각의 크기는 90°

따라서 색칠한 부분의 넓이는

$\pi \times 5^2 \times \dfrac{198}{360} = \dfrac{55}{4}\pi$(cm^2)

31 오른쪽 그림과 같이 $\overline{OC}$를 그으면

$\triangle$OCA는 $\overline{OA} = \overline{OC}$인 이등변삼각형

이므로 $\angle$OAC $= \angle$OCA

$\triangle$OBC는 $\overline{OB} = \overline{OC}$인 이등변삼각형

이므로 $\angle$OBC $= \angle$OCB

이때 부채꼴의 중심각의 크기는

$\angle$AOC $+ \angle$BOC

$= 180° \times 2 - (\angle$OAC $+ \angle$OBC $+ \angle$ACB$)$

$= 180° \times 2 - (\angle$OCA $+ \angle$OCB $+ \angle$ACB$)$

$= 180° \times 2 - (\angle$ACB $+ \angle$ACB$)$

$= 180° \times 2 - 2\angle$ACB

$= 180° \times 2 - 2 \times 75° = 210°$

따라서 구하는 부채꼴의 넓이는

$\pi \times 4^2 \times \dfrac{210}{360} = \dfrac{28}{3}\pi$(cm^2)

32 (둘레의 길이)
$$=2\pi\times5\times\frac{1}{2}+2\pi\times10\times\frac{1}{4}+10$$
$$=10\pi+10$$

33 (1) (둘레의 길이)$=2\pi\times3\times\frac{1}{4}+2\pi\times9\times\frac{1}{4}+6\times2$
$$=\frac{3}{2}\pi+\frac{9}{2}\pi+12$$
$$=6\pi+12\,(\text{cm})$$

(넓이)$=\pi\times9^2\times\frac{1}{4}-\pi\times3^2\times\frac{1}{4}$
$$=\frac{81}{4}\pi-\frac{9}{4}\pi$$
$$=18\pi\,(\text{cm}^2)$$

(2) (둘레의 길이)$=2\pi\times10\times\frac{1}{4}+10\times2$
$$=5\pi+20\,(\text{cm})$$

(넓이)$=10\times10-\pi\times10^2\times\frac{1}{4}$
$$=100-25\pi\,(\text{cm}^2)$$

(3) (둘레의 길이)$=\left(2\pi\times12\times\frac{1}{4}\right)\times2$
$$=12\pi\,(\text{cm})$$

오른쪽 그림에서
(넓이)
$=\left(\pi\times12^2\times\frac{1}{4}\right.$
$\left.-\frac{1}{2}\times12\times12\right)\times2$
$=(36\pi-72)\times2$
$=72\pi-144\,(\text{cm}^2)$

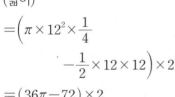

(4) (둘레의 길이)$=2\pi\times6\times\frac{1}{4}+2\pi\times3$
$$=3\pi+6\pi$$
$$=9\pi\,(\text{cm})$$

오른쪽 그림과 같이 이동하면
(색칠한 부분의 넓이)
$=\pi\times6^2\times\frac{1}{4}-\frac{1}{2}\times6\times6$
$=9\pi-18\,(\text{cm}^2)$

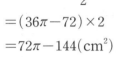

34 오른쪽 그림과 같이 이동하면 색칠한
부분의 넓이는
$\left(\pi\times12^2\times\frac{1}{4}\right)\times2=72\pi\,(\text{cm}^2)$

35 (1) (둘레의 길이)$=2\pi\times10\times2=40\pi\,(\text{cm})$

오른쪽 그림에서
(넓이)
$=\left(\pi\times10^2\times\frac{1}{4}\right.$
$\left.-\frac{1}{2}\times10\times10\right)\times8$
$=(25\pi-50)\times8$
$=200\pi-400\,(\text{cm}^2)$

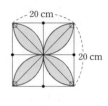

(2) (둘레의 길이)$=2\pi\times8\times\frac{1}{2}+16\times2$
$$=8\pi+32\,(\text{cm})$$

오른쪽 그림에서
(넓이)
$=\left(8\times8-\pi\times8^2\times\frac{1}{4}\right)\times2$
$\qquad+8\times8$
$=(64-16\pi)\times2+64$
$=192-32\pi\,(\text{cm}^2)$

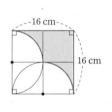

36 색칠한 두 부분의 넓이가 같으므로 반원과 부채꼴의 넓
이가 같다.
$\pi\times3^2\times\frac{1}{2}=\pi\times6^2\times\frac{x}{360}$ $\qquad\therefore x=45$

37 오른쪽 그림에서
$\triangle\text{ABH}$, $\triangle\text{EBC}$는 정삼각형
이므로
$\angle\text{ABH}=\angle\text{EBC}=60°$
즉, $\angle\text{ABE}=\angle\text{HBC}=90°-60°=30°$
이므로
$\angle\text{EBH}=90°-(30°+30°)=30°$
$\therefore \overarc{\text{EH}}=2\pi\times8\times\frac{30}{360}=\frac{4}{3}\pi\,(\text{cm})$

같은 방법으로 하면
$\overarc{\text{EF}}=\overarc{\text{FG}}=\overarc{\text{GH}}=\overarc{\text{EH}}=\frac{4}{3}\pi\ \text{cm}$

따라서 색칠한 부분의 둘레의 길이는
$4\overarc{\text{EH}}=4\times\frac{4}{3}\pi=\frac{16}{3}\pi\,(\text{cm})$

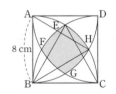

38 오른쪽 그림에서
(필요한 끈의 최소 길이)
$=2\pi\times10+20\times4$
$=20\pi+80\,(\text{cm})$

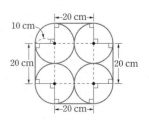

39 [방법 A] 오른쪽 그림에서 필요한 끈의 최소 길이는

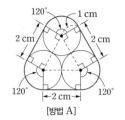

$$2\pi \times 1 + 2 \times 3$$
$$= 2\pi + 6 (\text{cm})$$

[방법 A]

[방법 B] 오른쪽 그림에서 필요한 끈의 최소 길이는

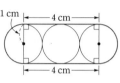

$$2\pi \times 1 + 4 \times 2$$
$$= 2\pi + 8 (\text{cm})$$

[방법 B]

따라서 두 끈의 길이의 차는
$$(2\pi + 8) - (2\pi + 6) = 2 (\text{cm})$$

40 원이 지나간 자리는 오른쪽 그림과 같으므로 구하는 넓이는

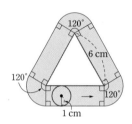

$$\pi \times 2^2 + (6 \times 2) \times 3$$
$$= 4\pi + 36 (\text{cm}^2)$$

41 원이 지나간 자리는 오른쪽 그림과 같으므로 구하는 넓이는

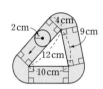

$$\pi \times 4^2 + (12 + 10 + 9) \times 4$$
$$= 16\pi + 124 (\text{cm}^2)$$

42 원이 지나간 자리는 오른쪽 그림과 같으므로 구하는 넓이는

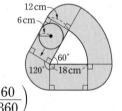

$$\pi \times 12^2 \times \frac{300}{360} + 12 \times 18 \times 2$$
$$+ \left(\pi \times 30^2 \times \frac{60}{360} - \pi \times 18^2 \times \frac{60}{360} \right)$$
$$= 120\pi + 432 + 96\pi$$
$$= 216\pi + 432 (\text{cm}^2)$$

43 강아지가 움직일 수 있는 최대 영역은 오른쪽 그림의 색칠한 부분과 같으므로 구하는 넓이는

$$\pi \times 8^2 \times \frac{3}{4} + \pi \times 3^2 \times \frac{1}{4} + \pi \times 5^2 \times \frac{1}{4}$$
$$= 48\pi + \frac{9}{4}\pi + \frac{25}{4}\pi$$
$$= \frac{113}{2}\pi (\text{m}^2)$$

개념완성익힘			익힘북 57~58쪽

1 ⑤ **2** 7 cm² **3** ② **4** 100°

5 11 : 7 **6** ④ **7** $\frac{25}{6}\pi$ **8** ④

9 ③ **10** $\frac{13}{4}\pi$ cm² **11** 40

12 $14\pi + 18$ **13** $(8\pi - 16)$ cm²

1 ⑤ 원 위의 두 점 A, C를 양 끝점으로 하는 호는 $\overset{\frown}{AC}$, $\overset{\frown}{ABC}$의 2개이다.

2 부채꼴의 넓이는 중심각의 크기에 정비례하므로 부채꼴 COD의 넓이를 x cm²라 하면
$$15 : 75 = x : 35, \quad 1 : 5 = x : 35$$
$$5x = 35 \quad \therefore x = 7$$
따라서 부채꼴 COD의 넓이는 7 cm²이다.

3 호의 길이는 중심각의 크기에 정비례하므로
$$\angle AOC : \angle BOC = \overset{\frown}{AC} : \overset{\frown}{BC} = 8 : 4 = 2 : 1$$
$$\therefore \angle AOC = 180° \times \frac{2}{2+1} = 120°$$

4 호의 길이는 중심각의 크기에 정비례하므로
$$\angle AOB : \angle BOC : \angle COA = \overset{\frown}{AB} : \overset{\frown}{BC} : \overset{\frown}{CA}$$
$$= 5 : 6 : 7$$
$$\therefore \angle AOB = 360° \times \frac{5}{5+6+7} = 100°$$

5 오른쪽 그림에서

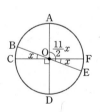

$\angle BOC = \angle EOF = \angle x$ (맞꼭지각)로 놓으면
$\angle x : \overset{\frown}{AOE} = 2 : 11$에서
$\angle AOE = \frac{11}{2}\angle x$이고,
$\angle AOF = \angle COD = 90°$ (맞꼭지각)이므로
$$\angle AOF = \frac{11}{2}\angle x - \angle x = 90° \quad \therefore \angle x = 20°$$
$\therefore$ (부채꼴 AOE의 넓이) : (부채꼴 AOB의 넓이)
$$= \angle AOE : \angle AOB = \frac{11}{2}\angle x : (90° - \angle x)$$
$$= 110° : 70° = 11 : 7$$

6 $(\text{넓이}) = \dfrac{1}{2} \times 4 \times 6\pi = 12\pi(\text{cm}^2)$

7 오른쪽 그림에서
(점 A가 움직인 거리)
$= 2\pi \times 5 \times \dfrac{150}{360}$
$= \dfrac{25}{6}\pi$

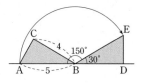

8 오른쪽 그림에서
$\angle BOD = \angle x$라 하면
$\triangle DAO$는 $\overline{DA} = \overline{DO}$인
이등변삼각형이므로
$\angle DAO = \angle DOA = \angle x$
$\angle EDO = \angle DAO + \angle DOA$
$\qquad = \angle x + \angle x = 2\angle x$
$\triangle ODE$는 $\overline{OD} = \overline{OE}$인 이등변삼각형이므로
$\angle OED = \angle ODE = 2\angle x$
$\triangle AEO$에서
$\angle EOC = \angle EAO + \angle AEO$
$\qquad = \angle x + 2\angle x = 3\angle x$
부채꼴의 호의 길이는 중심각의 크기에 정비례하므로
$\overset{\frown}{BD} : \overset{\frown}{CE} = \angle x : 3\angle x$, $2 : \overset{\frown}{CE} = 1 : 3$
$\therefore \overset{\frown}{CE} = 6(\text{cm})$

9 작은 원의 반지름의 길이를 r cm라 하면
$\pi r^2 = 16\pi$, $r^2 = 16$ $\quad \therefore r = 4(\because r > 0)$
큰 원의 반지름의 길이는
$3r = 3 \times 4 = 12(\text{cm})$
따라서 큰 원의 둘레의 길이는
$2\pi \times 12 = 24\pi(\text{cm})$

10 시침이 1시간($= 60$분) 동안 움직이는 각의 크기는
$360° \div 12 = 30°$이므로
3시 정각에서 40분 동안 시침이 움직인 각의 크기는
$30° \times \dfrac{40}{60} = 20°$이고, 분침이 움직인 각의 크기는
$360° \times \dfrac{40}{60} = 240°$이다.
즉, 시침과 분침이 이루는 작은 쪽의 각의 크기는
$240° - (90° + 20°) = 130°$
따라서 구하는 부채꼴의 넓이는
$\pi \times 3^2 \times \dfrac{130}{360} = \dfrac{13}{4}\pi(\text{cm}^2)$

11 오른쪽 그림에서
$\overline{BC} /\!/ \overline{OD}$이므로
$\angle CBO = \angle DOA = 45°$(동위각)
$\overline{OC}$를 그으면 $\triangle OBC$는 $\overline{OB} = \overline{OC}$인
이등변삼각형이므로
$\angle OCB = \angle OBC = 45°$ $\qquad \cdots\cdots$ ①
$\therefore \angle COB = 180° - (45° + 45°) = 90°$ $\qquad \cdots\cdots$ ②
$20 : \overset{\frown}{BC} = 45 : 90 = 1 : 2$ $\quad \therefore \overset{\frown}{BC} = 40$ $\cdots\cdots$ ③

단계	채점 기준	비율
①	$\angle OBC$, $\angle OCB$의 크기 구하기	40 %
②	$\angle COB$의 크기 구하기	20 %
③	$\overset{\frown}{BC}$의 길이 구하기	40 %

12 $(\text{작은 부채꼴의 호의 길이}) = 2\pi \times 6 \times \dfrac{120}{360}$
$\qquad\qquad\qquad\qquad\qquad = 4\pi$ $\qquad \cdots\cdots$ ①
$(\text{큰 부채꼴의 호의 길이}) = 2\pi \times 15 \times \dfrac{120}{360}$
$\qquad\qquad\qquad\qquad\qquad = 10\pi$ $\qquad \cdots\cdots$ ②
$\therefore (\text{구하는 둘레의 길이}) = 4\pi + 10\pi + 9 \times 2$
$\qquad\qquad\qquad\qquad\quad = 14\pi + 18$ $\qquad \cdots\cdots$ ③

단계	채점 기준	비율
①	작은 부채꼴의 호의 길이 구하기	40 %
②	큰 부채꼴의 호의 길이 구하기	40 %
③	색칠한 부분의 둘레의 길이 구하기	20 %

13 오른쪽 그림과 같이 이동하면 구하는

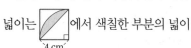

넓이는 에서 색칠한 부분의 넓이
의 2배이다. $\qquad \cdots\cdots$ ①
따라서 구하는 넓이는
$\left(\pi \times 4^2 \times \dfrac{90}{360} - \dfrac{1}{2} \times 4 \times 4 \right) \times 2$
$= (4\pi - 8) \times 2 = 8\pi - 16(\text{cm}^2)$ $\qquad \cdots\cdots$ ②

단계	채점 기준	비율
①	색칠한 부분과 넓이가 같은 도형으로 변형하기	50 %
②	색칠한 부분의 넓이 구하기	50 %

대단원 마무리

1 ② **2** ④, ⑤ **3** ④ **4** 60°

5 ③ **6** $(10\pi+20)$ cm, 50 cm²

7 $(4\pi+32)$ cm, $(4\pi+32)$ cm²

---

1 구하는 정다각형을 정n각형이라 하면

(정n각형의 한 외각의 크기)

$=180°\times\dfrac{1}{2+1}=60°$

$\dfrac{360°}{n}=60°$이므로 $n=6$

따라서 정육각형의 대각선의 개수는

$\dfrac{6\times(6-3)}{2}=9$

2 ㈎, ㈐에서 모든 변의 길이가 같고 모든 내각의 크기가 같은 다각형은 정다각형이므로 구하는 다각형을 정n각형이라 하면 ㈏에서 대각선의 개수가 27이므로

$\dfrac{n(n-3)}{2}=27$, $n(n-3)=54$

이때 $54=9\times6$이므로 $n=9$

따라서 구하는 다각형은 정구각형이다.

① 한 외각의 크기는 $\dfrac{360°}{9}=40°$이다.

② 9개의 선분으로 둘러싸인 평면도형이다.

③ 한 꼭짓점에서 $9-3=6$(개)의 대각선을 그을 수 있다.

④ 한 내각의 크기는 $\dfrac{180°\times(9-2)}{9}=140°$이다.

3 오른쪽 그림과 같이 보조선을 그으면

$\angle a+\angle b=180°-142°=38°$

$\therefore\angle x$

$=180°-(34°+\angle a+\angle b+38°)$

$=180°-(34°+38°+38°)$

$=70°$

4 $\angle ABD=\angle DBC=\angle a$,

$\angle ACD=\angle DCE=\angle b$라 하면

△ABC에서

$2\angle b=\angle x+2\angle a$이므로

$\angle b=\dfrac{1}{2}\angle x+\angle a$ ······㉠

△DBC에서 $\angle b=30°+\angle a$ ······㉡

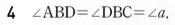

㉠, ㉡에서 $\dfrac{1}{2}\angle x+\angle a=30°+\angle a$

$\dfrac{1}{2}\angle x=30°$ $\therefore\angle x=60°$

5 오른쪽 그림에서 $\overline{AC}\,/\!/\,\overline{OD}$이므로

$\angle CAO=\angle DOB=60°$(동위각)

$\overline{OC}$를 그으면

△AOC에서 $\overline{OA}=\overline{OC}$이므로

$\angle ACO=\angle CAO=60°$

따라서 $\angle AOC=60°$이므로 $\overset{\frown}{AC}=\overset{\frown}{BD}=6$ cm

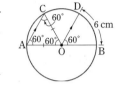

6 (둘레의 길이)$=2\pi\times5+10\times2$

$\qquad\qquad\qquad=10\pi+20$(cm)

오른쪽 그림과 같이 이동하면

(색칠한 부분의 넓이)

$=\dfrac{1}{2}\times10\times10$

$=50$(cm²)

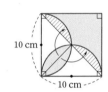

7 원판이 지나간 자리는 오른쪽 그림과 같으므로

원판이 지나간 자리의 둘레의 길이는

$2\pi\times2+3\times4+5\times4$

$=4\pi+32$(cm) ······①

원판이 지나간 자리의 넓이는

$\pi\times2^2+(3\times2)\times2+(5\times2)\times2$

$=4\pi+32$(cm²) ······②

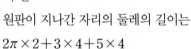

단계	채점 기준	비율
①	원판이 지나간 자리의 둘레의 길이 구하기	50 %
②	원판이 지나간 자리의 넓이 구하기	50 %

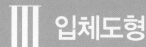

1 다면체와 회전체

1 ㄱ, ㄹ, ㅁ   **2** ㄱ, ㄷ, ㄹ   **3** ⑤   **4** ④

5 (1) 직사각형, 오면체   (2) 삼각형, 육면체

    (3) 사다리꼴, 육면체

6 ④   **7** ④   **8** ㄱ, ㅁ, ㅂ   **9** 2

10 ③   **11** ④   **12** ②   **13** 삼각뿔대

14 오각기둥   **15** 25   **16** ④   **17** ④

18 풀이 참조   **19** 정십이면체   **20** 정팔면체

21 정이십면체   **22** 3

23 (1) $\overline{DE}$ (2) 면 NKHC   (3) 점 E, 점 M

24 (1) 정팔면체   (2) $\overline{EF}$ **25** 5   **26** ⑤

27 ③   **28** ③   **29** ㄷ, ㅁ, ㅅ, ㅈ

30 ①   **31** ㄱ, ㅁ, ㅂ **32** ⑤   **33** ③

34 ③   **35** ④   **36** ①, ③, ④

37 ⑤   **38** ④   **39** ①   **40** ③

41 16 cm^2 **42** 160 cm^2 **43** ⑤   **44** ④, ⑤

45 ④   **46** ①   **47** ⑤   **48** ⑤

49 ⑤   **50** ③

51 전개도는 풀이 참조, 36 cm^2

1   ㄴ, ㄷ, ㅂ은 다각형인 면으로만 둘러싸인 입체도형이 아니므로 다면체가 아니다.

2   ㄱ. 평면도형이다.

    ㄷ, ㄹ. 다각형인 면으로만 둘러싸인 입체도형이 아니다.

3   면의 개수는 각각 다음과 같다.

    ① 4   ② 6   ③ 6   ④ 5   ⑤ 7

4   삼각기둥보다 면이 2개 더 많으므로 5+2=7, 즉 칠면체이다.

6   ④ 삼각뿔대 ─ 사다리꼴

7   옆면의 모양은 다음과 같다.

    ① 직사각형   ② 사다리꼴   ③ 직사각형

    ④ 삼각형   ⑤ 직사각형

    따라서 ①, ②, ③, ⑤는 사각형, ④는 삼각형이므로 ④이다.

8   옆면의 모양은 다음과 같다.

    ㄱ. 삼각형   ㄴ. 직사각형   ㄷ. 사다리꼴

    ㄹ. 직사각형   ㅁ. 삼각형   ㅂ. 삼각형

9 $v=12$, $e=18$, $f=8$이므로 $v-e+f=2$

10   ① 꼭짓점의 개수 6, 면의 개수 5

    ② 꼭짓점의 개수 8, 면의 개수 6

    ③ 꼭짓점의 개수 6, 면의 개수 6

    ④ 꼭짓점의 개수 12, 면의 개수 8

    ⑤ 꼭짓점의 개수 14, 면의 개수 9

11   주어진 각기둥을 n각기둥이라 하면 모서리의 개수는 $3n$, 꼭짓점의 개수는 $2n$이므로

    $3n=2n+10$ ∴ $n=10$

    따라서 주어진 각기둥은 십각기둥이므로 밑면은 십각형이다.

12   ② n각뿔의 모서리의 개수는 $2n$이다.

13   ⑺를 만족하는 입체도형은 각뿔대이다.

    ⑻에 의해 구하는 입체도형은 삼각뿔대이다.

14   ⑺, ⑻를 만족하는 입체도형은 각기둥이다.

    이 각기둥을 n각기둥이라 하면 ⑼에 의해

    $2n=10$에서 $n=5$, $3n=15$에서 $n=5$

    따라서 구하는 입체도형은 오각기둥이다.

15   ⑺, ⑻에서 구하는 입체도형은 각뿔이다.

    이 각뿔을 n각뿔이라 하면 ⑼에서

    $n+1=9$ ∴ $n=8$

    따라서 팔각뿔의 면의 개수는

    $8+1=9$ ∴ $x=9$

    모서리의 개수는 $8 \times 2=16$ ∴ $y=16$

    ∴ $x+y=25$

16 ① 정다면체의 종류는 5가지뿐이다.

② 정사면체의 모서리의 개수는 6이다.

③ 정팔면체의 꼭짓점의 개수는 6이다.

⑤ 정육각형을 한 면으로 하는 정다면체는 존재하지 않는다.

17 ① 정다면체의 종류는 5가지이다.

② 정이십면체의 꼭짓점의 개수는 12이고 정십이면체의 꼭짓점의 개수는 20이다.

③ 각 면이 정삼각형인 정다면체는 정사면체, 정팔면체, 정이십면체의 3가지이다.

⑤ 각 꼭짓점에 모인 면의 개수는 3 또는 4 또는 5이다.

18 각 꼭짓점에 모인 면의 개수가 4 또는 5로 다르므로 정다면체가 아니다.

21 모든 면이 합동인 정삼각형이고, 각 꼭짓점에 모인 면의 개수가 5로 같으므로 정다면체이다.

따라서 주어진 조건을 모두 만족하는 입체도형은 정이십면체이다.

22 정육면체이므로 한 꼭짓점에 모인 면의 개수는 3이다.

23 주어진 전개도로 만든 정육면체는 오른쪽 그림과 같다.

(1) $\overline{DE}$ (2) 면 NKHC

(3) 점 E, 점 M

24 주어진 전개도로 만든 입체도형은 오른쪽 그림과 같다.

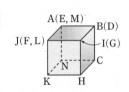

(1) 정팔면체 (2) $\overline{EF}$

25 주어진 주사위의 전개도에서 면 A와 마주 보는 면에 있는 점의 개수가 3이므로

$a+3=7$ ∴ $a=4$

면 B와 마주 보는 면에 있는 점의 개수가 1이므로

$b+1=7$ ∴ $b=6$

면 C와 마주 보는 면에 있는 점의 개수가 2이므로

$c+2=7$ ∴ $c=5$

∴ $a+b-c=4+6-5=5$

26 주어진 전개도로 만들어지는 정다면체는 정팔면체이다.

⑤ 정팔면체의 한 꼭짓점에 모인 면의 개수는 4이다.

27 주어진 전개도로 만들어지는 정사면체는 오른쪽 그림과 같으므로 $\overline{AB}$와 꼬인 위치에 있는 모서리는 $\overline{CF}$이다.

28 주어진 전개도로 만들어지는 정육면체는 오른쪽 그림과 같으므로 $\overline{AB}$와 꼬인 위치에 있는 모서리는 $\overline{CD}(\overline{IH})$, $\overline{EF}(\overline{GF})$, $\overline{MD}$, $\overline{EL}$ 이다.

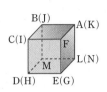

29 ㄱ, ㄴ, ㅂ, ㅇ — 다면체

ㄷ, ㅁ, ㅅ, ㅈ — 회전체

31 회전체는 평면도형을 한 직선을 회전축으로 하여 1회전 시킬 때 생기는 입체도형이므로 ㄱ, ㅁ, ㅂ이다.

32 각 평면도형을 1회전 시킬 때 생기는 입체도형은 다음과 같다.

① 도넛 모양 ② 반구 ③ 원기둥

④ 원뿔 ⑤ 구

35 ①, ②, ③, ④를 회전축으로 한 회전체는 다음과 같다.

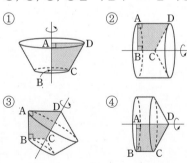

36 ②, ⑤를 회전축으로 한 회전체는 다음과 같다.

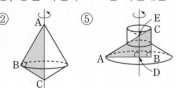

38 ④ 원기둥을 한 평면으로 자를 때 생기는 단면은 삼각형이 나올 수 없다.

39 ② ③ ④ ⑤

40 회전체는 오른쪽 그림과 같으므로 단면의
넓이는

$\dfrac{1}{2} \times (8+10) \times 6 = 54(\text{cm}^2)$

41 회전체는 오른쪽 그림과 같으므로 구하
는 단면의 넓이는

$\dfrac{1}{2} \times 8 \times 10 - \dfrac{1}{2} \times 8 \times (10-4)$

$= 40 - 24 = 16(\text{cm}^2)$

42 단면의 넓이가 가장 큰 경우는 두 밑면의 중심을 지나는
평면으로 자를 때이다.
따라서 구하는 단면의 넓이는
$(5+5) \times 16 = 160(\text{cm}^2)$

43 ⑤ 구면 위의 모든 점은 구의 중심에서 거리가 모두 같다.

44 ④ 원뿔에 대한 설명이다.
⑤ 모두 원이지만 크기가 다르다.

45 ④ 회전체에 따라 직사각형, 이등변삼각형, 사다리꼴, 원
등이 될 수 있다.

47 ① 이 회전체는 원뿔대이다.
② 한 평면으로 자른 단면은 원이 아닌 경우도 있다.
③ 회전축에 수직인 평면으로 자른 단면은 원이다.
④ 밑면은 2개이고, 모양은 같으나 크기는 다르다.

49 실의 길이가 가장 짧게 되는 경로는 주어진 원기둥의 전
개도에서 옆면인 직사각형의 대각선과 같다.

50 점 A는 옆면과 밑면의 접하는 부분에 있으므로 전개도
에서의 경로는 점 A에서 점 A′까지이다. 또, 실을 팽팽
하게 감을 때의 경로는 직선으로 나타난다.
따라서 바르게 나타낸 것은 ③이다.

51 회전체는 오른쪽 그림과 같으므로 전개도를 그리면 다음
그림과 같다.

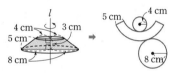

또한 구하는 단면의 넓이는

$\dfrac{1}{2} \times (8+16) \times 3 = 36(\text{cm}^2)$

1 ④, ⑤　　**2** ②, ⑤　　**3** 정십이면체

4 정이십면체　　　**5** 정육면체　**6** ③

7 ㄱ, ㄴ, ㄷ　**8** $60°$　　**9** ②, ③　**10** ②

11 ③　　　**12** 5　　　**13** 구각형

14 (1) 14π cm　(2) 28 cm^2　　**15** 8π cm^2

1 다면체의 면의 개수는 각각 다음과 같다.
① 8　② 9　③ 9　④ 10　⑤ 10
따라서 십면체인 것은 ④, ⑤이다.

2 ① 두 밑면의 모양은 같지만 크기는 다르다.
③ 삼각뿔대와 사각뿔의 면의 개수는 5로 같다.
④ n각뿔대의 꼭짓점의 개수는 $2n$, 모서리의 개수는 $3n$이다.

4 꼭짓점의 개수가 12인 정다면체이므로 정이십면체이다.

5 다면체에서 $v-e+f=2$이므로
$v=\dfrac{2}{3}e$, $f=\dfrac{1}{2}e$에서
$\dfrac{2}{3}e-e+\dfrac{1}{2}e=2$, $\dfrac{1}{6}e=2$　∴ $e=12$
따라서 $v=8$, $f=6$이므로 구하는 다면체는 정육면체이다.

6 주어진 전개도로 만들어지는 입체도형은 오른쪽 그림과 같으므로 $\overline{\text{HG}}$와 겹쳐지는 모서리는 $\overline{\text{BC}}$이다.

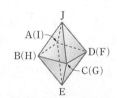

7 주어진 전개도로 만들어지는 정다면체는 정십이면체이다.
ㄹ. 꼭짓점의 개수는 20이다.

8 주어진 전개도로 만들어지는 정육면체를 세 점 A, B, C를 지나는 평면으로 자를 때 생기는 단면은 오른쪽 그림에 $\triangle$ABC이다.
이때 $\triangle$ABC는 $\overline{\text{AB}}=\overline{\text{BC}}=\overline{\text{CA}}$이므로 정삼각형이다.
∴ $\angle$ABC$=60°$

9 ② 원뿔대 ― 사다리꼴　③ 반구 ― 반원

10 ①　　　③
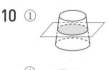　

④　　　⑤

11 ③ 원뿔을 회전축에 수직인 평면으로 자른 단면은 원이다.

12 오른쪽 그림에서
(부채꼴의 호의 길이)
=(밑면인 원의 둘레의 길이)
이므로

$2\pi\times x\times\dfrac{120}{360}=2\pi\times3$　∴ $x=9$
따라서 $2\pi\times(9+6)\times\dfrac{120}{360}=2\pi r$이므로
$15\times\dfrac{1}{3}=r$　∴ $r=5$

13 주어진 각뿔대를 n각뿔대라 하면
모서리의 개수는 $3n$, 면의 개수는 $(n+2)$이므로
$3n=(n+2)+16$　∴ $n=9$　……①
따라서 구각뿔대의 밑면의 모양은 구각형이다.　……②

단계	채점 기준	비율
①	모서리의 개수와 면의 개수를 이용하여 방정식 세우고 풀기	70 %
②	각뿔대의 밑면의 모양 구하기	30 %

14 회전체는 오른쪽 그림과 같다.
(1) (밑면의 둘레의 길이)
$=2\pi\times7=14\pi$(cm)　……①
(2) 구하는 단면의 넓이는
$\dfrac{1}{2}\times(7+7)\times4=28$(cm^2)　……②

단계	채점 기준	비율
①	밑면의 둘레의 길이 구하기	40 %
②	회전축을 포함하는 평면으로 자를 때 생기는 단면의 넓이 구하기	60 %

15 주어진 원을 직선 l을 회전축으로 하여 1회전 시킬 때 생기는 회전체는 가운데가 비어 있는 도넛 모양이다. 이때 원의 중심 O를 지나면서 회전축에 수직인 평면으로 자른 단면은 오른쪽 그림과 같으므로　…… ①

(단면의 넓이)＝(큰 원의 넓이)

$\qquad$ －(작은 원의 넓이)

$\qquad = \pi \times 3^2 - \pi \times 1^2$

$\qquad = 9\pi - \pi = 8\pi(\text{cm}^2)$　…… ②

단계	채점 기준	비율
①	원의 중심 O를 지나면서 회전축에 수직인 평면으로 자른 단면의 모양 알기	50 %
②	단면의 넓이 구하기	50 %

2 입체도형의 겉넓이와 부피

1 (1) $52\,\text{cm}^2$　(2) $224\,\text{cm}^2$　　　　**2** $120\,\text{cm}^2$

3 $272\,\text{cm}^2$　　　　　　　　**4** $104\,\text{cm}^2$

5 (1) $160\,\text{cm}^3$　(2) $168\,\text{cm}^3$　　　**6** $375\,\text{cm}^3$

7 ①　　　　　**8** $120\,\text{cm}^3$　　　**9** $6\,\text{cm}$

10 $10\,\text{cm}$　　**11** $7\,\text{cm}$　　**12** $13\,\text{cm}$　　**13** 4

14 $6\,\text{cm}$　　**15** (1) 6π　(2) $30\pi\,\text{cm}^2$　(3) $48\pi\,\text{cm}^2$

16 $216\pi\,\text{cm}^2$, $432\pi\,\text{cm}^3$　**17** $450\pi\,\text{cm}^3$

18 $15\,\text{cm}$　　**19** $9\,\text{cm}$　　**20** $16\,\text{cm}$

21 $90\pi\,\text{cm}^2$, $90\pi\,\text{cm}^3$　**22** $64\,\text{cm}^2$, $24\,\text{cm}^3$

23 $100\pi\,\text{cm}^3$　　　　**24** $126\,\text{cm}^2$　**25** $24\pi\,\text{cm}^3$

26 $(81\pi - 162)\,\text{cm}^3$　　**27** ③　　　**28** $48\,\text{cm}^3$

29 ④　　　　**30** $36\,\text{cm}^3$　**31** $207\,\text{cm}^3$　**32** $160\,\text{cm}^3$

33 5　　　　**34** $108\pi\,\text{cm}^2$

35 (1) 120　(2) 135　　**36** ③　　　**37** $10\,\text{cm}$

38 $360\pi\,\text{cm}^2$, $672\pi\,\text{cm}^3$　**39** $192\pi\,\text{cm}^2$, $192\pi\,\text{cm}^3$

40 ②　　　　**41** $1:8$　　**42** $\dfrac{32}{3}\pi\,\text{cm}^3$

43 $68\pi\,\text{cm}^2$　　　　　　**44** $8\pi\,\text{cm}^3$

45 $132\pi\,\text{cm}^2$, $240\pi\,\text{cm}^3$　**46** $51\pi\,\text{cm}^2$, $54\pi\,\text{cm}^3$

47 (1) $\dfrac{16}{3}\pi$, $\dfrac{32}{3}\pi$, 16π　(2) $1:2:3$　**48** ③

49 $8:1$　　**50** $144\pi\,\text{cm}^2$　　　**51** $144\pi\,\text{cm}^3$

52 ③　　　**53** $\dfrac{106}{3}\pi\,\text{cm}^3$

1 (1) (밑넓이)$=3 \times 2 = 6(\text{cm}^2)$

(옆넓이)$=(3+2+3+2) \times 4 = 40(\text{cm}^2)$

$\therefore$ (겉넓이)$=6 \times 2 + 40 = 52(\text{cm}^2)$

(2) (밑넓이)$=\dfrac{1}{2} \times (4+10) \times 4 = 28(\text{cm}^2)$

(옆넓이)$=(4+5+10+5) \times 7 = 168(\text{cm}^2)$

$\therefore$ (겉넓이)$=28 \times 2 + 168 = 224(\text{cm}^2)$

2 (옆넓이)$=($밑면의 둘레의 길이$) \times ($높이$)$

$\qquad = (3 \times 5) \times 8$

$\qquad = 120(\text{cm}^2)$

3 (밑넓이)$=\dfrac{1}{2}\times(8+5)\times4=26(\text{cm}^2)$

(옆넓이)$=(8+5+5+4)\times10=220(\text{cm}^2)$

$\therefore$ (겉넓이)$=26\times2+220=272(\text{cm}^2)$

4 (밑넓이)$=\dfrac{1}{2}\times(2+6)\times3=12(\text{cm}^2)$

(옆넓이)$=(2+3+6+5)\times5=80(\text{cm}^2)$

$\therefore$ (겉넓이)$=12\times2+80=104(\text{cm}^2)$

5 (1) (부피)$=(4\times4)\times10=160(\text{cm}^3)$

(2) (부피)$=\left(\dfrac{1}{2}\times6\times8\right)\times7=168(\text{cm}^3)$

6 (부피)$=\left\{\dfrac{1}{2}\times(3+12)\times5\right\}\times10$

$=375(\text{cm}^3)$

7 (부피)$=\left(\dfrac{1}{2}\times4\times2+\dfrac{1}{2}\times4\times3\right)\times10=100(\text{cm}^3)$

8 (밑넓이)$=\dfrac{1}{2}\times8\times2+\dfrac{1}{2}\times4\times8=24(\text{cm}^2)$

사각기둥의 높이가 5 cm이므로

사각기둥의 부피는 $24\times5=120(\text{cm}^3)$

9 삼각기둥의 높이를 x cm라 하면

$\left(\dfrac{1}{2}\times6\times8\right)\times2+(6+8+10)\times x=192$

$24x=144$ $\therefore x=6$

따라서 삼각기둥의 높이는 6 cm이다.

10 사각기둥의 높이를 x cm라 하면

$(2\times4)\times2+(2+4+2+4)\times x=136$

$12x=120$ $\therefore x=10$

따라서 사각기둥의 높이는 10 cm이다.

11 한 모서리의 길이를 a cm라 하면

(겉넓이)$=($ 한 면의 넓이$)\times6=a^2\times6=6a^2$

$6a^2=294,\ a^2=49$ $\therefore a=7$

따라서 한 모서리의 길이는 7 cm이다.

12 $\overline{\text{IH}}$는 이 삼각기둥의 높이이므로

$\left(\dfrac{1}{2}\times5\times12\right)\times\overline{\text{IH}}=390$

$30\overline{\text{IH}}=390$ $\therefore \overline{\text{IH}}=13$ cm

13 $\left(\dfrac{1}{2}\times3\times x\right)\times8=48$

$12x=48$ $\therefore x=4$

14 주어진 오각형을 오른쪽 그림
과 같이 두 부분으로 나누면

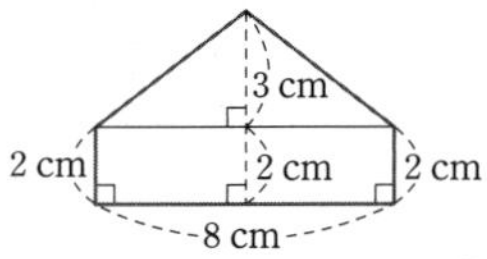

(밑넓이)$=\dfrac{1}{2}\times8\times3+8\times2$

$=28(\text{cm}^2)$

구하는 오각기둥의 높이를 h cm라 하면

$28\times h=168$ $\therefore h=6$

따라서 오각기둥의 높이는 6 cm이다.

15 (1) $2\pi\times3=6\pi(\text{cm})$ $\therefore x=6\pi$

(2) $6\pi\times5=30\pi(\text{cm}^2)$

(3) $(\pi\times3^2)\times2+30\pi=48\pi(\text{cm}^2)$

16 1회전 시킬 때 생기는 회전체는 밑면인 원의 반지름의
길이가 6 cm 이고 높이가 12 cm인 원기둥이다.

(겉넓이)$=(\pi\times6^2)\times2+(2\pi\times6)\times12$

$=72\pi+144\pi$

$=216\pi(\text{cm}^2)$

(부피)$=(\pi\times6^2)\times12=432\pi(\text{cm}^3)$

17 주어진 입체도형과 똑같은 입체도형을 위아래로 붙이면
높이가 25 cm인 원기둥이 되므로 구하는 부피는

$\{(\pi\times6^2)\times25\}\times\dfrac{1}{2}=450\pi(\text{cm}^3)$

18 원기둥의 높이를 h cm라 하면

$(\pi\times6^2)\times2+(2\pi\times6)\times h=252\pi$

$72\pi+12\pi h=252\pi$ $\therefore h=15$

따라서 원기둥의 높이는 15 cm이다.

19 밑면의 반지름의 길이를 r cm라 하면
$(\pi \times r^2) \times 7 = 567\pi$, $r^2 = 81$
$\therefore r = 9$ $(\because r > 0)$
따라서 밑면의 반지름의 길이는 9 cm이다.

20 그릇 A의 부피는
$(\pi \times 4^2) \times 4 = 64\pi (\text{cm}^3)$
그릇 B의 물의 높이를 h cm라 하면
$(\pi \times 2^2) \times h = 64\pi$ $\therefore h = 16$
따라서 그릇 B의 물의 높이는 16 cm이다.

21 1회전 시킬 때 생기는 입체도형은 속이 뚫린 원기둥이다.
(밑넓이) $= \pi \times 4^2 - \pi \times 1^2 = 15\pi (\text{cm}^2)$
(옆넓이) $= (2\pi \times 4) \times 6 + (2\pi \times 1) \times 6 = 60\pi (\text{cm}^2)$
$\therefore$ (겉넓이) $=$ (밑넓이) $\times 2 +$ (옆넓이)
$= 15\pi \times 2 + 60\pi$
$= 90\pi (\text{cm}^2)$
$\therefore$ (부피) $=$ (밑넓이) $\times$ (높이) $= 15\pi \times 6 = 90\pi (\text{cm}^3)$

22 (겉넓이)
$= (3 \times 3 - 1 \times 1) \times 2 + (3 \times 4) \times 3 + (1 \times 4) \times 3$
$= 16 + 36 + 12$
$= 64 (\text{cm}^2)$
(부피) $= (3 \times 3 - 1 \times 1) \times 3 = 24 (\text{cm}^3)$

23 빵 전체의 양(부피)은 큰 원기둥의 부피에서 작은 원기둥의 부피를 뺀 것과 같으므로
(빵의 부피) $= (\pi \times 10^2) \times 8 - (\pi \times 5^2) \times 8$
$= 800\pi - 200\pi$
$= 600\pi (\text{cm}^3)$
따라서 한 사람이 먹은 빵의 양은
$\frac{1}{6} \times 600\pi = 100\pi (\text{cm}^3)$

24 정육면체의 한 면의 넓이는
$3 \times 3 = 9 (\text{cm}^2)$
겉넓이에 해당하는 면은 14개의 면의 넓이의 합과 같으므로
(겉넓이) $= 9 \times 14 = 126 (\text{cm}^2)$

25 (부피) $=$ (밑넓이) $\times$ (높이)
$= \left(\pi \times 4^2 \times \frac{120}{360} - \pi \times 2^2 \times \frac{120}{360} \right) \times 6$
$= 24\pi (\text{cm}^3)$

26 그릇의 단면은 오른쪽 그림과 같다.
색칠한 부분의 넓이는
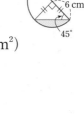
$\pi \times 6^2 \times \frac{1}{4} - \frac{1}{2} \times 6 \times 6 = 9\pi - 18 (\text{cm}^2)$
따라서 남은 물의 부피는
$(9\pi - 18) \times 9 = 81\pi - 162 (\text{cm}^3)$

27 (겉넓이) $= 2 \times 2 + \left(\frac{1}{2} \times 2 \times 3 \right) \times 4$
$= 16 (\text{cm}^2)$

28 (부피) $= \frac{1}{3} \times \left(\frac{1}{2} \times 6 \times 6 \right) \times 8$
$= 48 (\text{cm}^3)$

29 정사각뿔의 높이를 h cm라 하면
$\frac{1}{3} \times (8 \times 8) \times h = 384$ $\therefore h = 18$
따라서 정사각뿔의 높이는 18 cm이다.

30 사각형 ABCD의 넓이는
$(6 \times 6) \times \frac{1}{2} = 18 (\text{cm}^2)$
$\therefore$ (부피) $= \frac{1}{3} \times 18 \times 6 = 36 (\text{cm}^3)$

31 (잘려나간 삼각뿔의 부피)
$= \frac{1}{3} \times \left(\frac{1}{2} \times 3 \times 3 \right) \times 6$
$= 9 (\text{cm}^3)$
$\therefore$ (남은 입체도형의 부피)
$= (6 \times 6 \times 6) - 9$
$= 207 (\text{cm}^3)$

32 $(부피)=\dfrac{1}{3}\times\left(\dfrac{1}{2}\times12\times16\right)\times5=160(\text{cm}^3)$

33 기울인 직육면체 모양의 그릇에 담긴 물의 부피는

$\dfrac{1}{3}\times\left(\dfrac{1}{2}\times10\times15\right)\times9=225(\text{cm}^3)$

즉, $(9\times5)\times h=225$ $\quad\therefore h=5$

34 $(겉넓이)=\pi\times6^2+\pi\times6\times12$
$\qquad\qquad=36\pi+72\pi$
$\qquad\qquad=108\pi(\text{cm}^2)$

35 (1) $2\pi\times4=2\pi\times12\times\dfrac{x}{360}$ $\quad\therefore x=120$

(2) $2\pi\times3=2\pi\times8\times\dfrac{x}{360}$ $\quad\therefore x=135$

36 밑면의 반지름의 길이를 $r\,\text{cm}$라 하면

$2\pi\times12\times\dfrac{210}{360}=2\pi r$ $\quad\therefore r=7$

$\therefore (겉넓이)=\pi\times7^2+\pi\times7\times12$
$\qquad\qquad\quad=49\pi+84\pi$
$\qquad\qquad\quad=133\pi(\text{cm}^2)$

37 원뿔의 높이를 $h\,\text{cm}$라 하면

$\dfrac{1}{3}\times(\pi\times6^2)\times h=120\pi$ $\quad\therefore h=10$

따라서 원뿔의 높이는 $10\,\text{cm}$이다.

38 $(아랫면의 넓이)+(윗면의 넓이)=\pi\times12^2+\pi\times6^2$
$\qquad\qquad\qquad\qquad\qquad\qquad=180\pi(\text{cm}^2)$
$(옆넓이)=(큰 원뿔의 옆넓이)-(작은 원뿔의 옆넓이)$
$\qquad\quad=\pi\times12\times20-\pi\times6\times10$
$\qquad\quad=180\pi(\text{cm}^2)$
$\therefore (겉넓이)=180\pi+180\pi=360\pi(\text{cm}^2)$
$\therefore (부피)=(큰 원뿔의 부피)-(작은 원뿔의 부피)$
$\qquad\qquad=\dfrac{1}{3}\times(\pi\times12^2)\times16-\dfrac{1}{3}\times(\pi\times6^2)\times8$
$\qquad\qquad=768\pi-96\pi$
$\qquad\qquad=672\pi(\text{cm}^3)$

39 1회전시킬 때 생기는 회전체는 오른쪽 그림과 같으므로

$(겉넓이)$
$=\pi\times6^2+(2\pi\times6)\times8+\pi\times6\times10$
$=36\pi+96\pi+60\pi$
$=192\pi(\text{cm}^2)$
$(부피)$
$=(\pi\times6^2)\times8-\dfrac{1}{3}\times(\pi\times6^2)\times8$
$=288\pi-96\pi$
$=192\pi(\text{cm}^3)$

40 1회전시킬 때 생기는 입체도형은 반지름의 길이가 $5\,\text{cm}$인 구이다.

$\therefore (부피)=\dfrac{4}{3}\pi\times5^3=\dfrac{500}{3}\pi(\text{cm}^3)$

41 $(구 A의 부피):(구 B의 부피)$
$=\left(\dfrac{4}{3}\pi\times2^3\right):\left(\dfrac{4}{3}\pi\times4^3\right)$
$=8:64$
$=1:8$

42 구의 반지름의 길이를 $r\,\text{cm}$라 하면
$4\pi r^2=16\pi,\ r^2=4$ $\quad\therefore r=2\ (\because r>0)$
$\therefore (부피)=\dfrac{4}{3}\pi\times2^3=\dfrac{32}{3}\pi(\text{cm}^3)$

43 $(겉넓이)=(4\pi\times4^2)\times\dfrac{7}{8}+\left(\pi\times4^2\times\dfrac{1}{4}\right)\times3$
$\qquad\qquad=56\pi+12\pi$
$\qquad\qquad=68\pi(\text{cm}^2)$

44 $(부피)=\dfrac{4}{3}\pi\times2^3\times\dfrac{3}{4}=8\pi(\text{cm}^3)$

45 1회전 시킬 때 생기는 회전체는 오른쪽 그림과 같으므로

(겉넓이)

$= (4\pi \times 6^2) \times \dfrac{1}{2} + \pi \times 6 \times 10$

$= 72\pi + 60\pi$

$= 132\pi \, (\text{cm}^2)$

(부피)

$= \left(\dfrac{4}{3}\pi \times 6^3 \right) \times \dfrac{1}{2} + \dfrac{1}{3} \times (\pi \times 6^2) \times 8$

$= 144\pi + 96\pi$

$= 240\pi \, (\text{cm}^3)$

46 1회전 시킬 때 생기는 회전체는 오른쪽 그림과 같으므로

(겉넓이)

$= 4\pi \times 3^2 \times \dfrac{1}{2} + 2\pi \times 3 \times 4 + \pi \times 3^2$

$= 18\pi + 24\pi + 9\pi$

$= 51\pi \, (\text{cm}^2)$

(부피)

$= \dfrac{4}{3}\pi \times 3^3 \times \dfrac{1}{2} + \pi \times 3^2 \times 4$

$= 18\pi + 36\pi$

$= 54\pi \, (\text{cm}^3)$

47 (1) 오른쪽 그림에서

$(\text{원뿔의 부피}) = \dfrac{1}{3} \times (\pi \times 2^2) \times 4$

$\quad\quad\quad\quad\quad = \dfrac{16}{3}\pi$

$(\text{구의 부피}) = \dfrac{4}{3}\pi \times 2^3 = \dfrac{32}{3}\pi$

$(\text{원기둥의 부피}) = (\pi \times 2^2) \times 4 = 16\pi$

(2) $\dfrac{16}{3}\pi : \dfrac{32}{3}\pi : 16\pi = 1 : 2 : 3$

48 원기둥의 높이는 $2r$이므로

$(\text{원기둥의 부피}) : (\text{구의 부피}) = \pi r^2 \times 2r : \dfrac{4}{3}\pi r^3$

$\quad\quad\quad\quad\quad\quad\quad\quad\quad\quad\quad = 2 : \dfrac{4}{3}$

$\quad\quad\quad\quad\quad\quad\quad\quad\quad\quad\quad = 3 : 2$

49 구 모양의 공의 반지름의 길이를 r라 하면 공 한 개의 부피는 $\dfrac{4}{3}\pi r^3$이다.

원기둥의 밑면인 원의 반지름의 길이는 $2r$, 높이는 $4r$이므로

$(\text{원기둥의 부피}) = \{\pi \times (2r)^2\} \times 4r = 16\pi r^3$

$\therefore (\text{물의 부피}) = 16\pi r^3 - \dfrac{4}{3}\pi r^3 \times 4 = \dfrac{32}{3}\pi r^3$

$\therefore (\text{물의 부피}) : (\text{공 한 개의 부피}) = \dfrac{32}{3}\pi r^3 : \dfrac{4}{3}\pi r^3$

$\quad\quad\quad\quad\quad\quad\quad\quad\quad\quad\quad\quad = 8 : 1$

50 $(\text{겉넓이}) = (\text{구의 겉넓이}) + (\text{원기둥의 옆넓이})$

$\quad\quad\quad\quad = 4\pi \times 4^2 + 2\pi \times 4 \times 10$

$\quad\quad\quad\quad = 64\pi + 80\pi$

$\quad\quad\quad\quad = 144\pi \, (\text{cm}^2)$

51 먹을 수 있는 부분의 부피는 반지름의 길이가 $6 \, \text{cm}$인 반구의 부피와 같으므로

$\left(\dfrac{4}{3}\pi \times 6^3 \right) \times \dfrac{1}{2} = 144\pi \, (\text{cm}^3)$

52 반지름의 길이가 9인 쇠공의 부피는

$\dfrac{4}{3}\pi \times 9^3 = 972\pi$

반지름의 길이가 3인 쇠공의 부피는

$\dfrac{4}{3}\pi \times 3^3 = 36\pi$

따라서 $972\pi \div 36\pi = 27$이므로 반지름의 길이가 3인 쇠공 27개를 만들 수 있다.

53 (흘러 넘친 물의 부피)

$= (\text{쇠공의 부피}) - (\text{원기둥 모양의 그릇의 부피}) \times \dfrac{1}{4}$

$= \dfrac{4}{3}\pi \times 4^3 - \{(\pi \times 5^2) \times 8\} \times \dfrac{1}{4}$

$= \dfrac{256}{3}\pi - 50\pi$

$= \dfrac{106}{3}\pi \, (\text{cm}^3)$

1 ③   **2** 112π cm^2 **3** ①

4 2 cm   **5** $\dfrac{3}{2}$ **6** ③   **7** 48π cm^2

8 54π cm^2 **9** 84π cm^3 **10** ③   **11** 6

12 남은 물의 양은 같다.   **13** 48π cm^2

1 정육면체의 한 모서리의 길이를 a cm라 하면

$6 \times a^2 = 24$, $a^2 = 4$ $\therefore a = 2\ (\because a > 0)$

$\therefore$ (부피)$= 2 \times 2 \times 2 = 8(\text{cm}^3)$

2 주어진 전개도로 만들어지는 입체도형은 원기둥이고, 원기둥의 밑면의 둘레의 길이가 8π cm이므로 밑면의 반지름의 길이를 r cm라 하면

$2\pi r = 8\pi$ $\therefore r = 4$

따라서 원기둥의 겉넓이는

$(\pi \times 4^2) \times 2 + 8\pi \times 10 = 112\pi(\text{cm}^2)$

3 (부피)

$=$(직육면체의 부피)$-$(밑면이 부채꼴인 기둥의 부피)

$= (3 \times 3) \times 8 - \left(\pi \times 3^2 \times \dfrac{90}{360}\right) \times 8$

$= 72 - 18\pi(\text{cm}^3)$

4 정육면체의 한 모서리의 길이를 a cm라 하면 정팔면체는 정사각뿔 2개를 붙여 놓은 것과 같고 정사각뿔의 밑면은 정사각형이므로

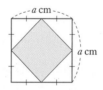

(정사각뿔의 밑면의 넓이)$= (a \times a) \times \dfrac{1}{2} = \dfrac{a^2}{2}(\text{cm}^2)$

또, 정사각뿔의 높이는 $\dfrac{a}{2}$ cm이므로

(정팔면체의 부피)$=$(정사각뿔의 부피)$\times 2$

$= \left(\dfrac{1}{3} \times \dfrac{a^2}{2} \times \dfrac{a}{2}\right) \times 2 = \dfrac{a^3}{6}(\text{cm}^3)$

즉, $\dfrac{a^3}{6} = \dfrac{4}{3}$이므로 $a^3 = 8$ $\therefore a = 2$

따라서 정육면체의 한 모서리의 길이는 2 cm이다.

5 A 그릇에 들어 있는 물의 부피는

$\dfrac{1}{3} \times \left(\dfrac{1}{2} \times 6 \times 5\right) \times 3 = 15(\text{cm}^3)$

B 그릇에 들어 있는 물의 부피는

$\left(\dfrac{1}{2} \times 5 \times x\right) \times 4 = 10x(\text{cm}^3)$

A, B 두 그릇에 들어 있는 물의 부피는 같으므로

$10x = 15$ $\therefore x = \dfrac{3}{2}$

6 $\pi \times 6^2 + \pi \times 6 \times r = 78\pi$

$6\pi r = 42\pi$ $\therefore r = 7$

7 1회전 시킬 때 생기는 입체도형은 오른쪽 그림과 같으므로

(겉넓이)

$= \pi \times 3^2 + (2\pi \times 3) \times 4 + \pi \times 3 \times 5$

$= 9\pi + 24\pi + 15\pi$

$= 48\pi(\text{cm}^2)$

8 오른쪽 그림에서 원 O의 반지름의 길이를 r cm라 하면

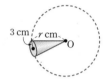

(원 O의 둘레의 길이)

$=$(원뿔의 밑면의 둘레의 길이)$\times 5$

이므로

$2\pi r = (2\pi \times 3) \times 5$ $\therefore r = 15$

$\therefore$ (원뿔의 겉넓이)$= \pi \times 3^2 + \pi \times 3 \times 15$

$= 9\pi + 45\pi$

$= 54\pi(\text{cm}^2)$

9 1회전 시킬 때 생기는 회전체는 오른쪽 그림과 같으므로

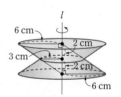

(부피)

$=$(원뿔대의 부피)$\times 2$

$= \left\{\dfrac{1}{3} \times (\pi \times 6^2) \times 4 - \dfrac{1}{3} \times (\pi \times 3^2) \times 2\right\} \times 2$

$= (48\pi - 6\pi) \times 2$

$= 84\pi(\text{cm}^3)$

10 지름의 길이가 4 cm인 쇠구슬 24개의 부피와 지름의 길이가 8 cm인 쇠구슬 x개의 부피가 같다고 하면

$\left(\dfrac{4}{3}\pi \times 2^3\right) \times 24 = \left(\dfrac{4}{3}\pi \times 4^3\right) \times x$

$192 = 64x$ $\therefore x = 3$

따라서 지름의 길이가 8 cm인 쇠구슬을 3개 만들 수 있다.

11 원뿔 모양의 그릇에 담긴 물의 부피는

$\dfrac{1}{3} \times (\pi \times 3^2) \times 8 = 24\pi(\text{cm}^3)$ $\cdots\cdots$ ①

원기둥 모양의 그릇에 담긴 물의 부피는

$(\pi \times 2^2) \times h = 4h\pi(\text{cm}^3)$ $\cdots\cdots$ ②

두 물의 부피는 같으므로

$24\pi = 4h\pi$ $\therefore h = 6$ …… ③

단계	채점 기준	비율
①	원뿔 모양의 그릇에 담긴 물의 부피 구하기	40 %
②	원기둥 모양의 그릇에 담긴 물의 부피 구하기	40 %
③	h의 값 구하기	20 %

12 지름의 길이가 6 cm인 구슬 8개의 부피는

$\dfrac{4}{3}\pi \times 3^3 \times 8 = 288\pi \,(\text{cm}^3)$ …… ①

지름의 길이가 12 cm인 구슬 1개의 부피는

$\dfrac{4}{3}\pi \times 6^3 = 288\pi \,(\text{cm}^3)$ …… ②

따라서 남은 물의 양은 같다.   …… ③

단계	채점 기준	비율
①	지름의 길이가 6 cm인 구슬 8개의 부피 구하기	40 %
②	지름의 길이가 12 cm인 구슬 1개의 부피 구하기	40 %
③	남은 물의 양 비교하기	20 %

13 오른쪽 그림에서 원기둥의 밑면의 반지름의 길이를 r cm라 하면 원기둥의 높이는 $6r$ cm이므로

$\pi r^2 \times 6r = 48\pi$

$r^3 = 8$에서 $r = 2$ …… ①

$\therefore (\text{구 } 3\text{개의 겉넓이의 합}) = (4\pi \times 2^2) \times 3$

$= 48\pi \,(\text{cm}^2)$ …… ②

단계	채점 기준	비율
①	원기둥의 밑면의 반지름의 길이 구하기	50 %
②	구 3개의 겉넓이의 합 구하기	50 %

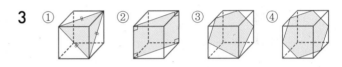

익힘북 80~81쪽

1 ②	**2** 2명	**3** ⑤	**4** ③
5 ②	**6** 24π cm^2	**7** ⑤	**8** 64π cm^2
9 ③	**10** $1:5$	**11** ①	**12** ④

1 주어진 조건을 만족하는 입체도형은 정다면체 중에서 정육면체이다.

2 지은 : 정다면체는 정사면체, 정육면체, 정팔면체, 정십이면체, 정이십면체로 5가지뿐이다.

영진 : 모든 면이 합동인 정다각형이고 각 꼭짓점에 모인 면의 개수가 같은 다면체를 정다면체라 한다.

따라서 잘못 말한 학생은 2명이다.

3 ① ② ③ ④

4 ③ 주어진 전개도로 만들어지는 정다면체는 정팔면체이므로 꼭짓점의 개수는 6이다.

5 원뿔대를 회전축을 포함하는 평면으로 자른 단면의 모양은 사다리꼴이고, 두 밑면과 평행한 평면으로 자른 단면의 모양은 항상 원이다.

6 1회전 시킬 때 생기는 회전체는 오른쪽 그림과 같은 원기둥이므로 옆면이 되는 직사각형의 가로의 길이는

$2\pi \times 3 = 6\pi \,(\text{cm}^2)$ …… ①

$\therefore (\text{구하는 넓이}) = 6\pi \times 4 = 24\pi \,(\text{cm}^2)$ …… ②

단계	채점 기준	비율
①	옆면이 되는 직사각형의 가로의 길이 구하기	60 %
②	회전체의 옆면의 넓이 구하기	40 %

7 밑면인 원의 반지름의 길이를 r cm라 하면

$(\text{부채꼴의 호의 길이}) = (\text{밑면인 원의 둘레의 길이})$이므로

$2\pi \times 12 \times \dfrac{120}{360} = 2\pi r$ $\therefore r = 4$

$\therefore (\text{밑넓이}) = \pi \times 4^2 = 16\pi \,(\text{cm}^2)$

8 (겉넓이)

$$= (\pi \times 3^2 - \pi \times 1^2) \times 2 + 2\pi \times 3 \times 6 + 2\pi \times 1 \times 6$$

$$= 16\pi + 36\pi + 12\pi = 64\pi\,(\text{cm}^2)$$

9 $\dfrac{1}{3} \times \left(\dfrac{1}{2} \times 6 \times 4\right) \times x = 24$

$$\therefore x = 6$$

10 (잘라낸 입체도형의 부피)

$$= \dfrac{1}{3} \times \left(\dfrac{1}{2} \times 6 \times 8\right) \times 9 = 72\,(\text{cm}^3) \qquad \cdots\cdots ①$$

(잘라내고 남은 입체도형의 부피)

$$= (\text{직육면체의 부피}) - (\text{잘라낸 입체도형의 부피})$$

$$= 6 \times 8 \times 9 - 72 = 360\,(\text{cm}^3) \qquad \cdots\cdots ②$$

∴ (잘라낸 입체도형의 부피)

$$: (\text{잘라내고 남은 입체도형의 부피})$$

$$= 72 : 360 = 1 : 5 \qquad \cdots\cdots ③$$

단계	채점 기준	비율
①	잘라낸 입체도형의 부피 구하기	40 %
②	잘라내고 남은 입체도형의 부피 구하기	40 %
③	부피의 비 구하기	20 %

11 (겉넓이)$= (4\pi \times 6^2) \times \dfrac{1}{2} + \pi \times 6 \times 10$

$$= 132\pi\,(\text{cm}^2)$$

12 원기둥의 밑면인 원의 반지름의 길이를

r cm라 하면 원기둥의 높이는 $4r$ cm이

므로

$\pi r^2 \times 4r = 108\pi$에서 $r^3 = 27$

$\pi r^2 \times 6r = 48\pi,\ r^3 = 8 \qquad \therefore r = 2$

따라서 구 한 개의 부피는

$$\dfrac{4}{3}\pi \times r^3 = \dfrac{4}{3}\pi \times 27 = 36\pi\,(\text{cm}^3)$$

1 자료의 정리와 해석

개념적용익힘
익힘북 82~93쪽

1 3, 4 / 2, 5, 5, 8 / 2 **2** 5명 **3** 40 %

4 81점, 80점 **5** 경미네 반 **6** 풀이 참조

7 ② **8** ②, ④

9 ㉠ 계급 ㉡ 계급의 크기 ㉢ 도수 **10** 풀이 참조

11 $x=5$, $y=6$ **12** ③ **13** 13명

14 ④ **15** 42.5 % **16** 30 % **17** ④

18 40점 이상 50점 미만 **19** 17명 **20** 36 %

21 ⑤ **22** ③ **23** $\dfrac{14}{3}$배 **24** 70

25 ⑤ **26** 28명 **27** 30 % **28** 10명

29 40개 **30** 12개 **31** 16명 **32** 40명

33 35 % **34** $A=12$, $B=15$, $C=60$

35 4만 원 이상 5만 원 미만 **36** ④ **37** ④

38 ④ **39** ③ **40** 60 **41** 15명

42 ①, ④ **43** 7명 **44** A 학교

45 0.1, 0.25 **46** 여학생 **47** 33명 **48** 32명

49 ③ **50** ②

51 $A=14$, $B=50$, $C=0.32$, $D=1$ **52** 60 %

53 9명 **54** $A=0.1$, $B=0.2$, $C=1$

55 0.2 **56** 14명 **57** 50명

58 3학년이 6명 더 많다. **59** $A=0.22$, $B=0.2$

60 ④ **61** 8 : 5 **62** ② **63** 12명

64 10명 **65** 35 % **66** 20명 **67** 9일

68 ② **69** ⑤

70 1반 : 20 %, 2반 : 35 %, 2반 **71** 풀이 참조

72 18초 이상 20초 미만 **73** 100명 **74** 남학생

1

학생들의 키

(13│2는 132 cm)

줄기	잎
13	2 5 8
14	2 5 5 8 8
15	3 4
16	2 5 5 8
17	2

2 국어 성적이 85점 이상 95점 미만인 학생은 85점, 86점, 89점, 90점, 92점의 5명이다.

3 전체 학생 수는 4＋6＋5＝15(명)이고 국어 성적이 83점 미만인 학생은 70점, 73점, 75점, 75점, 80점, 82점의 6명이므로 전체의

$$\frac{6}{15}\times100=40(\%)$$

4 남학생 중 8등인 학생의 점수는 81점이고, 여학생 중 8등인 학생의 점수는 80점이다.

5 신발 크기가 가장 큰 것은 278 mm이고 이는 경미네 반에 속해 있다.

6 준석이네 반 학생들의 신발 크기가 경미네 반 학생들의 신발 크기보다 대체적으로 큰 편이다.

7 ① 변량 : 자료를 수량으로 나타낸 것
③ 도수 : 각 계급에 속하는 변량의 개수
④ 계급의 크기 : 구간의 너비
⑤ 도수분포표 : 주어진 자료를 몇 개의 계급으로 나누고, 각 계급에 속하는 도수를 조사하여 나타낸 표

8 ① 한 도수분포표에서 각 계급의 크기는 일정하다.
③ 변량을 일정한 간격으로 나눈 구간을 계급이라 한다.
⑤ 도수분포표에서 각 계급에 속하는 자료의 정확한 값을 알 수 없다.

10

키 (cm)	학생 수 (명)
145 이상 ~ 150 미만	3
150 ~ 155	4
155 ~ 160	6
160 ~ 165	9
165 ~ 170	2
170 ~ 175	1
합계	25

11 $x=150-145=5$, $y=6$

12 가장 큰 도수는 9명이고, 이 계급은 160 cm 이상 165 cm 미만이다.

13 $3+4+6=13$(명)

14 봉사 활동 시간이 12시간 이상인 학생 수는 $5+4=9$(명)이므로 전체의 $\dfrac{9}{20}\times100=45(\%)$

15 $A=40-(1+3+11+8+4)=13$
이므로 수면 시간이 7시간 미만인 학생 수는
$1+3+13=17$(명)
따라서 전체의 $\dfrac{17}{40}\times100=42.5(\%)$

16 당도가 10 Brix 미만인 과일이 전체의 30 %이므로
$20\times\dfrac{30}{100}=6$(가지)
$\therefore A=6-4=2$, $B=20-(2+4+8+5)=1$
따라서 당도가 15 Brix 이상인 과일은 $5+1=6$(가지)
이므로 전체의 $\dfrac{6}{20}\times100=30(\%)$

17 ④ 직사각형의 개수는 계급의 개수이다.

19 $2+6+9=17$(명)

20 전체 학생 수는 $2+6+9+15+11+7=50$(명)이고
영어 성적이 80점 이상인 학생은 $11+7=18$(명)이므로
전체의 $\dfrac{18}{50}\times100=36(\%)$

21 ② 조사한 학생 수는 $10+14+12+8+6=50$(명)이다.
⑤ TV 시청 시간이 50분 이상인 학생 수는
$8+6=14$(명)이므로 전체의 $\dfrac{14}{50}\times100=28(\%)$

22 ① 계급의 크기는 0.5초이다.
② 전체 학생 수는 $4+6+14+8+2+2=36$(명)이다.
④ 50 m 달리기 기록이 7초 이상 7.5초 미만인 학생이 4명, 7.5초 이상 8초 미만인 학생이 6명이므로 기록이 빠른 순서로 5번째인 학생이 속하는 계급은 7.5초 이상 8초 미만이다.
⑤ 50 m 달리기 기록이 8.5초 이상인 학생은
$8+2+2=12$(명)이므로
전체의 $\dfrac{12}{36}\times100=33.33\cdots(\%)$

23 도수가 가장 큰 계급의 직사각형의 넓이는 $10\times14=140$
이고, 도수가 가장 작은 계급의 직사각형의 넓이는
$10\times3=30$이므로 $\dfrac{140}{30}=\dfrac{14}{3}$(배)

24 계급의 크기는 2점이고,
도수의 총합은 $4+6+12+8+4+1=35$(명)이므로
각 직사각형의 넓이의 합은 $2\times35=70$

25 두 직사각형 A, B의 넓이의 비가 2 : 1이므로
$a:2=2:1$ $\therefore a=4$
계급의 크기는 200 mm이고
전체 도수는 $1+4+7+5+2+1=20$(개국)이므로
구하는 넓이는 $200\times20=4000$

26 100 m 달리기 기록이 17초 이상 18초 미만인 학생 수는
$100-(3+8+13+18+17+9+4)=28$(명)
따라서 구하는 학생 수는 28명이다.

27 100 m 달리기 기록이 18초 이상인 학생 수는
$17+9+4=30$(명)이므로
전체의 $\dfrac{30}{100}\times100=30(\%)$

28 직사각형 A의 넓이는 $5 \times 14 = 70$이므로 직사각형 B의 넓이를 x라 하면

$70 : x = 7 : 5$, $7x = 350$ $\therefore x = 50$

이때 25시간 이상 30시간 미만인 계급의 도수를 y명이라 하면

$5 \times y = 50$ $\therefore y = 10$

따라서 봉사 활동 시간이 25시간 이상 30시간 미만인 학생 수는 10명이다.

29 무게가 120 g 이상 130 g 미만인 토마토의 수는 5개이므로 재배한 토마토의 전체 개수를 x개라 하면

$\dfrac{5}{x} \times 100 = 12.5$ $\therefore x = 40$

따라서 재배한 토마토의 전체 개수는 40개이다.

30 무게가 140 g 이상 150 g 미만인 토마토의 개수는

$40 - (5 + 7 + 9 + 5 + 2) = 12$(개)

31 키가 155 cm 이상 160 cm 미만인 학생 수를 x명이라 하면

$\dfrac{2 + 10 + x}{40} \times 100 = 70$, $x + 12 = 28$ $\therefore x = 16$

따라서 구하는 학생 수는 16명이다.

32 $2 + 12 + 18 + 8 = 40$(명)

33 과학 실험 점수가 12점 미만인 학생은

$2 + 12 = 14$(명)이므로

전체의 $\dfrac{14}{40} \times 100 = 35$(%)

34 도수분포다각형에서 $A = 12$, $B = 15$

$\therefore C = 6 + 12 + 18 + 15 + 9 = 60$

35 저축을 11번째로 많이 한 학생이 속하는 계급은 4만 원 이상 5만 원 미만이다.

36 ④ 도수가 가장 큰 계급은 30분 이상 40분 미만이다.

37 ① 가장 가벼운 학생은 55 kg 이상 60 kg 미만으로 여학생이다.

② 여학생 : $2 + 3 + 7 + 2 + 1 = 15$(명)

남학생 : $2 + 3 + 6 + 4 = 15$(명)

④ 계급의 크기가 같고, 남학생 수와 여학생 수가 같으므로 각각의 그래프와 가로축으로 둘러싸인 부분의 넓이는 서로 같다.

38 A와 B, C와 D, E와 F는 각각 넓이가 같다.

40 도수분포다각형과 가로축으로 둘러싸인 부분의 넓이는 히스토그램의 각 직사각형의 넓이의 합과 같으므로

$3 \times (1 + 4 + 10 + 3 + 2) = 60$

41 전체 선수의 수가 45명이므로

홈런의 개수가 25개 이상 30개 미만인 선수의 수는

$45 - (2 + 3 + 5 + 6 + 9 + 5) = 15$(명)

42 ② 기록이 35초인 학생이 속한 계급은 35초 이상 42초 미만이므로 이 계급의 도수는

$35 - (1 + 2 + 5 + 8 + 6 + 3) = 10$(명)

③ 도수가 가장 큰 계급은 35초 이상 42초 미만이다.

④ 기록이 14초 이상 28초 미만인 학생은 $2 + 5 = 7$(명)

이므로 전체의 $\dfrac{7}{35} \times 100 = 20$(%)

⑤ 기록이 42초 이상인 학생은 $6 + 3 = 9$(명)

43 달리기를 한 거리가 20 km 이상 30 km 미만인 학생 수는

$25 - (1 + 4 + 10 + 1) = 9$(명)

달리기를 한 거리가 25 km 이상 30 km 미만인 학생 수를 x명이라 하면 달리기를 한 거리가 20 km 이상 25 km 미만인 학생 수는 $(x + 5)$명이므로

$x + (x + 5) = 9$, $2x = 4$ $\therefore x = 2$

따라서 구하는 학생 수는 $2 + 5 = 7$(명)

44 A, B 두 학교의 여학생의 상대도수는 각각

$$\frac{240}{260+240}=0.48, \quad \frac{282}{318+282}=0.47$$

따라서 여학생의 비율이 더 높은 학교는 A 학교이다.

45 (남학생의 상대도수)$=\dfrac{3}{30}=0.1$

(여학생의 상대도수)$=\dfrac{5}{20}=0.25$

46 (남학생의 상대도수)$=\dfrac{10}{30}=0.33\cdots$

(여학생의 상대도수)$=\dfrac{8}{20}=0.4$

따라서 70점 이상 80점 미만인 학생은 남학생보다 여학생의 비율이 더 높다.

47 (어떤 계급의 도수)

$=$(도수의 총합)$\times$(그 계급의 상대도수)

$=60\times0.55=33$(명)

48 (전체 학생 수)$=\dfrac{(그\ 계급의\ 도수)}{(어떤\ 계급의\ 상대도수)}$

$=\dfrac{8}{0.25}=32$(명)

49 (도수의 총합)$=\dfrac{5}{0.1}=50$

따라서 상대도수가 0.4인 계급의 도수는

$50\times0.4=20$

50 (도수의 총합)$=\dfrac{9}{0.3}=30$

$x=\dfrac{12}{30}=0.4, \quad y=30\times0.2=6$

$\therefore x+y=0.4+6=6.4$

51 $B=\dfrac{2}{0.04}=50, \quad A=50\times0.28=14,$

$C=\dfrac{16}{50}=0.32, \quad D=1$

52 $(0.32+0.24+0.04)\times100=60(\%)$

53 $30\times0.3=9$(명)

54 $A=\dfrac{3}{30}=0.1, \quad C=1$

$B=1-(0.1+0.3+0.3+0.1)=0.2$

55 전체 학생 수는 $\dfrac{2}{0.1}=20$(명)

따라서 수학 성적이 65점 이상 75점 미만인 계급의 상대도수는 $\dfrac{4}{20}=0.2$

56 (전체 학생 수)$=\dfrac{2}{0.05}=40$(명)이므로

60점 이상 80점 미만인 학생 수는 $40\times\dfrac{60}{100}=24$(명)

따라서 70점 이상 80점 미만인 학생 수는

$24-10=14$(명)

57 SNS에 올린 글의 수가 30건 이상인 계급의 상대도수는 0.1이므로 SNS에 올린 글의 수가 10건 이상 30건 미만인 계급의 상대도수는 $1-(0.65+0.1)=0.25$

이때 전체 학생 수는 $\dfrac{130}{0.65}=200$(명)

따라서 SNS에 올린 글의 수가 10건 이상 30건 미만인 학생 수는 $200\times0.25=50$(명)

58 키가 140 cm 이상 150 cm 미만인 학생 수는

1학년은 $200\times0.15=30$(명)

3학년은 $300\times0.12=36$(명)

따라서 3학년이 6명 더 많다.

59 키가 150 cm 이상 160 cm 미만인 1학년의 학생 수는

$200\times0.33=66$(명)이므로 3학년의 상대도수는

$\dfrac{66}{300}=0.22 \qquad \therefore A=0.22$

$\therefore B=1-(0.12+0.22+0.42+0.04)=0.2$

60 ① 90점 이상인 학생 수는 $9+22=31$(명)이므로

전체의 $\dfrac{31}{40+60}\times100=31(\%)$

② 70점 미만인 학생의 비율은 남학생은 $\dfrac{4}{40}=0.1$, 여학생은 $\dfrac{4}{60}=0.0666\cdots$이므로 남학생이 더 높다.

③ 80점 이상인 학생의 비율이 남학생은 $\dfrac{25}{40}=0.625$, 여학생은 $\dfrac{49}{60}=0.816\cdots$이므로 대체로 여학생의 성적이 더 높다.

④ 80점 이상 90점 미만인 학생의 비율은 남학생은 $\dfrac{16}{40}=0.4$, 여학생은 $\dfrac{27}{60}=0.45$이므로 여학생이 더 높다.

⑤ 70점 이상 80점 미만인 계급의 상대도수는 남학생은 $\dfrac{11}{40}=0.275$, 여학생은 $\dfrac{7}{60}=0.11666\cdots$이므로 남학생이 여학생보다 더 높다.

따라서 옳지 않은 것은 ④이다.

61 전체 도수를 각각 $3a$명, $4a$명이라 하고 어떤 계급의 도수를 각각 $6b$명, $5b$명이라 하면 이 계급의 상대도수의 비는

$\dfrac{6b}{3a}:\dfrac{5b}{4a}=2:\dfrac{5}{4}=8:5$

62 체육 성적이 90점 이상인 학생 수는 각각

$300\times0.16=48$(명), $500\times0.18=90$(명)이므로 두 학교 전체에서 체육 성적이 90점 이상인 학생 수는

$48+90=138$(명)이다.

따라서 구하는 상대도수는 $\dfrac{138}{300+500}=\dfrac{138}{800}=0.1725$

63 40분 이상 50분 미만인 계급의 상대도수는 0.3이므로 계급의 도수는 $40\times0.3=12$(명)

64 30분 이상 40분 미만인 계급의 상대도수는 0.25이므로 학생 수는 $40\times0.25=10$(명)

65 $(0.25+0.10)\times100=35(\%)$

66 (전체 학생 수)$=\dfrac{4}{0.20}=20$(명)

67 전체 날 수는 $\dfrac{15}{0.5}=30$(일)이므로 구하는 계급의 도수는 $30\times0.3=9$(일)

68 80점 이상 90점 미만인 계급의 상대도수는
$1-(0.16+0.38+0.12)=0.34$
따라서 구하는 학생 수는 $50\times0.34=17$(명)

69 ② A 중학교에서 4분 이상 5분 미만인 계급의 상대도수는 0.3이므로 학생 수는 $100\times0.3=30$(명)

④ A 중학교의 그래프가 왼쪽으로 더 치우쳐 있으므로 A 중학교의 기록이 B 중학교의 기록보다 대체로 좋은 편이다.

⑤ B 중학교 학생 중 3분 미만의 기록을 가진 학생은 전체의 5 %이다.

70 등교 시각이 7시 30분 미만인 학생은 각각 전체의
1반 : $(0.05+0.15)\times100=20(\%)$
2반 : $(0.10+0.25)\times100=35(\%)$
또한, 2반의 그래프가 왼쪽으로 더 치우쳐 있으므로 대체로 일찍 등교하는 반은 2반이다.

71 B 지역의 그래프가 오른쪽으로 더 치우쳐 있으므로 B 지역의 평균이 더 높다.

72 도수가 가장 큰 계급의 상대도수가 가장 크므로 구하는 계급은 18초 이상 20초 미만이다.

73 남학생 중 12초 이상 14초 미만인 계급의 상대도수는 0.12이므로 전체 남학생 수는 $\dfrac{12}{0.12}=100$(명)

74 남학생의 그래프가 왼쪽으로 더 치우쳐 있으므로 남학생의 기록이 대체로 더 좋다고 말할 수 있다.

1 ②　　**2** ⑤　　**3** ④　　**4** 12

5 ③　　**6** ⑤　　**7** ④　　**8** ④

9 37 %　　**10** 2회

1 전체 학생 수는 12명이고, 훌라후프 횟수가 25회 미만인 학생 수는 6명이므로 전체의 $\frac{6}{12} \times 100 = 50(\%)$

2 ① 6개　② 5 kg

③ $A = 32 - (3+9+4+3+1) = 12$

④ 알 수 없다.

⑤ $\frac{4+3+1}{32} \times 100 = 25(\%)$

3 16초 미만인 학생 수는 $3+5 = 8$(명)이므로 기록이 좋은 쪽에서 여섯 번째인 학생이 속하는 계급은 15초 이상 16초 미만이고, 그 계급의 도수는 5명이다.

4 도수가 가장 큰 계급은 16초 이상 17초 미만이므로 직사각형의 넓이는 $1 \times 9 = 9$이고, 기록이 18초 이상 19초 미만인 계급의 도수는 3명이므로 직사각형의 넓이는 $1 \times 3 = 3$이다. 따라서 두 직사각형의 넓이의 합은 $9 + 3 = 12$

5 계급의 크기가 2점이므로 구하는 넓이는 $2 \times (2+3+4+8+3) = 40$

6 점심 식사 시간이 25분 이상 30분 미만인 계급의 학생 수는 8명이고, 상대도수는 0.2이므로 지연이네 반 전체 학생 수는 $\frac{8}{0.2} = 40$(명)

① $A = 40 \times 0.25 = 10$

② $B = \frac{6}{40} = 0.15$

③ $C = 40 \times 0.35 = 14$

④ $D = \frac{2}{40} = 0.05$

⑤ 상대도수의 합은 항상 1이므로 $E = 1$

7 50점 미만인 학생의 상대도수의 합은 $0.14 + 0.2 = 0.34$ 이므로 전체 학생 수는 $\frac{340}{0.34} = 1000$(명)

100등은 전체의 10 %이므로 상대도수는 0.1이다.

따라서 80점 이상인 학생의 상대도수는 $0.06 + 0.04 = 0.1$이므로 100등 이내에 들려면 최소 80점 이상이어야 한다.

8 ④ 상대도수의 합이 1로 같으므로 상대도수의 그래프와 가로축으로 이루어진 다각형의 넓이는 서로 같다.

9 25세 미만인 사람 수는 $18 + 36 = 54$(명)이므로 30세 이상인 사람 수는 $54 - 32 = 22$(명)이고 30세 이상 35세 미만인 사람 수는 $22 - 9 = 13$(명)이다.　　…… ①

따라서 전체 사람 수는 $18 + 36 + 24 + 13 + 9 = 100$(명)이고,　　…… ②

25세 이상 35세 미만인 사람 수는 $24 + 13 = 37$(명)이 므로 전체의 $\frac{37}{100} \times 100 = 37(\%)$이다.　　…… ③

단계	채점 기준	비율
①	30세 이상 35세 미만인 사람 수 구하기	40 %
②	전체 사람 수 구하기	20 %
③	25세 이상 35세 미만인 사람은 전체의 몇 %인지 구하기	40 %

10 도수가 가장 큰 계급의 상대도수는 0.3이고　　…… ①

이 계급의 도수가 12회이므로 지진이 일어난 총 횟수는 $\frac{12}{0.3} = 40$(회)　　…… ②

따라서 규모가 3.5 M 이상 3.8 M 미만인 지진이 일어난 횟수는 $40 \times 0.05 = 2$(회)이다.　　…… ③

단계	채점 기준	비율
①	도수가 가장 큰 계급의 상대도수 구하기	40 %
②	지진이 일어난 총 횟수 구하기	20 %
③	규모가 3.5 M 이상 3.8 M 미만인 지진이 일어난 횟수 구하기	40 %

| **1** 13 cm | **2** ⑤ | **3** 40 % | **4** ①, ③ |
| **5** ③ | **6** 16명 | | |

1 남학생 중에서 다섯 번째로 좋은 기록은 143 cm이고, 여학생 중에서 네 번째로 안 좋은 기록은 130 cm이므로 두 기록의 차는 $143-130=13$(cm)

2 ⑤ 점수가 12점 이상인 학생 수는 $4+3=7$(명)이고, 8점 이상인 학생 수는 $9+4+3=16$(명)이므로 점수가 8번째로 높은 학생이 속하는 계급의 도수는 9명이다.

3 용준이네 반 전체 학생 수는
$3+7+11+8+6=35$(명)   …… ①

영어 성적이 80점 이상인 학생은 $8+6=14$(명)이므로 전체의 $\dfrac{14}{35}\times100=40$(%)   …… ②

단계	채점 기준	비율
①	반 전체 학생 수 구하기	40 %
②	80점 이상인 학생은 전체의 몇 %인지 구하기	60 %

4 ① 남학생 수와 여학생 수는 각각 25명으로 같다.
③ 시간이 적게 걸릴수록 기록이 좋은 것이므로 대체로 남학생의 기록이 더 좋다.

5 상대도수의 총합은 1이므로 소요 시간이 30분 이상 40분 미만인 계급의 상대도수는
$1-(0.10+0.30+0.15+0.05)=0.40$

6 전체 학생 수는 $\dfrac{1}{0.05}=20$(명)이므로 40분 미만인 학생 수는 $20\times(0.10+0.30+0.40)=20\times0.80=16$(명)

개념 확장

최상위수학

수학적 사고력 확장을 위한
심화 학습 교재

심화 완성

개념부터
심화까지

수학은 개념이다